D0985478

LE PEUPLE DES RENNES

MEGAN LINDHOLM

LE PEUPLE DES RENNES

OUVRAGE PUBLIÉ SOUS LA DIRECTION
DE BÉNÉDICTE LOMBARDO

Titre original : *The Reindeer People*
Traduit de l'anglais par Maryvonne SSOSSÉ

Première publication par Ace Book,
avec l'accord de l'auteur, 1988

ISBN 2-84228-196-9
N° d'éditeur : 179
www.lepreauxclercs.com

Kerleu

LA FUMÉE

— VA AU PLUS PROFOND, dit Carp au jeune garçon. Suis la petite souris brune qui récolte ses graines et se cache pour l'hiver. Plonge dans la source secrète, où l'eau bouillonne et rejaillit. Suis les racines du grand-père épicéa au tréfonds de la terre et au-delà. Je te le dis car, même si chaque chaman doit trouver son entrée, celles-là ont opéré pour certains, on le sait. Cela vaut la peine de les essayer.

Kerleu déglutit et tâcha de river son regard sur le visage du vieil homme, mais ce dernier saupoudra une nouvelle pincée d'herbes sur la flamme de la lampe pour épaissir le rideau de fumée qui tremblotait entre eux.

— Qu'est-ce que je cherche ? demanda le garçon, non sans difficulté.

— Je te l'ai dit, répondit Carp avec patience. La magie, et un frère. Trouve ton chemin vers le monde des esprits et il te conduira dans une salle profonde. De l'eau goutte à ses murs de pierre. Des racines pendent du plafond. Tu dois y entrer et en ressortir pour accéder à l'autre monde. Abstiens-toi de parler à quiconque, même s'il se prétend ton frère et t'offre de beaux cadeaux. Car sinon, tu devras rester là et il aura le loisir de prendre ta place. Ainsi, maints chamans se sont retrouvés pris au piège. Je les ai vus de mes yeux, pendant mes traversées. Ne leur parle pas !

— J'ai peur, dit soudain le garçon.

Le vieil homme secoua la tête, adoucissant son geste d'un sourire.

— Tu passeras près d'eux et tu émergeras dans l'autre monde. Je ne peux pas te dire à quoi t'attendre, car cela diffère pour chaque chaman. Mais quand tu verras ton esprit gardien, tu le reconnaîtras. Il décidera peut-être de te mettre à l'épreuve. De te montrer les dents ou de te piétiner sous ses sabots. De te déchirer de ses griffes ou de te saisir dans ses serres pour t'enlever dans le ciel. Quoi qu'il fasse, n'aie pas peur ou ne le montre pas. Sois courageux, et pose ta main entre ses yeux. Alors, il sera ton frère, et devra te donner une chanson ou une magie à rapporter. Mais si tu cries, si tu fuis, ou que tu essaies de le blesser, il refusera de devenir ton frère, tuera ton esprit, et ton corps se mourra peu à peu.

Kerleu serra fort les poings pour empêcher ses mains de trembler.

Carp s'en aperçut. Sa sévérité de tuteur déserta son visage durant un instant et il considéra son élève avec affection.

— Tout ira bien, dit-il doucement. Va, maintenant. N'aie pas peur. (D'une main décharnée, il effleura la joue du garçon et caressa du bout des doigts son front plissé pour effacer les rides d'inquiétude.) Tu seras un grand chaman et tous te désigneront du doigt et raconteront des anecdotes sur l'apprenti de Carp.

Kerleu hocha la tête et s'efforça de ravaler l'anxiété qui remontait du creux de son estomac pour lui serrer la gorge. Le vieux Carp lui adressa un sourire de réconfort. La fierté et la confiance éclairaient son visage parcheminé. Il avait des dents jaunes séparées par des cavités obscures. Ses yeux, qui selon le garçon avaient dû être marron, se dissimulaient à présent derrière une pellicule grise semblable au limon qui couvrait la surface des mares en été. Kerleu savait qu'en agitant le limon à l'aide d'un bâton, on voyait surgir des profondeurs les merveilles de la mare. Parfois, lorsqu'il scrutait les yeux voilés, il croyait discerner des prodiges identiques derrière cette brume grise... couleur de la fumée qui dérivait et vagabondait sous la tente. Lorsqu'il l'inhalait, elle tapissait les parois de son nez et desséchait sa gorge : il lui semblait aspirer des toiles d'araignée.

Les lèvres flétries de Carp s'agitèrent. Kerleu s'efforça d'y fixer son attention. Il devait écouter, se rappela-t-il un peu tard. La fumée censée l'aider ne faisait que le gêner.

— Respire bien. Écoute le tambour. Laisse-le te guider. Écoute bien, maintenant.

Le tambour. Kerleu posa son regard sur les mains de Carp, qui serrait entre ses genoux un tambourin garni d'une peau de cuir jaune. Dans une main, il serrait un maillet minuscule : une molaire d'ours fixée sur une branchette de bouleau. Kerleu scrutait la dent qui se levait, retombait, se levait, retombait, se levait, retombait, produisant un son chaque fois qu'elle entrait en contact avec la peau. Écouter. Il devait écouter. Les doigts du chaman avaient la même couleur qu'un morceau de cuir usagé qu'on aurait suspendu dans une tente pleine de fumée. Comme celle-ci. Il laissa ses yeux se détourner de l'instrument et des doigts pour suivre la fumée qui tournoyait.

Carp lui parlait toujours. Ses mots dérivaient sous la tente.

— Écoute le tambour. Détache-toi de cet endroit. Inspire dans le monde des choses, expire dans celui des esprits. Et descends, dans l'autre monde, pour trouver ton esprit gardien. Va vers le bas, suis la souris, suis le scarabée, pénètre dans l'univers secret, suis le ruisseau, descends dans la terre...

Les mots se mêlèrent à la fumée pour s'élever en tournoyant dans la tente, plus haut que la pièce cousue sur la paroi, que les jambières qui séchaient pendues à l'un des piquets, que la tête du vieux chaman. Toujours allongé sur sa couche de peaux, Kerleu regardait les mots. Il avait la langue collée au palais, la respiration bloquée dans les poumons. Il parvenait encore à inspirer ; il sentait sa poitrine se soulever à chaque souffle qu'il prenait ; mais il ne pouvait plus expirer. L'espace d'un instant qui lui parut s'étirer, il s'en inquiéta, mais la fumée retint de nouveau son attention. Il la regarda planer, grise, lisse, libre. Alors, il poussa un long soupir et la suivit.

Un jour, il était tombé dans la rivière et, avant que sa mère ait pu le rattraper, le courant l'avait bousculé, entraîné. Il lui semblait se retrouver dans cette situation, sauf que la fumée était chaude et douce, et qu'il n'y avait pas de grosses pierres pour le meurtrir. Elle le portait vers le sommet de la tente, vers le trou central par où elle s'échappait. Il frôla la tête baissée du chaman, entendit s'attarder quelques notes de tambourin et se rappela qu'il était censé plonger dans la terre, fouiller les profondeurs du monde des esprits. En tournoyant, porté par les spirales grises, il dépassa Carp, dont les instructions ne lui importaient plus. Il s'éleva par le trou.

La nuit était noire, cloutée d'étoiles. L'hiver, tout proche, lui soufflait sur la nuque, mais Kerleu ne sentait pas le froid. Il arpenta le ciel, foulant la fumée molle à grands bonds de cerf. Puis, tandis qu'elle se délitait, se dissipait, il sauta d'étoile en étoile ainsi qu'on traverse le torrent d'un rocher à l'autre, la tourbière d'une touffe d'herbe à l'autre. En temps ordinaire, il se déplaçait avec maladresse, d'un pas hésitant ; ici, il marchait en chasseur et en homme. Le vent nocturne ébouriffait sa chevelure.

Il monta encore, jusqu'à voir loin devant lui le pelage pâle des rennes de la lune. Bien campé sur les plus hautes étoiles, il contemplait les bêtes éparpillées dans le ciel noir au-dessus des astres. Leur robe luisait comme la glace d'un lac et leurs bois blancs scintillaient. Courbant la tête, ils broutaient le ciel. La vapeur de leur souffle formait les nuages, le choc de leurs bois les uns contre les autres présageait le tonnerre et la foudre ; il savait tout cela. Leur puissance, leur majesté lui serraient le cœur. S'il pouvait toucher l'un d'eux entre les yeux et en faire son esprit frère, il deviendrait un puissant chaman, en vérité.

Mais entre lui et la harde, les étoiles étaient rares, disséminées. Debout sur deux d'entre elles, attiré par les rennes du ciel, il hésita et s'interrogea sur la conduite à tenir. Carp, songea-t-il, lui avait dit de descendre dans la terre. Le cœur lourd, il se rendit compte qu'il lui avait désobéi ; il rentrerait bredouille de sa chasse. À son retour, au lieu de devenir chaman, il resterait le fils de la guérisseuse, ce garçon étrange. La déception lui noua les tripes, la gorge, et lui emplit les yeux de larmes qui l'aveuglèrent. Tant bien que mal, il reprit son souffle dans un frisson. À moins qu'il ne parvienne à s'attacher l'une de ces créatures comme frère spirituel... Il rassembla son courage au creux de son ventre et se prépara à bondir sur l'étoile suivante.

Une respiration haletante s'éleva derrière lui, et il sentit un souffle chaud sur ses mollets. Lorsqu'il se retourna, il avisa le loup qui filait vers lui, escaladant les étoiles, la robe grise striée de noir. Sa langue pendait, rouge sang, le vert de ses yeux scintillait, ses pattes se déployaient à chaque foulée, et Kerleu remarqua toutes ses griffes noires. Puis il croisa son regard et, à cet instant, il sut qui était son frère.

Main levée, paume en avant, campé sur ses talons, il attendit le loup et, quand ce dernier ne se trouva plus qu'à quelques étoiles, il lui lança :

— Je te proclame mon esprit frère.

Sans s'arrêter, le loup émit un rire sauvage comme seuls savent en produire ceux de son espèce.

— Imbécile ! cria-t-il. Tu ne peux pas me lier à toi ici !

Son saut le porta très au-dessus de la tête de Kerleu, hors d'atteinte. Il retomba sur l'étoile suivante et, de là, se jeta sur sa voisine. La grande harde blanche le vit tout à coup. Les rennes célestes dressèrent leurs têtes couronnées de bois et mugirent de terreur. Soudain, le troupeau entier détala et bondit à travers le ciel nocturne, traqué par le loup.

Tout cela, Kerleu le vit alors qu'il oscillait, perturbé par le vent de la course du fauve. Il battit des bras pour garder son équilibre précaire, mais en vain, et tomba à la renverse entre les étoiles, qui le griffaient au passage comme des branches d'arbre. L'éclat de la lune se tarit au fil de la chute dans la pénombre, tandis que Kerleu entendait, dans le lointain, le cri de chasse du loup, appelant ses frères à la curée. Il cueillit de justesse les derniers mots qui vinrent siffler à ses oreilles :

— Si tu veux être le frère du loup, apprends à suivre les hardes !

I

L'ACCOUCHEMENT AVAIT ÉTÉ LONG, mais moins difficile que Tillu l'avait craint. La sueur plaquait l'épaisse chevelure d'Elna sur son crâne ; au plus fort de son labeur, haletant dans la chaleur de ses efforts, elle avait repoussé peaux et couverture. Toutefois, peu après que l'enfant eut émergé, elle avait réclamé en tremblant de froid qu'on rapproche sa couche du feu. Elle dormait à présent, son bébé grassouillet au creux du bras, dans un doux nid de fourrures bien bordées. Elle avait ressenti une telle fierté en le voyant qu'elle avait émis un cri de joie plus perçant que toutes ses plaintes. C'était son premier petit, un costaud. Tillu avait redouté que, dans son inexpérience, Elna se déchire en poussant trop fort, mais tout s'était bien terminé.

Tillu ajouta une couverture en peau de renard sur la mère et le bébé, se pencha pour ramasser les lambeaux de fourrure ensanglantés qui avaient servi à nettoyer le nouveau-né, puis se redressa lentement. Elle regrettait de ne pouvoir aller se coucher et dormir, tant elle souffrait du dos et de la tête, après les heures passées, accroupie ou agenouillée auprès de la mère, tendue à l'extrême. Il fallait que la naissance soit réussie, et cette obligation lui avait semblé aussi pressante que la pointe d'un couteau contre sa colonne vertébrale. Si les autres femmes, à présent, avaient quitté la tente, elles étaient restées agglutinées à l'intérieur pendant tout l'accouchement. Tillu avait senti leurs regards accrochés à ses moindres gestes telles des bourres végétales. Croyaient-elles qu'une sage-femme nuirait à Elna ? Peut-être. Elle émit un soupir et frotta ses yeux las. Voilà un beau garçon bien portant, se remémora-t-elle, refusant de s'abandonner à ces réflexions moroses. Le passé, c'était le passé. On allait de nouveau l'accepter dans la tribu.

Hors de la tente, Rak, assis près d'un feu ronflant, dévorait la viande bouillie que les autres femmes lui avaient préparée. De l'autre côté du brasier, les hommes de Bénu partageaient sa veillée. Tous avaient revêtu leur tenue de chasse et observaient le jeune père. Il serrait dans son poing sa meilleure lance à pointe d'os, le bout du manche planté dans la terre gelée. Sa voix profonde, qui noyait les crépitements des flammes, portait ses fières plaintes à travers les parois en cuir de la tente.

— Cette incapable qui me sert d'épouse a dû engendrer un chiard pleurnicheur pas plus gros qu'un écureuil. J'en ai de la chance ! Elle est trop jeune et trop stupide pour enfanter.

— Imbécile ! le railla une femme qui passait par là. (Elle parlait fort, afin que tous l'entendent.) Ton premier-né est si gros que ton épouse devra toujours le porter et s'en occuper, ce qui ne lui laissera plus un instant pour toi !

Les rires féminins envahirent la nuit claire.

— Il lui remplira les bras et il lui cassera le dos ! croassa une autre.

— Coudre une tunique pour un bébé pareil prendra toute une journée et une nuit de dur labeur, pendant que toi, mon pauvre, tu iras nu dans le vent glacé et que tu consacreras ton temps à chasser pour lui remplir la panse !

— On a la langue bien pendue, par chez vous ! plaisanta un des amis de Rak. Vous osez parler sur ce ton à un homme fait ? Regagnez votre feu, si vous en avez un !

Mais les cris hilares qui avaient accueilli ces compliments osés démentaient la réprimande. Devant un tel hommage, le jeune père devait encore plus rougir de fierté. Ces femmes si joyeuses lui faisaient cuire des mets délicats : langues bien fraîches et tendres, côtelettes grasses mijotant dans leur jus. Les odeurs tentatrices parvenues à la tente avivaient la faim de Tillu. Elle n'avait aucun besoin de jeter un coup d'œil dehors pour savoir ce qui se passait. Le père jouissait de l'honneur accordé à celui dont l'épouse, en lui donnant un fils, renforçait le groupe de chasse de Bénu et dont les hommes lui témoignaient leur respect sans un mot, laissant tomber à ses pieds, comme par mégarde, divers objets : des nerfs qui serviraient de corde d'arc, des pointes de flèche en os, autant de cadeaux dignes d'un premier-né. S'il s'était agi d'une fille, les femmes auraient « perdu » des aiguilles d'os et caché des racloirs sous la couche de la mère. Qu'on les donne ou qu'on les reçoive, on ne parlait pas de ces présents, mis de côté et chéris jusqu'à ce que l'enfant ait l'âge de les utiliser. Toute naissance apportait la joie mais, ce soir-là, le petit groupe de chasseurs la fêtait comme si le fils d'Elna et de Rak était le premier bébé jamais venu au monde. Après les pertes subies durant l'été, on avait besoin du réconfort qu'apportait une vie nouvelle, même si l'enfant était né à la portée des crocs de l'hiver.

Tillu jeta un regard sur la tente remise en ordre et tapota la mèche de la lampe en pierre pour raccourcir la flamme. Elle avait terminé. Tout en frottant son poignet pour ôter une tache de sang séché, elle réfléchit. Les femmes avaient pris le délivre pour le placer sur un autel de cinq pierres entassées. Le lendemain, Carp étudierait les traces des animaux venus pendant la nuit et en déduirait l'esprit gardien de l'enfant. La journée lui appartiendrait. Il secouerait ses crécelles d'os et de cuir, et parlerait à plusieurs voix. Recevoir les honneurs qui lui étaient dus en sa qualité de chaman l'occuperait. Toute la tribu s'affairerait à célébrer la venue d'un nouveau chasseur. Cette nuit serait le bon moment pour partir.

Sa décision surprit Tillu. Elle essaya de se raviser tandis qu'elle soulevait le rabat de la tente et scrutait la nuit. Le monde oscillait sur la lame de couteau qui séparait l'hiver de l'automne. Il aurait fallu perdre la raison pour renoncer à la sécurité qu'offrait la tribu en pareille saison. Le minuscule village de tentes alentour constituait toute la civilisation que connaissait cette partie du monde. Par-delà les limites temporaires du camp de fortune ne régnait que la forêt. Tillu savait qu'elle ne se poursuivait pas jusqu'à l'infini ; à une vie de là, au sud et à l'est, selon elle, il y avait des fermiers, des champs cultivés, des chevaux et leurs cavaliers, du blé et ses faucheurs : la terre de son enfance. Telle était pourtant la réalité de son âge adulte : la forêt septentrionale et les bandes semi-civilisées qui l'habitaient. Elle avait erré d'un groupe à l'autre. Jamais elle n'avait poussé aussi loin au Nord, ni vécu dans une tribu aussi pauvre que celle de Bénu. Pour subsister, ici, on se contentait d'os et de pierre, de peaux et de viande. Elle remonta sa capuche en loup pour abriter son visage des premiers vents d'hiver et quitta la chaleur humide de la tente.

L'éclat du feu sur la noirceur l'aveugla. Ils l'avaient bâti haut, alimenté de branches, sèches ou non, et arrosé d'huile précieuse pour qu'il rugisse. Les flammes dansaient en jetant d'étranges ombres qui paraissaient se recroqueviller dans la chaleur inattendue. Près du brasier, on se régalait de côtes et de langues, le visage brillant de sueur, de graisse et de joie. Tillu passa sans un mot, la mousse et l'herbe gelées crissant sous ses bottes souples. Aucun des hommes ne daigna la remarquer. Prêter attention à une femme, à une sage-femme qui plus est, était indigne d'un chasseur.

Un instant, la nuit se serra contre elle, avec son étendue de ciel noir limpide, et ses étoiles aussi denses que le pollen sur une mare. Le camp avait été dressé dans un vallon, entre deux collines, abrité des pires rigueurs du vent d'hiver. La forêt clairsemée de bouleaux, d'aulnes et de saules laissait place à des fourrés, puis à l'herbe des marais. Des années auparavant, elle avait brûlé, comme le rappelaient les souches noircies et les géants couturés, et la plupart des arbres vivants avaient un tronc que Tillu pouvait encercler de ses deux mains. Le petit gibier et les cerfs qui venaient brouter offraient une chasse abondante, et la tribu de Bénu avait passé un bel été le long de la rivière sinueuse. À présent, le feuillage épars était doré sur les bouleaux, jaune sale sur les saules, et rouge sur les aulnes. Ce soir-là, le gel détourait d'argent scintillant les herbes rugueuses et les feuilles mortes qui tapissaient le sol. L'heure était venue pour le clan de s'abriter des rafales glacées dans la vieille forêt de pins et d'épicéas, où il devrait lutter pour sa survie jusqu'au printemps. Elle avait surpris quelques discussions sur le sujet. À l'époque, elle avait eu le projet de les suivre. En frissonnant, elle retira ses bras des larges manches pour s'étreindre sous son manteau.

À distance adéquate de la tente de naissance et du bûcher des chasseurs, les femmes se serraient autour de leur petit feu. Elles récapitulaient tous les détails de l'accouchement au cours d'un débat animé destiné à déterminer si l'enfant atteignait la taille du premier-né d'Ardi, ou la dépassait. Elles tétaient du jaune d'œuf séché à même un sac en boyau de cerf. Chacune le pressait pour en extraire une bouchée collante et nourrissante avant de le passer à sa voisine. Elles avaient baissé leur capuche dans la chaleur du foyer : leurs cheveux noirs lançaient des reflets bleus quand elles hochaient la tête. Elles étouffaient leurs rires derrière leurs mains brunes pour ne pas irriter leurs hommes. La joie du groupe, qui comptait dix-huit membres au lieu de dix-sept, créait une lueur rassurante et presque tangible dans la nuit noire.

Tillu aurait pu les rejoindre. Ce soir-là, au moins, elles auraient volontiers partagé le sac de jaune d'œuf et évoqué les naissances auxquelles elle avait procédé. Elle aurait été la Guérisseuse, l'Accoucheuse, et se serait mêlée aux autres près du feu. Aucune d'elles n'aurait fait allusion aux événements de l'été, ni parlé de son fils, Kerleu.

Elle se détourna du foyer, invoquant la fatigue ; une manière d'éviter de se poser trop de questions. Et sa décision, quoique subite, restait bien arrêtée. Le départ était prévu pour cette nuit et il lui fallait se préparer. Par ailleurs le jaune d'œuf, même riche, ne suffirait pas à la rassasier. Son présent devait se trouver sous sa tente, apporté par les femmes sitôt le cordon du bébé tranché d'un coup de dents. Le père n'en saurait rien. Dans la tribu de Bénu, la naissance relevait du domaine féminin. Qu'un homme se soit abaissé à s'y intéresser aurait paru fort singulier, voire dangereux. Parfois, les esprits se fâchaient contre qui ne tenait pas sa place. L'enfant resterait particulièrement vulnérable jusqu'au lendemain, avant que Carp ne proclame son esprit gardien – d'où l'immense brasier devant la tente de naissance et la veillée courageuse du père pendant la nuit. Les esprits risquaient de se montrer jaloux, ou d'exercer leur vengeance contre ceux qui s'opposaient à leur volonté.

Comme Tillu.

Elle rejeta cette idée. Ces entités qui peuplaient chaque recoin du monde des chasseurs n'appartenaient pas à la foi de son enfance. Elle ne leur permettrait pas de l'intimider. Vivait-elle depuis si longtemps parmi ces nomades qu'elle en adoptait leurs peurs enfantines ? Dans ce cas, il était temps de partir. Ailleurs, il y aurait bien des gens qui accueilleraient volontiers une guérisseuse doublée d'une sage-femme, et qui connaissaient autre chose que les tentes de peau et les outils d'os. Elle carra ses épaules étroites pour supporter les terreurs nocturnes qu'elle refusait d'admettre et pressa le pas dans l'obscurité parmi les bouquets d'arbres afin de rejoindre sa tente dressée un peu à l'écart.

Un éclat jaune s'échappait par le trou de ventilation et les coutures. Il lui faudrait gronder Kerleu d'avoir utilisé autant d'huile en laissant la mèche brûler aussi fort. Mais s'il avait parlé avec Carp, comme trop souvent ces temps-ci, il dirait à Tillu que s'occuper de la lampe était l'affaire des femmes et qu'il n'avait donc pas à s'en soucier. Elle poussa un soupir infime. Kerleu ne lui paraissait pas plus dur à vivre ; habituée qu'elle était à ses différences et ses difficultés d'antan, elle trouvait le nouveau fardeau plus lourd à porter, voilà tout.

Le rabat soulevé, elle se réjouit de la lumière et de la chaleur réconfortantes. C'était bon de se retrouver dans sa propre tente. Une fois encore, elle remarqua la tension qui l'envahissait chaque fois qu'elle devait se déplacer parmi les gens de Bénu. Simple malaise, voulut-elle se persuader. Il ne s'agissait pas de peur. Mais il lui fallait se trouver seule avec Kerleu pour se sentir protégée de leurs regards accusateurs et cesser de s'inquiéter, de redouter l'accident, anodin mais mortel, qui pouvait toujours affliger son fils. Sitôt entrée, elle rabattit sa capuche, prête à se détendre. Ce qu'elle vit alors roidit ses muscles las.

Des amas fondants de suif s'entassaient dans la coupelle en pierre. La mèche de mousse tressée qui s'y dressait dardait une flamme trop haute et fumait. Il ne restait de la nourriture offerte par les femmes que des miettes éparpillées près de la lampe. D'un large sourire édenté, le vieux chaman léchait la graisse sur le tranchant de sa main. Son visage évoquait du cuir qui se serait ridé au séchage après avoir pris la pluie. L'odeur de la magie l'imprégnait telle la puanteur de la charogne une peau d'ours. Lorsqu'il regardait Tillu, comme à présent, campé sur ses jambes courtaudes en hochant la tête, il lui inspirait une aversion presque tangible. Elle aurait voulu le frapper, le chasser de son territoire. Il devait le sentir, et s'en réjouir. Elle serra les dents, mais se contraignit à respecter la coutume de la tribu. Carp était le chaman. On lui accordait ce qu'il désirait. Et, dans sa tente, aucune femme ne pouvait refuser un repas à un homme, quel qu'il soit, sous peine d'humilier son mari qui serait passé pour un mauvais hôte. Que Tillu n'en ait pas n'y changeait rien. En toutes circonstances, on se devait d'honorer l'invité par l'offrande de nourriture, le prier de l'accepter avec plaisir, et se lamenter de ne pouvoir proposer mieux. Celui-ci devait répondre que la nourriture était excellente, bien meilleure que celle de son pauvre foyer. Le lendemain soir, les rôles s'inversaient, sauf si l'invité se trouvait être le chaman. Dans ce cas, l'hôte savait que les esprits, satisfaits du bon accueil réservé à leur ami, béniraient son foyer. Ne s'agissait-il pas d'un honneur suffisant ? Tillu ravala donc sa vexation. Pour la dernière fois, se promit-elle.

— Celle-ci est honorée que tu daignes partager les mets sommaires et rassis de sa tente, salua-t-elle dans les formes.

Carp rota poliment et se frotta la panse pour montrer sa satiété.

— Ta maison m'a reçu avec générosité.

Il suivit du regard Tillu qui se courbait pour enlever son manteau. Elle s'assit ensuite afin d'ôter ses hautes bottes en renard garnies de semelles en peau de cerf, un animal abattu l'hiver précédent. Enfin, elle retira le rembourrage en feutre, fait de tiges d'herbe dures et souples, séchées et martelées, le suspendit près de la lampe et se releva, pieds nus sur la terre battue glaciale. Le chaman ne la quittait plus des yeux. Elle était différente des femmes trapues de la tribu, petite comme elles mais plus menue, avec des os fins, tel l'enfant d'un peuple de grande taille. Du coude au poignet, du genou à la cheville, elle exhibait des membres plus longs et plus minces que ceux des femmes dont Carp avait l'habitude. À ses yeux, cette dissemblance paraissait une maigreur peu séduisante. Tillu avait les cheveux moins sombres, bruns plutôt que noirs, de même que ses yeux, et une couleur de peau un peu plus chaude, en accord avec son tempérament. Mais il oubliait volontiers ces défauts, car elle était forte, saine et presque jeune. En outre, les femmes, rares parmi eux, étaient presque toutes prises. Elle conviendrait.

Tillu évitait son regard, mais devinait ses pensées. À son arrivée parmi les gens de Bénu, Carp s'était montré subtil. Mais elle avait ignoré sans faillir les cadeaux qu'il lui offrait pour faire sa cour, et les allusions fort peu voilées des épouses de la tribu. Devenir la femme du chaman ? Jamais. Elle n'avait plus appartenu à un homme depuis que le père de Kerleu l'avait quittée alors qu'elle attendait l'enfant, et ça ne lui manquait pas. Dans la tribu de Bénu, une femme avait son père, son mari et enfin son fils pour régenter sa vie et la protéger. Si elle était seule, ce n'était qu'une moitié d'être. Les épouses avaient d'abord éprouvé de la pitié pour Tillu, seule au monde, puis, avec le temps, le malaise avait grandi. Les esprits pouvaient-ils tolérer une telle créature ? Selon la tradition, Carp ne pouvait guère la forcer, mais si elle restait plus longtemps dans le groupe, la pression sociale deviendrait intolérable. Et s'il décidait de la prendre contre son gré, nul n'interviendrait ; on dirait que le chaman connaissait les désirs de l'esprit gardien de Tillu mieux que celle-ci.

À cette idée, elle serra les dents. On n'en viendrait jamais là ; elle partirait cette nuit. Elle pouvait se permettre de rester polie pour la dernière fois. Prenant une inspiration sans bruit, elle s'enquit :

— Et mon fils ? T'a-t-il bien accueilli chez nous ?

Carp se frotta le menton pour en ôter la graisse.

— L'homme de cette tente s'est montré courtois avec moi.

Il inclina la tête avec respect vers la couche, au fond de la tente encombrée. On lisait un défi dans les yeux noirs au regard flétri du chaman. Tillu s'avança d'un pas vers son fils.

Étendu sur le flanc, il contemplait les ombres sur la paroi. Il ne portait que ses jambières de cuir jauni. Ses cheveux noirs rugueux, défaits, cascadaient sur sa figure et ses épaules. Il avait le regard vide, vagabond. Un instant, Tillu le vit comme ceux qui ne le connaissaient pas : tel un jeune garçon et non son fils. Son visage avait toujours attiré l'attention. Profondément enfoncés, ses yeux couleur noisette très rapprochés encadraient la crête étroite de son nez : il semblait ainsi scruter les gens qu'il remarquait à peine et disséquer ceux qu'il observait. Plus d'un adulte l'avait giflé pour cette intolérable grossièreté apparente. Sa mâchoire prognathe soulignait ses lèvres pleines. Ses petites oreilles, presque cachées par ses cheveux, s'aplatissaient sur sa grosse tête. Ses mains étroites s'agitaient sans grâce, battant au bout de ses bras, et il observait, fasciné, leur ombre qui glissait et dansait sur la paroi oblique. Au repos, les doigts, pouces compris, se recroquevillaient et les mains semblaient inachevées, impuissantes. Dans sa rêverie, il remua les lèvres pour prononcer une phrase inaudible, puis eut un rire de gorge pour saluer une réponse imaginaire. On l'aurait cru en proie à un délire fiévreux ou plongé dans une transe comme un chaman.

Tillu, elle, savait que Kerleu, son étrange fils, s'amusait à sa façon. Plus que laid, il était repoussant d'étrangeté. Ce qui laissait un nourrisson indifférent retenait son attention pendant des heures. Lorsque les autres enfants lançaient des feuilles pour qu'elles voguent sur un ruisseau, il s'absorbait dans les reflets du soleil sur un tourbillon. Sans mot dire, tout à sa rêverie, il rentrait chez lui pour se laisser captiver par la flamme dansante de la lampe ou son ombre sur la paroi. Il lui arrivait d'oublier de manger, fasciné qu'il était par les globules d'huile qui flottaient dans sa soupe, ou de se tremper jusqu'aux os à force de regarder les cercles que formaient les gouttes de pluie dans une flaque. Il restait alors muet, le regard fixe, sans plus répondre à un cri de sa mère qu'à un murmure. Mais Tillu savait qu'on pouvait le tirer de son hébétude d'une gifle ou d'une bourrade et lui dire d'aller puiser de l'eau, chercher du combustible ou porter un bouillon à quelque alité. L'été précédent, il avait presque renoncé à ces idioties, car elle ne lui permettait plus de s'y adonner. Elle avait rempli ses journées de tâches qui ne lui laissaient pas le temps de contempler le vide, lui avait répété qu'il s'agissait de jeux puérils, indignes d'un garçon de neuf printemps. Elle lui avait inculqué ce que les enfants apprenaient par eux-mêmes : « Kerleu, ce n'est pas poli de se tenir si près de quelqu'un, écarte-toi. Kerleu, baisse les yeux devant un inconnu. Kerleu, ne touche pas à la nourriture des autres. » Elle ressassait sans cesse les règles qu'on savait d'instinct dès deux printemps, mais qu'il n'avait, pour sa part, jamais remarquées. Peu à peu, il avait appris ; peu à peu, il s'était amendé. Mais c'était avant que Carp le prenne en main. Avant le fléau de l'ours. À ce souvenir, Tillu soupira et, lorsqu'elle remplit ses poumons, elle nota une odeur spécifique dans l'air de la tente.

— Qu'est-ce que tu as donné à mon fils ? demanda-t-elle d'une voix sourde.

Elle s'approcha de Kerleu pour le toucher, vérifier s'il ne souffrait pas des fièvres que certaines herbes de transe pouvaient provoquer. Mais avant qu'elle ait pu poser la main sur lui, Carp l'avait saisie par le poignet et tirée en arrière.

— Maintenant, les femmes voudraient savoir ce que fait le chaman ? Magnifique ! Dois-je prendre une aiguille et te coudre des moufles pendant que tu sortiras chasser avec ton arc pour nous rapporter de la viande ?

— C'est mon fils ! répliqua Tillu, furieuse.

— Non. C'est mon apprenti ! Je dois l'instruire, et l'initier à des rites que les femmes ne sauraient connaître. Ton rôle de mère a pris fin. C'est moi qui le guide, à présent. Ne pose aucune question, Tillu, ou les esprits se mettront en colère.

Il l'immobilisait, par le poignet et par le regard, et, un long moment, elle crut en ce qu'il était. Devant ces yeux voilés, gris sur brun, qui n'auraient rien dû voir et voyaient cependant, elle sentit son âme battre des ailes, menaçant de quitter son corps et d'emporter sa conscience. La douleur d'assister, impuissante, à la transformation de son fils en un individu qu'elle craignait et détestait, la transperça. Elle huma le remugle fétide de la magie, cette chose sombre et gluante que Carp suscitait parfois chez son fils, ce pouvoir qui lui déroberait son enfant de façon plus permanente encore que la mort. Puis sa colère diffuse se coagula pour devenir une résolution empreinte de ruse. Elle se libéra d'une torsion du poignet, et se détourna du chaman et de Kerleu.

Avec une docilité feinte, elle s'approcha des marmites laissées par les femmes afin de se servir quelques morceaux de viande qui nageaient dans un bouillon tiède d'eau huileuse. Évitant de croiser le regard du vieil homme, elle réfléchit tout en faisant durer son repas aussi longtemps que possible. Enfin, elle lécha le jus qui gouttait de ses doigts.

— Un fils est né cette nuit dans la tente de Rak, annonça-t-elle d'un ton détaché. Tous les hommes se régalent de côtes et de langues autour de son feu. Un beau garçon en pleine santé, aussi robuste qu'Elna pouvait le supporter.

— Un bon signe, proclama Carp. Les esprits se tournent de nouveau vers nous. Mes longues danses et mes offrandes les ont convaincus.

— Beaucoup parlaient ainsi autour du feu, convint Tillu avec suavité. Certains disaient que Rak te gratifierait sans nul doute de beaux cadeaux en l'honneur de son premier-né.

Aussitôt, Carp saisit son manteau et s'en revêtit.

— Ils vont bientôt me réclamer. Rak me suppliera de manger beaucoup de viande afin de célébrer la venue d'un nouveau chasseur, et de chanter sous les étoiles jusque tard dans la nuit de peur que les esprits ne viennent dérober son fils avant que celui-ci n'ait son propre gardien. Lourd fardeau pour un vieillard ! (Il releva sa capuche afin d'abriter son visage ridé.) Et je devrai quand même me lever tôt le matin pour lire la volonté des bêtes afin de déterminer la nature du gardien de l'enfant, pour marquer celui-ci à l'aide du premier sang versé demain et pour offrir aux entités le festin de la première proie. Oui, ce vieillard doit se priver de sommeil s'il souhaite protéger les chasseurs à venir.

— Et ton apprenti ? Ne veux-tu pas rester pour le guider hors de sa transe ?

Feignant l'indifférence, Tillu versa une jarre de sang dans le mélange d'eau et d'huile, remua le tout pour obtenir une soupe épaisse, puis suspendit la marmite auprès de la lampe afin d'en réchauffer le contenu.

— Inutile. Il n'a pas besoin de la Fumée du Voyageur. Je n'ai brûlé qu'un peu d'herbe en guise d'offrande. Ce garçon est doué, car les esprits le suivent sans cesse et parlent aussi fort à son oreille que des femmes bavardes. Il deviendra un puissant chaman et tous sauront que je l'ai initié. (On sentait une certaine fierté dans la voix de Carp, tandis qu'il remontait ses bottes de peau au-dessus de ses genoux et en nouait les lacets.) Je te remercie bien pour l'hospitalité de ce foyer.

— Je te remercie bien de l'honneur que tu as fait à notre humble tente glaciale et à ces pauvres mets.

Et, dans son cœur, elle lui sut aussi gré de partir enfin.

— Oui, grommela Carp. (Il resta un long moment le rabat en main, à la dévisager.) Femme ! (Tillu tressaillit comme un chien qui reçoit un coup sur une blessure.) Tu déplaceras ma tente demain. Tu la monteras près de la tienne. À l'issue des cérémonies, je te montrerai où je la veux.

Elle parvint à le regarder et à lui parler sans faillir.

— Pourquoi ?

— Une femme qui remet en cause la volonté d'un homme vit seule depuis trop longtemps. Elle en a oublié l'ordre du monde.

Il sortit, laissant retomber le pan de cuir. Tillu écouta crisser ses pas qui s'éloignaient et ravala son écœurement.

Les réflexions se bousculaient dans son esprit. Bientôt, près du feu, les hommes enjoindraient à Carp de manger la viande et de boire le bouillon épais avec eux pour fêter le nouveau chasseur. Il serait très occupé.

Elle tapota la mèche de la lampe à huile pour en réduire la flamme. La lumière dans la petite tente baissa, et le murmure de Kerleu cessa. Ses mains se recroquevillèrent, retombant à ses côtés sur les peaux. Il devait glisser dans le sommeil, bercé par les histoires qu'il se racontait. Très bien. Tillu se chargerait seule des préparatifs du départ ; le garçon l'aurait plus gênée qu'aidée, de toute manière. Elle remua la soupe, puis décrocha la marmite. À se gorger de chaleur, elle se sentit reprendre peu à peu des forces, et retrouva du courage.

Elle entreprit de ranger la tente : manger ce que Carp avait laissé des mets délicats que les femmes lui avaient apportés, essuyer les marmites après avoir fini, les poser sur le sol de terre battue. Là où des gravillons s'étaient mélangés à la terre cuite, leur paroi était rugueuse au toucher. Comme leur fond pointu, conçu pour se nicher entre les pierres dans le feu, ne permettait pas de les tenir debout, elle les coucha sur le flanc, avec grand soin, pour n'en fêler aucune. Elle ne prendrait rien qui ne lui appartienne. Les derniers restes avalés, elle s'essuya le visage et les doigts sur un lambeau de peau, puis, les mains sur les hanches, considéra la tâche qui l'attendait.

Elle l'aurait préférée plus compliquée. Une bourse en cuir contenait les aiguilles à coudre, le poinçon et les tendons. Un sac renfermait ses plantes curatives et tout le nécessaire pour traiter les maux divers. Une boîte en bois, ajustée avec précision à l'aide de tenons, survivance d'un séjour au sein d'un autre peuple, accueillait ses réserves d'herbes, de graines et de racines. Deux marmites en terre cuite servaient à la cuisine et plusieurs paniers à la cueillette. Leurs couches n'étaient que des peaux jetées sur des tas de broussailles, que l'on coupait quand la tribu décidait de s'arrêter et de dresser un village durant quelques jours. Elle possédait deux lampes en pierre et une gourde d'huile. C'est avec regret qu'elle songea aux filets séchés de poisson, aux baies conservées dans l'huile et aux tortillons de viande fumée qu'elle devait laisser pour la plupart. Elle ne pouvait emporter de quoi tenir tout l'hiver. Il leur faudrait vivre d'expédients et compter sur son intelligence.

Par chance, leurs vêtements étaient neufs, cousus à leur intention par Rina avant le désastre, et ils dureraient presque toute la saison. Elle s'inquiéterait de les remplacer en temps utile. La tente n'était que pelages d'hiver étirés, curés et cousus. Ses piquets deviendraient les barres du travois sur lequel Tillu la traînerait. C'était une lourde charge pour une personne seule, mais tel était le lot d'une femme sans homme, et avec un enfant à l'esprit d'un nourrisson.

Non ! Ce n'était pas vrai ! Elle se morigéna pour cette pensée. Kerleu était un garçon capable, qui ferait un homme bien si Carp le laissait en paix. L'« enseignement » et l'« initiation » que lui dispensait l'autre ne le rendaient que plus puéril de jour en jour. Elle détestait le voir reprendre l'étrange comportement introverti de sa petite enfance. Carp avait défait le travail de mois entiers. Autrefois, Kerleu aidait sa mère à cueillir les herbes et se chargeait de tâches simples comme ranger et porter. L'ours avait tout changé.

Tandis qu'elle réunissait ses possessions et les empaquetait, Tillu se lamentait sur l'événement, aussi peinée que si son propre fils y avait trouvé la mort. Mais jusqu'à ce que l'ombre du chaman s'étende sur l'affaire, il s'était agi d'une tragédie, rien de plus.

Les ours terrifiaient Kerleu. Sa mère y avait veillé et ne regrettait rien. Tillu et son fils se retrouvaient trop souvent à voyager seuls pour qu'elle les tienne pour des proies. La règle qu'elle avait enseignée au garçon était simple, de sorte qu'il puisse la garder en mémoire. « Si jamais tu vois ou entends un ours, lâche la viande ou les baies que tu pourrais avoir et rejoins-moi. »

Au cours de leurs voyages solitaires, la règle avait toujours donné de bons résultats. Mais, au printemps précédent, ils avaient rejoint la tribu de Bénu, dont les autres enfants n'avaient pas tardé à découvrir les particularités de Kerleu. Et rien ne les avait réjouis davantage que sa peur des ours. Ils s'amusaient à agiter les fourrés en reniflant et en grondant comme l'animal, si bien que le garçon prenait la fuite en leur abandonnant les baies ou les poissons qu'il avait pris grand-peine à rassembler. Et lorsqu'ils regagnaient le village, ils se plaisaient à raconter comment il avait détalé et combien ils s'étaient régalés des fruits de leur forfait.

Tous, petits et grands, en riaient. Tillu avait essayé de se persuader que cela importait peu. Pourquoi en faire toute une histoire, alors que Kerleu lui-même souriait largement quand ils en parlaient ? Lui expliquer qu'il ne devait pas fuir les bruits d'ours émis par des enfants plus jeunes que lui n'avait réussi qu'à le troubler. Il obéissait à la vieille règle si bien ancrée, quitte à subir des taquineries par la suite. C'étaient les deux cadets de Rina qui prenaient le plus de plaisir à le tourmenter. Il ne se passait guère un jour sans que Kerleu arrive en courant, les mains vides, après tout un après-midi à cueillir ou à pêcher. Tillu avait espéré qu'ils se lasseraient. En fait, ils avaient poussé la plaisanterie plus loin.

L'été touchait à sa fin. Par les matins glacés, il fallait plus de temps au soleil pour chauffer la terre transie. Les longues journées raccourcissaient à nouveau. La saison clémente se terminerait bientôt et l'hiver emprisonnerait la terre sous son manteau blanc. Partout les végétaux donnaient à profusion : les airelles des bois ombreux, rouges sous les larges feuilles déjà cramoisies ; les myrtilles des buissons exposés au soleil des versants ; et, dans les marécages, les camarines rouges, dont les petits plants aux feuilles rondes tapissaient le sol. Sous le ciel bleu clair, les enfants les ramassaient par paniers ; on les écrasait pour en faire des gâteaux à la graisse de rognon ou on les conservait dans des gourdes d'huile. En fin d'après-midi, le visage et les mains des cueilleurs se teignaient de pourpre et d'écarlate.

Plié en deux, continuant sa cueillette bien après que les autres avaient abandonné leurs paniers à moitié pleins pour jouer, Kerleu excellait à cette tâche monotone. Les fils de Rina n'avaient fait aucun effort pour remplir les leurs, car ils avaient un projet qui leur permettrait de jouer toute la journée et de rapporter quand même une montagne de baies. Ils riaient, mais refusaient de se confier aux autres enfants.

Le reste du groupe étant parti, Kerleu s'affairait seul depuis longtemps quand il entendit le premier grondement. Cela, au moins, Tillu le comprit de son récit hystérique. Puis il avait vu les garçons de Rina sortir d'un fourré, titubant, poussant des cris, s'étouffant, la figure et les mains rougies. « L'ours nous a écrasés et griffés, on meurt, on meurt ! »

Dans un hurlement de terreur, Kerleu avait détalé jusqu'au village de tentes, où il avait glapi la nouvelle du massacre. Dans l'instant, chasseurs en armes et femmes en larmes avaient convergé sur le versant où se déroulait la cueillette pour trouver tous les enfants autour du panier presque vide de Kerleu ; ils se gorgeaient de douces baies et riaient aux éclats. Le rouge provenait du jus des fruits écrasés sur les figures et les mains. Après l'émoi initial, chacun reconnut que les cadets de Rina avaient joué un joli tour au fils de la guérisseuse. On s'en divertit beaucoup autour des feux ce soir-là.

Mais dans la tente de Tillu, Kerleu, tremblant, refusait de croire que tout allait bien, que c'était pour rire. « L'ours les a attrapés. L'ours les a attrapés ! » répétait-il, en pleurs.

Tillu entendait son souffle résonner dans sa poitrine étroite. Son regard fouillait les moindres recoins de la tente et il tressaillait d'angoisse face à son ombre. Elle le coucha et le persuada d'avaler une tisane, qu'il but à grandes goulées. Il avait le visage blême, les lèvres rouges, la respiration rapide. Tandis qu'elle restait à genoux près de lui, détestant tous les enfants sauf le sien, il s'était figé dans une immobilité qui ne devait rien au sommeil.

Effrayée, elle avait essayé de le réveiller, en vain. Il avait soudain été pris de violents spasmes tel un poisson échoué sur une berge. Les traits crispés, il avait ouvert des yeux blancs et jeté un regard aveugle alentour. Son souffle sifflait et une écume jaune s'amassait à la commissure de ses lèvres. De toutes ses années passées à exercer comme guérisseuse, Tillu n'avait jamais rien vu de pareil. Elle tentait encore de calmer la crise en pesant sur lui de tout son poids quand elle avait senti les autres derrière elle.

Carp l'avait écartée de son fils sans douceur, le visage tendu par l'excitation. « Il voit, il voit ! », avait-il exulté. Et, comme pour lui répondre, Kerleu avait pris la parole. Sa voix ne lui appartenait pas. Ses mots n'étaient que soupirs et gémissements. Le Kerleu de Tillu s'exprimait comme un enfant en pépiant tel un oiseau du rivage. La voix profonde issue de cette poitrine qui se soulevait, de cette bouche qui se tordait, avait les intonations d'un homme fait. « Ah ! Ils saignent, ils saignent ! L'ours a trouvé leur sang ! Il s'écoule de leur bouche. Voyez ! Il détrempe leurs vêtements. Ils vont mourir, à présent. Ils vont mourir ! » Il avait rugi les derniers mots en se dressant sur son séant. Ses yeux avaient roulé dans leur orbite pour retrouver leur étonnante couleur noisette, étrange et vide, aussi terrible que le blanc l'instant d'avant. Il s'était mordu la langue ; l'écume à ses lèvres s'était colorée de rose.

Les enfants avaient glapi et s'étaient rués hors de la tente, suivis de près par les mères, tout aussi effrayées. Même les courageux chasseurs avaient marmonné, mal à l'aise, et trouvé une raison de partir. Mais Carp, fou de joie, s'était assis près du garçon et lui avait tenu la main jusqu'à l'aube. Il avait alors proclamé le fils de la guérisseuse, affaibli et perplexe, son apprenti.

Kerleu ne gardait aucun souvenir de sa crise, mais il s'était réjoui de l'attention subite que lui portait une personne tenue en si grande estime par le reste de la tribu. Le chaman lui offrait un public susceptible non seulement de l'écouter raconter ses rêves fragmentaires, mais d'y attacher une grande importance. Kerleu avait commencé à imiter la démarche et les inflexions du vieil homme, voire ses façons hautaines, qui faisaient de chaque requête un ordre voilé. Il absorbait, avide, les enseignements de Carp sur le monde chamanique et les retenait aussi facilement qu'un autre garçon aurait appris à fabriquer une pointe de lance ou à tirer à l'arc. Après son ressentiment initial, Tillu avait admis à contrecœur qu'il s'agirait peut-être d'un changement positif dans la vie de son fils.

Puis l'affliction avait frappé les enfants, à commencer par les cadets de Rina. Affaiblis, irritables, ils rejetaient toute nourriture. Le ventre gonflé, la peau distendue sur les côtes et le visage, ils criaient, alités, tordus de douleur. Tillu avait préparé des cordiaux de racines, des tisanes d'aiguilles de pin, enduit de baumes leur ventre douloureux, en vain. Le cinquième jour, ils avaient vomi des flots de sang écarlate qui avaient trempé leurs vêtements et couches, puis ils étaient morts.

Les autres jeunes étaient tombés malades peu après malgré les efforts de Tillu, ou les chants et les fumées douceâtres de Carp. Dix jours plus tard, des neuf enfants, seuls quatre survivaient, réduits à des ombres pitoyables. Kerleu seul était resté en bonne santé. Il n'allait plus les épaules rentrées, tressaillant au moindre bruit, de peur que les garçons plus âgés le corrigent. En leur absence, il arpentait les versants d'un pas vif, bredouillant des histoires destinées à lui seul et riant de son étrange rire intermittent. Carp hochait la tête d'un air sagace à ce spectacle. Seul Kerleu courait, criait et jouait parmi les tentes, sans encombre jusqu'au jour où Rina surgit de derrière le rabat de sa tente pour lui jeter des os et des pierres. « Laisse-nous en paix, sale moutard ! avait-elle hurlé. Tu n'arrêteras pas de te réjouir de ce que tu nous as fait ? Tu ne nous as pas assez punis ? »

Elle exprimait la peur que chacun ressentait sans en parler. Son mari, inquiet du malheur qu'elle risquait d'attirer, l'avait battue pour sa hardiesse. Kerleu avait été marqué par les esprits ; il leur appartenait.

Carp avait aidé Tillu à déplacer sa tente hors du village, et interdit aux autres de renvoyer Kerleu ou sa mère. Sinon, les entités qui avaient fait du garçon son apprenti se retourneraient contre ceux qui le chasseraient. Souhaitaient-ils encourir leur colère ?

Ils avaient passé deux mois à la fois dans et hors de la tribu qui subissait encore la malédiction de son fils. Jusqu'à ce qu'Elna, ce soir-là dans la douleur de l'enfantement, demande à Tillu de venir présider à une naissance, mais aussi à une guérison. Si elle le désirait, si elle acceptait de payer le prix, elle reprendrait sa place, retrouverait des femmes à qui parler, un métier de guérisseuse à exercer, la sécurité au sein d'un peuple. Il lui suffirait d'abandonner Kerleu. Elle pourrait oublier ses soucis en confiant le garçon à Carp et en épousant ce dernier, ce qui la placerait sous sa protection. Le chaman ne manquait jamais de nourriture ni de vêtements. Elle ne possèderait plus que le meilleur.

Tillu frissonna. Elle ne supporterait jamais les mains de cet homme sur elle, elle le savait. Elle aurait beau faire appel à tout son courage, elle se débattrait, lutterait. Mieux valait se laisser monter par un animal que par un tel individu. Mieux valait fuir ces gens, avoir froid, faim. Cela, elle l'endurerait. Mais le garçon ?

Elle baissa les yeux sur son visage endormi, marqué par la sauvagerie de son père. Elle voyagerait plus vite sans lui. Et Carp lui offrirait une vie facile. Il n'aurait plus besoin de grandir, de changer, d'apprendre. Jamais on ne giflerait l'apprenti du chaman pour son regard fixe, jamais on ne se moquerait de sa maladresse. La tribu de Bénu en viendrait à apprécier son étrangeté, à tirer fierté de son nouveau chaman. Le laisser là serait peut-être le mieux.

Seule, elle avait des besoins simples. Depuis sa naissance, Kerleu lui avait rendu la vie difficile. De fille, elle était devenue mère, sans transition. Et il n'avait jamais été un enfant facile. Même bébé, il pleurait et gigotait dans ses bras quand elle voulait le câliner. Nul ne le lui reprocherait. Pas même Kerleu ? Elle eut un sourire contrit. Au bout d'une saison, il ne se souviendrait sans doute plus d'elle. Quelle mère pouvait aimer un enfant pareil ? Qui choisirait de s'encombrer d'un tel fardeau ? Elle tendit la main, repoussa une mèche de ses cheveux rêches.

— Viens, dit-elle tandis qu'il ouvrait ses yeux d'ambre. Le moment est venu pour nous de voyager encore.

— Je suis déjà allé loin, ce soir, murmura-t-il d'une voix ensommeillée.

— Je n'en doute pas. Mais, cette nuit, il nous faudra pousser plus loin encore.

II

ELLE OUVRAIT SA PROPRE PISTE, qui serpentait entre des arbres juste assez écartés pour livrer passage au travois. Dans son sillage, la longue trace dévidait ses détours dans la forêt, mais pointait toujours vers le nord. La tribu avait prévu de partir vers le sud. Il était stupide d'aller vers le nord à cette époque de l'année, mais Carp ne s'attendrait pas à ce qu'elle soit stupide. Même s'il déjouait le stratagème, il ne les suivrait pas, à moins d'être assez têtu pour quitter les gens de Bénu et voyager seul. Peut-être saurait-il convaincre quelques-uns des chasseurs de la pister pendant un jour ou deux, se dit-elle en avançant d'un pas lourd. Mais ils s'en tiendraient là, tant ils tenaient à descendre dans le Sud, sur leurs territoires d'hivernage. Et malgré l'ascendant du chaman sur eux, ils hésiteraient à poursuivre son étrange apprenti. Non, Carp serait le seul à vouloir le retour des deux fugitifs. Elle remua ses doigts dans ses moufles. Six jours avaient passé depuis le départ et il avait neigé deux fois. S'il l'avait suivie, il l'aurait déjà rattrapée.

Tillu s'estima en sûreté, hors de sa portée. Elle attendit de sentir son cœur s'alléger, et n'éprouva que la traction de son fardeau sur ses épaules. Hors de portée de Carp, mais bientôt confrontée à des endroits et des périls nouveaux. Les sangles du travois lui rentraient dans la chair à tel point qu'elle se demanda si c'était de la sueur ou du sang qui lui trempait les épaules et le dos. La tâche qu'elle avait entreprise lui pesait davantage que sa tente et ses biens : vivre seule avec Kerleu dans une contrée inconnue et déserte ; et, d'une manière ou d'une autre, le faire changer, se rappela-t-elle. Aider ce fils à devenir un être moins étrange, moins difficile à comprendre. Lui sortir de la tête les drôles d'idées du chaman et les remplacer par les talents dont il aurait besoin. Le laver de la magie que Carp commençait à cultiver en lui, comme elle aurait nettoyé une plaie pour bannir l'infection. Toute à sa détermination, elle serra les dents. Elle réussirait. Et jusqu'à ce moment-là, elle vivrait seule, à l'écart des hommes. Plus de mal fait à Kerleu. Plus de mal fait à personne.

Elle se remémora les gens parmi lesquels ils avaient vécu. Avant les chasseurs, il y avait eu les pêcheurs. Elle les aimait bien, appréciait leur propreté et les airs qu'ils chantaient en réparant leurs filets. Ils l'avaient bien accueillie, avec ses talents, jusqu'au soir où Kerleu, venu la chercher, était entré dans la hutte des femmes, où aucun homme ne s'aventurait jamais, au beau milieu d'un rite de fertilité. Elle l'avait alors protégé de la lapidation, et on les avait chassés de la tribu sans autres biens que les habits qu'ils portaient. Elle frissonna à ce souvenir, mais ce n'en était qu'un parmi d'autres. Kerleu mangeant la viande séchée qu'un chasseur avait placée en offrande aux esprits. Kerleu suivant un traqueur des gens d'Oslor et déclenchant tous les pièges qu'il avait posés. Kerleu disant tout haut que le fils de Trantor ressemblait plutôt à Édor, au grand désarroi de la femme de Trantor. Kerleu, Kerleu, toujours au mauvais endroit au mauvais moment et avec les mauvaises paroles sur les lèvres.

— Kerleu ? lança-t-elle.

Il y avait longtemps qu'il n'avait plus rien dit.

Nulle réponse ne lui parvint. Elle s'immobilisa, réduisant au silence le crissement des barres du travois sur le sol gelé et la fine couche de neige. Avec maladresse, elle pivota dans son harnais pour regarder par-dessus son épaule gauche.

— Kerleu ? répéta-t-elle.

— Je marche là où personne n'a encore marché.

Elle tourna la tête d'un mouvement brusque et le vit juste derrière elle, sur sa droite.

— Je croyais t'avoir perdu, lui dit-elle avant de reprendre sa progression.

Il se passa quelques instants.

— Pas moi, dit son fils avec un petit rire.

— Pas toi quoi ? demanda-t-elle, distraite.

— Ce n'est pas moi que tu as perdu. C'est la tribu de Carp et de Bénu. On devrait les retrouver bientôt ?

— Peut-être.

Elle pressa le pas. La première nuit, elle avait essayé de lui faire comprendre pourquoi ils avaient dû laisser le groupe derrière eux. Mais lorsqu'il avait saisi qu'elle parlait de fuir le chaman, il s'était agité. Plus elle lui expliquait, plus il paraissait bouleversé, au point qu'il n'avait bientôt plus rien entendu de ce qu'elle lui disait. « Carp, Carp ! avait-il gémi en se balançant d'avant en arrière, accroupi sur le sol gelé près de leur petit feu. Carp ! Carp ! »

Elle avait fini par craindre que ses plaintes n'attirent les chasseurs de Bénu, s'il s'en trouvait non loin de là qui les pistaient. « Chut, chut, avait-elle murmuré, choisissant ses mots avec soin pour le réconforter. On rentrera demain. Mais tais-toi pour l'instant, Kerleu, et demain, on rentrera. » Comme il continuait de geindre, elle avait ajouté, avec cruauté : « Chut ! Ou un ours va t'entendre ! (Réduit au silence, il s'était mis à trembler, les yeux presque blancs à force de les écarquiller.) On rentre demain », lui avait-elle assuré jusqu'à ce qu'il s'endorme.

Le matin venu, elle avait poursuivi sa route en s'éloignant du camp des chasseurs sans que Kerleu s'en rende compte. Désormais, il lui demandait plusieurs fois par jour quand ils retrouveraient Carp et elle lui donnait des réponses vagues. Il aurait bientôt oublié sa préoccupation. Elle connaissait son fils ; il ne gardait rien en mémoire bien longtemps.

— Je marche là où aucun homme n'a encore marché !

De nouveau, elle lui jeta un coup d'œil. Il avait le sourire trop large, les lèvres trop humides. Si parfois elle avait envie de le gifler, d'effacer par la douleur son expression vide et ses paroles stupides, elle ne savait que trop le dégoût de soi qui suivrait un tel acte. « Tu as choisi de le garder avec toi, se rappela-t-elle. Tu aurais pu le laisser à Carp. Tu sais que tu n'arriveras jamais à lui faire entendre raison par des coups. »

— C'est ridicule, dit-elle. Le fait que tu ne voies aucune trace ne signifie pas que personne n'est jamais passé par là.

— Sur cette neige ! expliqua Kerleu avec un sourire. Sur cette neige, personne n'a jamais marché, ou il y aurait des traces. La neige est tombée cette nuit. Les premières marques, ce sont les miennes. Je marche là où personne n'a jamais marché.

— Hum.

Tillu continua. Parfois les propos du garçon avaient un sens, ses observations et affirmations suivaient une mystérieuse logique. L'enseignement dispensé par Carp l'avait rendu plus loquace, il fallait bien le reconnaître. Hélas, sa nouvelle éloquence ne lui servait qu'à proférer le charabia mystique qu'il tenait du vieil homme.

Elle lui jeta un regard en coin. Pour paraître moins bizarre, il lui aurait suffi de se tenir droit, de marcher sans traîner les pieds, de fixer son attention au lieu de contempler le néant. Il n'aurait pas été beau, sans doute, mais certainement pas pire que d'autres hommes qu'elle avait vus prendre femme et bâtir un foyer. Tillu saurait peut-être modifier sa façon de bouger et de parler. Elle espérait qu'une fois seul, loin d'une tribu, il se tournerait vers elle et l'écouterait de nouveau. Elle l'instruirait et ce serait différent, cette fois-ci. Il apprendrait et il mûrirait. Il l'accompagnerait dans la forêt, connaîtrait non seulement les herbes curatives, mais aussi les talents du chasseur : le silence, la rapidité, le tir à l'arc. En grandissant, il se tiendrait droit, et se déplacerait comme un homme. Et un jour, ils croiseraient des chasseurs inconnus. Alors, il tirerait un beau daim, et les chasseurs souriraient à la vue de Kerleu, et une jeune femme le dévisagerait un peu plus longtemps que les convenances ne le permettent, et elle serait…

— J'ai faim.

La plainte interrompit la rêverie de Tillu. Elle soupira,

aussi désolée par ses divagations stupides que par la requête de son fils. Elle avait emporté autant de provisions que possible, mais celles-ci se réduisaient. Le garçon mangeait beaucoup, et vite. Encore un regard en coin : il n'avait que la peau sur les os. Elle devrait peut-être lui redonner de la tisane de vers.

— J'ai faim, répéta-t-il face à son silence.

— Bientôt.

Une dernière colline, et si la vallée derrière paraissait prometteuse, ils feraient halte pour la nuit. Cette fois, elle dresserait la tente et ils resteraient quelques jours. Le visage couturé de Carp lui apparut. « Peut-être pas tout de suite ». On supportait de dormir enroulé dans des peaux. Il ne faisait pas si froid, pour l'instant. Demain, elle continuerait, une journée, ou deux, ou trois. Elle frissonna. Si jamais Carp la poursuivait, flanqué des chasseurs de Bénu, son sort serait scellé : femme du chaman, victime de ses mains ridées, de son visage parcheminé ; servante du chaman, tenue d'obéir à ses ordres. Laisser cet être la toucher... Elle pressa encore le pas. « Non, voilà tout. Pas question. »

Ils franchirent la crête d'une colline, descendirent l'autre versant et pénétrèrent tout à coup dans une forêt. Ici, pour une raison ou pour une autre, l'incendie d'antan avait cessé sa progression. Ils passèrent des peupliers, des bouleaux et des aulnes à des pins plus anciens. D'un bois où la lumière et la neige parvenaient jusqu'au sol sans entrave à une forêt profonde, dont les géants au tronc moussu les retenaient. Le vert et le silence régnaient dans la pénombre opaque. Les barres du travois sautillaient et rebondissaient sur le sol. La vieille forêt muette celait la nuit qui sourdait de la mousse épaisse et des amas d'aiguilles brunes nichés dans les interstices de la mosaïque de neige que la canopée avait laissée passer.

Ces arbres immenses l'apaisaient. Les troncs s'élevaient, droits, lisses, sur plusieurs hauteurs d'homme, avant de tendre leurs branches hérissées d'aiguilles qui dissimulaient le ciel. Le sous-bois restait clairsemé. « Je pourrais dresser la tente à l'abri du vent et de la neige, se dit Tillu. On voit loin dans toutes les directions. Je saurais si Carp est à nos trousses bien avant qu'il nous rattrape... »

— Elle s'étendit sur la mousse épaisse pour se reposer, mais durant la nuit, celle-ci grandit vite et la recouvrit, scella ses yeux, remplit sa bouche, et un arbre, petit et vert, poussa à l'emplacement de son ventre.

Tillu frissonna et fronça les sourcils à l'adresse de Kerleu.

— Qu'est-ce que tu racontes ?

— Une vision que Carp m'a montrée d'un endroit pareil à celui-ci. Pour expliquer pourquoi un petit arbre poussait au milieu des grands. Comme là-bas.

Il désignait un jeune épicéa aux aiguilles vert pâle dans la pénombre du sous-bois, qui se dressait sur un monticule. Tillu se secoua pour chasser un frisson et carra ses épaules sous les sangles de cuir qui lui irritaient la peau.

— Repartons. Il n'y a pas d'eau, le gibier me verrait venir de loin, et les arbres sont si nombreux que je n'aurai jamais une ligne de tir convenable pour mes flèches.

— Repartons, répéta-t-il en hochant la tête d'un air aimable.

La langue de forêt n'était pas large. Ils en sortirent aussi brusquement qu'ils y avaient pénétré et, de nouveau, la neige crissa sous les pas de Tillu. Ils laissèrent la pénombre verdâtre derrière eux. La clarté dans le bois paraissait trop vive et le bord des troncs pâles si coupants qu'on avait l'impression de s'y blesser le regard. Tillu gravit avec peine une autre colline ; le travois dérapait, heurtait les arbres dans son sillage. Kerleu marchait derrière, profitant de la piste qu'ouvrait sa mère.

Au sommet de la pente, elle marqua une pause pour se remplir les poumons d'un air glacial. Le ciel, si brillant voilà peu, s'obscurcissait. Le soir viendrait tôt, et vite. Tillu jeta un regard vers le soleil bas et tâcha d'estimer la distance qu'ils pourraient encore couvrir sans danger ce jour-là. Il faudrait allumer le foyer avant l'obscurité complète.

— Kerleu, trouve-nous des branches pour le feu de ce soir. (Il marmonna une réponse indistincte.) Quoi ?

— Il revient aux femmes de ramasser le bois, lui

rappela-t-il avec calme. C'est une tâche indigne d'un chaman.

Tillu se raidit sous son harnais. Une rage douloureuse lui crispa les muscles. Elle se retourna pour toiser son fils, qui leva sur elle des yeux soudain écarquillés et se recroquevilla.

— Tu n'en es pas un ! (Elle le foudroya du regard. La fureur l'étranglait. Les mots refusaient de sortir.) Ramasse le bois ! cracha-t-elle enfin, avant de se détourner.

Les sangles lui fouaillèrent les épaules quand elle s'arc-bouta pour remettre le travois en branle. Elle entendit Kerleu grommeler, boudeur, mais elle perçut aussi le craquement sec de la branche basse qu'il brisait sur un arbre. Il obéirait. Elle songea au fils de Bénu, qui aurait couru devant avec son arc dans l'espoir de tirer un lapin ou une grouse. C'était un garçon vif aux grands yeux brillants et aux mains déjà habiles à travailler le bois, pas plus âgé que Kerleu. Il était mort de la peste de l'ours. Toutes les femmes l'avaient pleuré. Kerleu avait survécu. Elles l'avaient haï pour cette raison.

Les larmes qui lui piquèrent les yeux tracèrent des sillons froids sur ses joues. Elle voulut ôter le harnais, serrer son fils dans ses bras, lui dire qu'elle était heureuse qu'il soit vivant, qu'elle l'aimait et l'aimerait toujours, quoi qu'il advienne… Mais elle ne pouvait pas. Elle devait atteindre le sommet du versant, et le garçon n'aurait fait que la fuir, se débattre dans son étreinte. Il n'avait nul besoin de ses larmes ni de ses baisers, mais de sa force. Lorsqu'elle tira le travois par-dessus la crête, elle haletait. Tandis qu'elle reprenait son souffle, elle l'entendit de nouveau qui se parlait à lui-même :

— … et le peuple des rennes me traitera mieux. Oui, je le guiderai. Tillu ne sera qu'une femme qui servira les hommes.

Devant elle s'ouvrait une vallée profonde, obscure, pleine d'arbres dressés vers le ciel. Tillu entama la longue descente.

III

HECKRAM, DEBOUT, TOUT SEUL, au sommet du pingo, regardait le chemin que son peuple venait de parcourir. L'hiver régnait déjà sur la toundra. Un clair de lune diffus filtrait entre les nuages et se reflétait sur la plaine enneigée, donnant à la scène un faux aspect de paysage à l'aube. Mais l'aurore ne se lèverait pas avant des heures et les hommes sages dormaient, eux.

Un froid glacial émanait du monticule soulevé par le gel sur lequel il se tenait. La terre noire qui recouvrait la butte se tapissait de lichen et de végétaux saisis par la neige de la nuit précédente. Les pieds d'Heckram, protégés par de fines bottes s'engourdissaient tandis que son corps était assailli par la froidure de la nuit.

De son point de vue au sommet du pingo, qui se dressait à soixante hauteurs d'homme, la toundra paraissait aussi plate, blanche et lisse que la surface d'un lac pris par la glace. La pâleur de la neige fraîche ainsi que la distance dissimulaient ses aspérités et masquaient ses vallées fluviales peu profondes. Le grattoir des vieux glaciers avait depuis longtemps soumis cette partie du monde. La glace l'avait façonnée, maîtrisée et la dominait encore. La succession du gel et du dégel brisait ses ossements rocheux, torturait sa chair jusqu'à ce qu'elle adopte des formes spécifiques, rubans de terre séparés par des bandes de glace moulue. Même les longues heures de jour en été se contentaient d'en effleurer la surface. Si la peau de la toundra pouvait dégeler et fleurir, son cœur restait un bloc glacial.

Un fin tapis de poudreuse, balayé par le vent, la couvrait entièrement, hormis les plus hautes herbes et broussailles. Il n'y avait aucun arbre pour donner une échelle à cette étendue et la ligne sombre où l'horizon rencontrait la nuit aurait pu se situer à deux pas ou à l'infini. Les nuages masquaient le ciel, cette nuit-là ; aucune étoile ne trahirait la supercherie.

Mais Heckram avait gravi le pingo pour s'orienter, non pour s'égarer. Il cligna ses yeux las et se tourna vers le Sud, vers les collines et les montagnes boisées, leur objectif hivernal. Loin devant eux, à deux ou trois jours de voyage au rythme du troupeau, ils trouveraient des pâtures pour les rennes, du combustible pour les feux et aussi leurs huttes de tourbe, seul habitat permanent des bergers nomades. Au camp d'hiver, les vieux et les petits s'abriteraient du froid, et les gardiens de troupeau protégeraient des loups et des gloutons les rennes qui broutaient les versants neigeux. Pour certains, le camp signifiait le repos et du temps à passer auprès du foyer dans le kator. On abattrait les bêtes en surnombre pour faire cuire du boudin et bouillir les os à moelle. Les femmes se courberaient sur leur métier pour tisser les galons. Quelques hommes raconteraient des histoires aux enfants, ou feraient courir des ombres sur les murs des huttes de leurs mains calleuses. D'autres partiraient vers le sud vendre les animaux et les peaux en surnombre, alors que leurs parents veilleraient sur les troupeaux et les familles.

Pas Heckram. Tandis que d'aucuns jouiraient de la paix du foyer, il traquerait les hardes, dans l'espoir de capturer les petits qui avaient estivé près de leur mère. Pour toute viande, il mangerait du sarva coriace ou du lapin maigre. Certaines femmes tisseraient par plaisir ; quant à sa mère, elle protègerait leurs bêtes des prédateurs. On en revenait toujours aux animaux, sauvages ou apprivoisés, songea-t-il. Si un homme possédait assez de rennes à sa marque, il vivait bien. Il avait de la viande et des peaux en surnombre, et le temps de chasser loups et renards pour les épaisses fourrures d'hiver que les marchands appréciaient tant. Il avait le loisir de suivre les rivières en quête des morceaux d'ambre jaune balayés par les inondations du printemps. Il avait l'occasion de partir vers le sud derrière les collines, de s'y pavaner parmi les négociants, de rapporter chez lui les articles et les histoires de là-bas. Il pouvait faire mieux que survivre. Heckram, lui, n'avait pas assez de rennes.

Cela le remplissait d'amertume. Il leva les yeux comme pour voir au-delà de la barrière des collines. Au-delà, il y en avait d'autres ; entre elles, filaient des pistes qu'un bon harke attelé à un pulkor négociait sans peine. On pouvait charger celui-ci de fourrures d'hiver et de pépites d'ambre, suivre ces pistes et atteindre ainsi les camps des marchands du Sud. Ceux-ci accueillaient les visiteurs en leur offrant des vins qui piquaient la langue et qui venaient d'encore plus au sud. On leur troquait un chargement contre de bons outils en bronze, du tissu de laine teintée avec des pigments de fleurs, des ornements d'or brillant ou du silex travaillé comme du bronze : meulé, poli, décoré de spirales. Là-bas, les hommes étaient de haute taille, dotés de cheveux et d'yeux pâles, tels le père et la grand-mère paternelle d'Heckram.

Et au-delà des camps des marchands, qu'y avait-il ? Il s'en racontait, des histoires. Les hommes vivaient dans de hautes maisons aux nombreuses pièces, un village entier sous un toit unique, et retournaient le sol à l'aide de socs en bois. Ils montaient des bêtes dont chaque pied n'avait qu'un ongle et ils brassaient des boissons fortes à partir de graines d'herbe. L'eau de leurs lacs bondissait et éclaboussait d'elle-même, et l'été ne finissait jamais. Voilà ce qu'il avait entendu de la bouche de son père, longtemps auparavant. Et il l'avait vu, une fois, lors d'un voyage qui remontait aux jours lointains. Avant l'Été de la Peste. « Inutile de penser à ces choses-là, disait Ristin en se penchant sur son ouvrage, avec une ride minuscule entre les sourcils. Les histoires et les souvenirs, c'est bon pour les vieux et les petits. Tu n'es ni l'un ni l'autre, Heckram, et il y a d'autres choses dont tu dois t'occuper. » Sa mère l'observait, les yeux noirs et brillants, en un rappel qui était aussi une remontrance.

Inutile. Mais parfois, ces choses-là lui valaient de souffrir de la faim, pis qu'au plus fort de la disette. Ces rêves d'endroits lointains et de jours meilleurs étaient tout ce qui le soutenait. Cette obsession le dévorait, le séparait des autres éleveurs, faisait de lui un étranger au sein de son peuple.

— Je veux plus, s'entendit-il déclarer.

La nuit resta indifférente à ces mots, et lui-même perçut leur stupidité. Il ferma les yeux, laissant son esprit vagabonder. Il était petit et son père guidait l'encordement de harkar. Sa mère suivait, menant la file de rennes dont Heckram, cramponné à la selle de bât, montait le plus docile en se pavanant. Ses habits et les harnais s'ornaient de rubans de tendons colorés et d'herbes tressées par les doigts agiles de Ristin. Il portait des chemises tissées dans de la laine du Sud, et les couteaux de son père étaient de silex poli et de bronze luisant, au lieu d'os et de corne. Sa mère arborait des perles d'ambre et un brassard en bronze. Ils avaient des animaux et des peaux en surnombre à troquer contre des articles de luxe dans le Sud, une abondance de fromage et de boudin de renne à partager. En hiver, dans la tente bien éclairée, il faisait chaud. Sa mère l'avait aidé à entailler les oreilles de ses premiers jeunes pour les marquer. Il les avait élevés avec fierté. Chez lui, dans son enfance, on riait souvent. Qui ne rêverait de jours pareils ?

Mais, à part lui, rares étaient ceux qui se rappelaient le passé avec nostalgie, ou en en parlaient, car à ces souvenirs s'associaient ceux de l'Été de la Peste. Il secoua la tête pour tenter de déloger ces autres pensées qui s'accrochaient à lui comme des œstres.

L'hiver avait été doux. Heckram jouait dans la neige sous le couvert de la forêt, regardant ses jeunes rennes grandir et forcir, gavés d'herbe. Le printemps était venu en avance pour verdir la forêt avant que les bergers n'entament la migration annuelle vers l'estive à la suite des troupeaux sauvages, quittant les collines boisées pour la vaste toundra. La chaleur précoce en avait adouci le visage glacial. L'eau, libérée d'une fine couche de sol dégelé, et la chaleur fugace avaient suffi. Vertes, pourpres, dorées, parfois bleues, les plantes hâtives avaient surgi, et les rennes foulaient un tapis moelleux de lichen et de mousse, ponctué des couleurs vives de la petite flore subarctique. La chaleur s'était abattue sur le troupeau alors qu'il se trouvait encore dans la plaine, loin des soulèvements du Cataclysme et de ses amas blancs qui rafraîchissaient l'air. Œstres, moucherons et moustiques grouillaient. Faute d'avoir rejoint le sanctuaire du glacier, on brûlait chaque soir de la mousse humide sur les foyers pour repousser les insectes, mais les animaux n'avaient aucun abri pour se protéger de la vermine et de ses piqûres. Les œstres, qui leur trouaient la peau pour y déposer leurs larves, en avaient poussé nombre d'entre eux à la folie. Quand ils inhalaient ces mouches minuscules, les rennes fuyaient aveuglément, ruaient, se frappaient en vain les narines avec leurs sabots. Les gardiens de troupeau avaient continué, forçant l'allure, pour atteindre le Cataclysme et le refuge béni des glaciers. Hébétés, les jeunes rennes succombaient à la chaleur hors de saison ; les adultes, pris de démence, galopaient en cercle pour échapper à leurs bourreaux, jusqu'à tomber d'épuisement. La majorité avait cependant atteint le Cataclysme, puis gravi ses flancs escarpés pour trouver sur les plaines de glace le soulagement offert par la bise incessante. Les épreuves des bergers auraient dû s'achever, mais, des rennes qui avaient survécu jusqu'à l'altitude où les mouches ne les suivaient plus, beaucoup avaient tout de même péri, toussant, haletant, s'étouffant dans l'air tiède de l'automne.

Heckram tâcha de détourner le cours de ses pensées, mais, tel un harke rétif attelé depuis peu à un pulkor, l'amertume fit ressurgir les souvenirs de cette pénible époque. Les vingt harkar de l'attelage s'étaient réduits à quatre. Heckram avait dû marcher pour rentrer des terres d'été, traînant ses petits pieds dans le sillage de sa mère ployée sous un lourd fardeau. Cette saison-là, il n'y avait eu ni voyage au Sud pour faire du commerce ni avalanche de cadeaux au retour de son père. Le troupeau ne comptait plus assez de naissances pour qu'on abatte certaines têtes afin de constituer des réserves de viande. Pendant l'hiver, son père avait nourri sa famille de lapins maigrelets, d'écureuils, et de viande coriace des rennes sauvages, dont il traquait la harde très diminuée pour en enlever les jeunes et les ramener chez lui. Jusqu'au jour où il n'était pas revenu de la chasse. La mère et le fils avaient fouillé en vain les collines désertes. Nul ne savait ce qu'il avait pu devenir. Heckram était ainsi passé bien trop tôt à l'âge adulte.

Il était grand pour son âge. Dès la petite enfance, son sang s'était révélé. C'était celui du père de sa mère, un homme du Sud de haute taille au teint pâle, et celui du père de son père, dont on disait qu'il avait les cheveux de la couleur du renard en été. « Plus sudiste que gardien de troupeau », avait-il entendu Capiam l'Ancien marmonner un jour. Et ainsi se considérait-il, avec étonnement et malaise.

À douze ans, il dépassait la plupart des hommes de la tribu. Cela ne lui avait pas facilité la vie. On s'attendait à ce qu'un garçon de la stature d'un adulte en ait aussi les talents et la maîtrise de soi. Sa maladresse l'humiliait souvent, son inexpérience et son impétuosité lui jouaient des tours plus souvent encore. Il souffrait de l'absence d'un père, qui l'aurait instruit et protégé.

L'exubérance et la joie de ses premières années avaient cédé la place au silence et à la prudence. Il n'existait aucune réelle camaraderie avec les fils trapus des bergers, et il n'était même pas proche de Joboam, qui avait, lui aussi, du sang sudiste dans son ascendance. Celui-ci était aussi grand et maladroit qu'Heckram, et sa croissance enchantait son père. Il profitait de l'abondance qu'offraient les nombreux rennes de ses parents, et sa taille semblait rendre hommage à leur affluence. Ses tuniques n'étaient jamais trop courtes ; il n'avait jamais l'air grave ni anxieux. À côté de lui, Heckram était aussi maigre qu'un loup à la mauvaise saison, et la faim hantait son regard : celui d'un jeune homme aux sombres pensées, en proie à d'intenses dilemmes, et qui titubait sous le fardeau de l'âge adulte. Quand on comparait ses façons avec l'aisance et la confiance dont faisait preuve Joboam, il ne paraissait pas à son avantage. À force de mal exercer les talents d'un homme fait, d'échouer trop souvent, se tenait sur ses gardes. Même à présent qu'il avait fini de grandir et acquis les compétences requises, il chassait seul et taisait ses succès. Il se trouvait le plus à son aise quand il se déplaçait sans qu'on le remarque, que ce soit pour pister un animal ou traverser leur village de tentes. Son isolement et son mutisme inquiétaient sa mère.

Près du feu, ce soir-là, elle avait exprimé ses soucis avec plus d'âpreté qu'à l'ordinaire : « Vingt-quatre ans, et qu'est-ce que tu as ? l'avait-elle rabroué, les lèvres pincées, secouant la tête tout en restant concentrée sur le ravaudage d'une moufle. Où est ta femme ? Où sont tes enfants, mes petits-enfants ? Tu comptes attendre toute ta vie ? Les hommes de ton âge ont trois, quatre enfants autour du foyer. Pas encore, tu réponds, et une année de plus se passe. Tu crois que tu as l'éternité ? Ella est patiente avec toi, trop sans doute. Mais une femme ne peut pas se contenter d'espérer. Aucun homme honorable ne le lui demanderait. Une belle fille, une bonne gardienne de troupeau... elle a tout ce qu'on peut souhaiter. Elle est forte, intelligente. Elle chasse bien. Tu t'imagines que personne ne remarque sa valeur ? Si tu ne te décides pas, on te la soufflera et tu seras trop vieux pour t'attirer les faveurs des jeunes filles. (Elle avait agité la moufle à son adresse.) Tu finiras tout seul. »

Il s'était levé, il avait tiré sur sa tunique trop lourde. Alors qu'il soulevait le rabat de la tente, sa mère lui avait lancé : « Tu vas voir Ella ?

— Non. Je vais m'entraîner à la solitude. »

Et il était sorti pour se poster sur le pingo et réfléchir.

À présent, il le regrettait. Cette brusquerie ne lui ressemblait pas et ne ferait que bouleverser sa mère. Or elle disait vrai, pour l'essentiel. Il aurait aimé lui répondre, mais le silence pesait son poids. Elle refusait d'entendre sa vérité et voulait son accord. Elle croyait qu'Ella le rendrait heureux. Il savait que non, mais ne pouvait lui expliquer pourquoi.

À contrecœur, il se représenta Ella, petite et brune. Elle était tout ce que sa mère disait, et plus encore, car, dans leur enfance, ils s'étaient liés d'amitié. Il la connaissait. Il savait sa gentillesse sous la dureté de l'indépendance. Il avait éprouvé son ardeur, qu'elle avait partagée avec lui entre l'enfance et l'âge adulte. Et pourtant... il ne la désirait pas comme épouse. D'ailleurs, il n'en voulait aucune. Pour l'instant. Il aurait préféré que sa mère place moins d'espoirs sur leur mariage. Déjà, on lui avait demandé si Ella et lui s'uniraient l'été venu, près du Cataclysme. Elle-même rougissait chaque fois qu'il essayait de lui parler. Quand il l'approchait, ses amies s'éloignaient pour les laisser seuls, et l'espoir qui brillait dans ses yeux le rendait muet. Il aurait aimé lui dire de ne plus attendre, de chercher ailleurs un compagnon. Mais comment expliquer à une amie qu'on ne veut pas d'elle pour femme, malgré les rumeurs propagées par une mère ? Il devrait s'y résoudre. Et sans tarder. Son cœur s'emplit de compassion et d'affection pour Ella. Il espéra qu'elle ne le détesterait pas.

Sans y penser, il plongea la main dans sa tunique et en tira un collier de tendon sur lequel s'enfilaient de petites pièces de peau, son compte de jeunes rennes cette année : de fines lanières découpées dans le cuir tendre de l'oreille de chaque miesse en guise de marque personnelle. Pitoyable. Cinq lanières, et trois des jeunes étaient des mâles qu'il faudrait couper pour en faire des harkar de bât ou abattre pour leur viande en vue de l'hiver. Il en garderait un seul comme sarva pour monter ses femelles. Chaque vaja ne portait qu'un bébé par an, qui ne survivait pas toujours à la mauvaise saison, aussi trouvait-il que ses bêtes ne se multipliaient pas assez vite. En plus, la toux mystérieuse en frappait encore certaines chaque été. La raréfaction des rennes sauvages avait incité les loups et les gloutons à plus de ruse et de hardiesse dans leurs attaques des animaux domestiques. Il ressentit un accès de désespoir : comment parviendrait-il à protéger les siens des carnivores en maraude et à trouver le temps de capturer des jeunes sauvages ?

Sa mère n'était guère mieux lotie. Son collier à elle portait huit lanières, dont cinq représentaient de jeunes mâles. Comment pouvait-elle le pousser à épouser Ella ? Comment croyait-elle qu'ils s'en sortiraient ? Heckram leva une main gantée pour se masser le visage et décrisper ses mâchoires. Il se détendit en contemplant le troupeau et les tentes de son peuple.

Elles se dressaient pour la nuit. Tout le monde avait senti la neige, l'approche de la tempête. Mieux valait établir le camp au pied du pingo, du côté sous le vent, et profiter d'un abri lorsque les éléments se déchaîneraient, plutôt que de vouloir pousser jusqu'à la forêt et de se retrouver bloqué sur la plaine. Les coutures des kator laissaient filtrer des points et des traits de lumière, et Heckram sentait la fumée des feux de bouse et de lichen séchés qui les chauffaient ce soir-là. Une odeur familière, rassurante. Encordés, les pattes entravées, les harkar grattaient la fine couche de neige pour brouter l'abondant lichen de la toundra dans l'attente du lendemain, où leurs propriétaires les chargeraient à nouveau de tous leurs biens pour les guider vers le refuge de la forêt.

Les bêtes aussi sentaient approcher la tempête et, blotties les unes contre les autres, se déplaçaient en groupe compact. Dans leur mouvement, les dos bruns et gris évoquaient des vagues sous la lune. Leur souffle chaud, humide, formait une brume qui s'élevait au-dessus du troupeau et dérivait tel un nuage. L'air froid portait le bruit très reconnaissable des sabots cliquetant quand les os des deux orteils fléchissaient, tenus par de solides tendons. Les queues à la pointe pâle remuaient, dessinant des motifs changeants. La plupart des grands sarva avaient perdu leurs bois durant l'automne, lors des affrontements féroces pour s'adjuger les vaja. Ces reproducteurs avaient vu leurs fanons disparaître, leur graisse ayant fondu au combat. En revanche, les harkar castrés, gras et musclés arboraient toujours leur fière couronne. On les aurait crus les monarques du troupeau. Même les femelles portaient encore leurs andouillers plus petits et plus coupants. Elles les gardaient plus longtemps que les mâles, et les utilisaient au mieux durant l'hiver, pour se défendre et protéger leur petit quand il leur fallait se nourrir. Heckram imaginait presque les grognements et les murmures du troupeau, son odeur chaude dans la nuit glaciale. Une immense fortune paissait là devant lui, dont faisaient partie ses misérables bêtes.

— Heckram !

Une petite voix haletante derrière lui. Il chercha du regard et trouva la silhouette qui s'était lancée à l'assaut du pingo pour le rejoindre.

— Je suis là, lança-t-il en réponse à Lasse.

Avec prudence, le garçon se fraya un chemin sur la crête cahoteuse du soulèvement glaciaire. Heckram s'avisa qu'il l'étudiait avec la même froideur qu'un de ses rennes de l'année. Ses jambes courtes prenaient la courbure caractéristique des gens de leur peuple. Adulte, il atteindrait peut-être l'épaule de son aîné, mais il n'aurait jamais la stature ni la corpulence de ses parents. Il avait connu trop de privations, trop tôt. S'il s'était agi d'un jeune animal, Heckram n'aurait jamais envisagé de le couper pour en faire un harke, ni surtout de l'utiliser comme reproducteur. Son état d'esprit lui inspira un reniflement moqueur, et il se secoua pour chasser ces images et voir Lasse tel qu'il était. Même s'il n'avait guère envie qu'on vienne troubler sa solitude, il appréciait que ce soit Lasse qui s'en charge. Ce dernier dut deviner son humeur ; il garda le silence en s'approchant. Près de dix ans le séparaient de son aîné, mais Heckram ne le traitait jamais comme un enfant. Lasse était devenu adulte avant l'heure, lui aussi. Sa grand-mère et lui menaient une existence encore plus rude que celle d'Heckram, pourtant il ne se plaignait pas, peut-être parce qu'il n'avait jamais su qu'on pouvait vivre autrement.

— Tu les vois ? lui demanda son compagnon tout bas.

Lasse hocha la tête. Tous deux fixaient une tache floue dans le lointain. Elle était vaste, mais ne représentait qu'une partie des milliers de bêtes qui quittaient la toundra pour la forêt, lors de leur migration annuelle, puis prenaient le chemin du retour. Avant la peste, la harde était encore plus immense. Heckram savait que le garçon avait du mal à en mesurer l'échelle, pourtant il se la rappelait, lui. Dans son enfance, cette troupe se déplaçait tel un fleuve creusant son propre lit. Filant sur la toundra, brune et vive, elle laissait derrière elle une étendue dénudée. Elle précédait toujours le troupeau domestique, qui suivait le même itinéraire. Pour le moment, elle se reposait pour la nuit à proximité des collines boisées.

— Combien devra-t-on en prélever cet hiver ? demanda le garçon hardiment, comme si cela ne dépendait que du talent et de la détermination, et non de la chance.

— Ah, disons cent ! jaugea Heckram d'un ton enjoué. Quatre-vingts vaja pour moi, et vingt sarva pour toi.

Ils eurent des petits rires pour saluer l'amère plaisanterie.

— Autant qu'on pourra, mon ami, et ça ne suffira jamais, rectifia Heckram.

Lasse grommela pour signifier son accord.

— Je réfléchissais, reprit son aîné.

— On ne peut pas faire grand-chose d'autre ici.

— À propos de notre chasse, poursuivit Heckram d'une voix ferme, si on abattait la vaja pendant qu'elle broute et qu'on tentait d'attraper sa progéniture au lasso ? Il ou elle aurait tendance à rester près de sa mère, faute de comprendre ce qui lui est arrivé. Et ça nous procurerait de la viande pour l'hiver.

Ils restèrent songeurs l'un et l'autre. Un animal pesait à peu près cent quarante kilos. La viande ne constituait qu'une part de cette masse, mais on ne gaspillait pas le reste : cœur, foie et entrailles servaient à nourrir les chiens ; intestins et sang à fabriquer du boudin ; os et tendons, des outils. Mais...

— Une viande coriace, estima Lasse. Et c'est difficile de prendre au lasso une bête sans bois. Sans compter qu'elle a moins de chance de passer l'hiver, privée de la protection de sa mère.

— C'est vrai. Pourtant, en s'approchant assez près pour bien viser, on aurait une chance de se procurer non seulement de la viande, mais aussi une nouvelle bête.

— Une jeune femelle serait trop immature pour engendrer au printemps. Mais une vaja nous permettrait d'espérer une naissance. Imagine : on l'abat, et on découvre qu'on a gaspillé nos efforts pour hériter d'un jeune mâle...

— Ce serait mieux que rien.

— ...Ou d'un andouiller ! poursuivit le garçon, narquois.

Ils rirent de concert. L'hiver précédent, Lasse avait pisté une vaja et sa progéniture. Il avait jeté son lasso et le nœud coulant de tendon tressé avait entouré les bois de la femelle. En détalant, elle avait tracté dans son sillage le garçon sur ses skis en os qui glissaient sans à-coups sur la neige. Mais d'une brusque secousse, la bête s'était libérée et enfuie dans les bois, talonnée par son petit, ne laissant au garçon que le bois pris dans le nœud coulant. Il l'avait rapporté au village et taillé en étui à aiguilles pour sa grand-mère. L'incident était devenu un sujet de plaisanterie parmi les gardiens de troupeau, mais Heckram avait admiré le sens pratique de Lasse et entrepris de s'en faire un ami.

— C'est stupide de vouloir décider maintenant, conclut-il. Attendons de nous retrouver en situation, et nous déciderons alors de la meilleure stratégie.

— Il neige, nota Lasse.

En effet, de minuscules flocons cristallins commençaient à tomber, qui scintillaient au clair de lune. Dans ce froid sec, on aurait juré de la poussière glaciale. La neige n'adhérait pas au sol, et ne fondait pas non plus quand elle se posait sur leurs épaules et leurs chapeaux. Une bourrasque la souffla et les particules criblèrent le visage d'Heckram, qui se détourna et désigna le camp d'un coup de menton.

— C'est l'heure de rentrer au sita.

— Aux sitor.

Le garçon employait le pluriel avec une nuance moqueuse. Perplexe, son aîné examina de nouveau la disposition des tentes.

Il comprit ce que le garçon suggérait. En quelque sorte, il y avait là deux campements, et non un seul. La division, subtile, paraissait évidente quand on la cherchait. Près de la base du pingo, au point le mieux abrité, se situait le kator de Capiam, le maître des hardes. Plus loin, ceux des anciens et des conseillers favoris, puis des éleveurs les plus riches, une vingtaine en tout. Dans une caravane migratrice comme celle du peuple des rennes, tout foyer possédait désormais au moins deux rajds, ces encordements de rennes castrés, sept en général. Les kator les plus proches du pingo en comptaient trois ou plus, jusqu'à cinq.

Le second village s'étendait derrière les rajds du premier. Ses kator se pressaient les uns contre les autres. Davantage de lumière filtrait aux coutures usées, qui permettait de deviner moins d'animaux alentour. Le kator de sa mère s'y trouvait, avec le rajd de sept harkar qu'ils partageaient. Celui de Lasse se dressait juste à côté, non loin de celui d'Ella. Les plus pauvres des gardiens de troupeau s'étaient rassemblés en un village séparé, tout comme les plus riches s'étaient installés à l'écart. Cette vision le glaça, mais elle ne constituait qu'un indice supplémentaire d'une tendance qu'il détestait.

— Joboam s'est excusé ? demanda-t-il soudain au garçon.

Lasse lâcha un grognement de dédain, détourna la tête et cracha dans la neige.

— Alors ? insista son aîné.

— Non. Et je ne serais pas resté pour l'écouter s'il l'avait fait. Je me moque bien de ce qu'il peut raconter.

— On devrait le forcer à s'exécuter, devant tout le monde. (Heckram murmurait d'une voix de basse et ses mots avaient la dureté du silex.) Si Capiam était un vrai maître des hardes, il s'en serait occupé. Et il l'aurait fait payer pour l'insulte.

— Qu'il m'appelle comme il veut. (Lasse se baissa, extirpa un caillou de son lit glacial et l'envoya rebondir sur la pente gelée du pingo.) Je n'ai rien d'un voleur, ceux qui me connaissent le savent. Qui se soucie de l'opinion des autres ?

— Moi. Et tu devrais en faire autant. En s'en prenant à toi, il insulte toute ta famille. Qu'en dit ta grand-mère ?

Le garçon soupira et se détourna.

— Retournons au sita avant la tempête.

Heckram tendit le bras et posa la main sur l'épaule raidie de Lasse pour le secouer dans un geste d'amitié.

— Qu'est-ce qu'il y a ? demanda-t-il.

— Elle a entendu dire que Joboam m'avait accusé de voler le lait de rennes qui ne m'appartenaient pas. Une accusation ridicule ! Est-ce qu'une vaja laisserait un étranger la traire ? Il faut être idiot pour le croire. Et même si ma grand-mère me croyait capable de commettre un acte pareil, elle n'a rien d'une idiote. Mais elle est fière, et elle est en colère. Elle a choisi de le montrer comme une ancienne en humiliant Joboam par un présent. Elle a envoyé trois fromages chez lui. Elle a dit : « Il les verra, et il saura ce que je pense. Si Joboam est assez misérable pour se soucier du lait d'un renne, il nous faut lui donner des fromages afin de l'aider dans ces temps difficiles. Quand on apprendra qu'ils ont été fabriqués dans mes moules, on saura que nous l'avons humilié. » Elle vit encore comme au temps passé.

Heckram en frissonna pour son ami. En eux-mêmes, ces trois fromages étaient un bien dont la maisonnée ne pouvait se priver. Pis, la grand-mère ignorait l'étendue des changements que vivait son peuple. On considérerait le don fait en guise d'insulte comme une tentative de racheter un vol. Cela équivalait à reconnaître la culpabilité de Lasse devant les autres. Les anciens saisiraient la portée du geste, mais c'était aux plus jeunes que Lasse avait affaire. Dans sa fierté, sa colère, et son désir de bien faire, sa grand-mère l'avait gravement humilié.

— Comme tu dis, lança Heckram avec un enthousiasme feint, ceux qui te connaissent verront le vrai. Ceux qui se rappellent les vieilles manières comprendront que, pour ta grand-mère, tu n'as rien d'un voleur. Et pour les autres, qui s'en soucie ?

Lasse garda le silence un long moment. Une bourrasque chargée de cristaux de glace s'engouffra entre eux.

— Il y a un bon feu dans ma tente, dit-il enfin. Ça te dit, une partie de tablo ? Tu me dois une occasion de te battre.

Heckram parvint à sourire.

— Cette fois, je serai le loup, proposa-t-il.

Tandis qu'ils entamaient leur descente, il laissa sa main gantée sur l'épaule du garçon.

IV

LE SOLEIL NE S'ÉTAIT PAS LEVÉ, et ne se lèverait pas avant une vingtaine de jours. Mais il ne faisait pas noir : la clarté de la lune et des étoiles se reflétait sur la neige blanche, éclairant le paysage d'une grisaille diffuse peu propice aux ombres. La lumière froide filtrait à travers les branches et se posait sur le sol enneigé. Tillu se déplaçait dans cette pénombre, vague silhouette qui laissait des empreintes de pas fugitives dans le tapis de cristaux pulvérisés par le gel. Au moins, la neige n'enduisait plus ses bottes et ses jambières pour fondre ensuite, détremper ses vêtements et les coller à sa peau. Le monde se réduisait à cette poussière d'eau, à ce froid si intense qu'il lui hérissait les poils du nez et lui collait les cils un bref instant, chaque fois qu'elle clignait les yeux.

Elle tenait un lièvre mort par les pattes arrière et laissait son corps maigre se balancer. D'ordinaire, elle aurait attaché sa proie avec les lacets passés sur sa ceinture au niveau de ses hanches, afin de garder les mains libres pour pouvoir tirer à l'arc si elle levait un autre animal. Mais elle avait les doigts trop engourdis pour se prêter à la moindre manipulation et tenait donc l'animal dans une de ses mains gantées. Elle avait extirpé son autre bras de sa manche pour l'abriter sous son manteau, contre sa poitrine, au creux de l'aisselle, en quête d'un peu de chaleur. Si une proie se présentait, elle lui échapperait. Tant pis. Elle avait trop froid pour s'en soucier et elle était trop épuisée pour croire qu'elle verrait passer une quelconque bête à portée de son arc de fortune.

Le lièvre mort lui échappa. Elle l'entendit tomber dans la neige, et s'immobilisa pour le contempler, hébétée. Elle dut tourner la tête, car elle avait si bien resserré sa capuche qu'elle parvenait juste à voir droit devant elle. Son souffle court caressait la fourrure qui en bordait l'ouverture, et elle sentait le gel se former et fondre sur les poils longs à chaque inspiration et expiration. Au bout d'un moment, elle repassa son bras réchauffé dans la manche et la moufle vides et abrita de la même manière qu'auparavant son autre bras à la main très engourdie. Puis elle se pencha, ramassa le lièvre et repartit d'un pas lourd.

Par de telles journées, elle regrettait d'avoir quitté la tribu de Bénu ; elle n'avait pas besoin de chasser pour se procurer de la viande, alors. Ses talents de guérisseuse suffisaient à les nourrir et à les vêtir, Kerleu et elle. Désormais, elle devait se débrouiller seule. Or elle n'avait aucune disposition pour la chasse. Elle avait grandi parmi des fermiers.

Ses pensées la ramenèrent au village près du large fleuve. Elle se revit coupant le grain mûr avec une faux aux dents de silex. La chaleur vernissait les corps de sueur. Dans le froid, ce souvenir lui apparaissait tel un rêve d'enfant. Comme tout ce qui se rattachait à cette période, d'ailleurs. Elle trébucha sur une racine dissimulée par la neige et revint tant bien que mal au présent. Survivraient-ils à l'hiver ? Le garçon maigrissait à vue d'œil. Quant à elle, la faim et le froid incessants l'abêtissaient.

Elle franchit la dernière crête et contempla le vallon où sa tente usée se dressait. « Bientôt chez toi, en sûreté », se dit-elle. Inutile d'évoquer les jours enfuis, cet endroit lointain. Inutile de se remémorer la tribu de Bénu, à cent collines et vallées de là. Elle entama la descente du long versant en titubant presque d'épuisement. Si elle léchait ses lèvres sèches comme elle en avait envie, celles-ci se crevasseraient aussitôt dans le froid. *Bientôt chez toi.* À mi-pente, elle se figea, le regard fixe. Il y avait quelque chose qui n'allait pas. Son cœur ralentit.

Aucune fumée ne sortait du trou central que protégeait un rabat. Pis, le gel qui recouvrait ce rabat prouvait l'absence de chaleur résiduelle. Le bois de chauffage, une brassée de branchages qu'elle avait disposée près de l'entrée, était intact. À observer la tente grise silencieuse, on aurait cru voir des peaux curées laissées à l'abandon se balancer dans le vent. L'endroit paraissait mort et vide.

Elle courut. Des piqûres criblèrent ses pieds gourds quand elle atterrit sur le sol gelé au bas du versant. Elle poursuivit sa course dans la neige lâche.

— Kerleu !

Sa voix, aussi sèche et craquelée qu'une feuille morte, vola devant elle, sans force. Un glouton, songea-t-elle. Un glouton n'avait peur de rien. Il n'hésiterait pas à pénétrer dans une tente et à attaquer un garçon de dix ans. Ou peut-être que son fils, sorti de la tente pour se soulager, était parti au hasard. Il oubliait toujours de bien resserrer sa capuche ou de passer une seconde paire de jambières. Le froid le tuerait. Le froid, ou la meute de loups qu'elle avait entendue ce matin-là. Ne lui avait-elle pas assuré qu'ils se trouvaient derrière la crête, qu'ils ne présentaient aucun danger ? Des loups s'en prendraient-ils à un enfant ? Ils attaquaient bien un jeune renne séparé du troupeau ! Pourquoi pas un garçon aussi mal assuré, tout en jambes trop longues et en mains sans force ?

Il lui fallut une éternité pour rejoindre leur abri et se ruer à l'intérieur. Ses poumons et sa bouche la torturaient, après cet air glacial qu'elle avait aspiré à grandes goulées. Tant pis. Où était son fils ?

— Kerleu ? murmura-t-elle, haletante.

Les cendres étaient grises sur le foyer. Rien ne bougeait. Son cœur se racornit dans sa poitrine tandis que son ventre se glaçait. Le seul signe de la présence du garçon, c'était le ballot de fourrures sur sa couche. Des images d'ours, de glouton, de loup, d'une bande de chasseurs plus brutaux que n'importe quel prédateur, lui traversèrent l'esprit. Et elle avait laissé Kerleu seul pour affronter de telles horreurs ! Sa gorge se serra. Le lièvre mort lui échappa de nouveau.

— Kerleu !

Son cri déchira le silence. Elle décrocha l'arc qu'elle portait à l'épaule et l'empoigna. Des traces. Il avait peut-être laissé des traces. Elle soulevait le pan de cuir pour sortir, quand elle perçut un gloussement. Elle tourna la tête et vit les fourrures frémir. Elle s'approcha, les releva et découvrit Kerleu, couché sur le flanc, qui murmurait à l'adresse du caillou lisse qu'il tenait à la main. Un accès de rage balaya le soulagement qu'elle éprouvait.

— Qu'est-ce que tu fais ? Pourquoi le feu est éteint ?

— J'ai oublié de remettre du bois. (Il caressait le caillou sans bouger ni même lever les yeux pour la regarder.) Ce n'est pas grave. Je me suis mis sous les couvertures et je suis resté au chaud.

Tillu le toisa, sentit le froid la dévorer à travers ses habits, la faim qui devrait attendre d'être apaisée, le désespoir qu'il éveillait en elle. Allait-il toujours escompter qu'elle rentre et s'occupe de lui, inconscient et impuissant face au monde qui l'entourait ? Elle ne fit pas un geste, ne dit pas un mot ; elle l'observait en se demandant ce qu'il lui manquait, ce qu'elle avait oublié de lui apprendre, ce qui le tenait à l'écart des choses ordinaires. Elle avait beau s'efforcer de le rendre normal, rien n'y changeait. Il demeurait aveugle à ce qui n'allait pas chez lui. La patience de Tillu, son entêtement à l'instruire, ne servaient à rien. Égarée dans le tourbillon du désespoir, elle fixait son fils unique.

— Tu ne rallumes pas le feu ? demanda-t-il avec humeur. (Il remonta les fourrures sur lui.) Il fait de plus en plus froid, et j'ai faim. C'est tout ce que tu as tué aujourd'hui ?

La fureur ancienne, qu'elle croyait reléguée à la petite enfance de Kerleu, flamboya en elle. L'injustice du fardeau lui irrita l'âme jusqu'à la brûlure. Tillu, revigorée par la colère, se dressa de toute sa hauteur au-dessus de son fils. D'une main, elle l'empoigna par le devant de sa tunique, le leva de force et le poussa vers le foyer refroidi dans lequel il faillit tomber. Il tituba de côté, reprit son équilibre tant bien que mal et, soudain, s'accroupit, terrorisé, devant elle.

— Non ! (Le mot lui râpa la gorge.) Non ! Je ne rallume pas le feu ! C'est toi qui le rallumes ! Toi, imbécile, qui l'as laissé s'éteindre ! Même le plus petit nourrisson de la tribu de Bénu sait qu'il faut toujours l'entretenir ! Et toi, toi qui serais en âge de chasser si tu n'étais pas si bête, tu le laisses mourir pour te blottir sur ta couche comme un bébé et t'amuser avec un caillou ! Donne-moi ça !

En dépit des efforts frénétiques qu'il fit pour retenir la pierre rougeâtre polie par ses caresses, elle la lui arracha, et la lança par la porte de la tente. Kerleu blêmit. La pierre disparut dans la neige. Il poussa un cri et se jeta dehors pour la récupérer, mais Tillu le saisit par le col de sa tunique, le ramena à l'intérieur et le laissa choir brutalement sur la terre froide près du foyer. Elle tremblait de colère et de désespoir. Son fils, son garçon qui serait bientôt un homme, cet être recroquevillé sur lui-même, pleurant de rage parce qu'elle se débarrassait d'un caillou ? Insupportable.

— Je veux ma pierre ! beugla-t-il.

Il essaya de se relever mais elle le repoussa, leva la main, saisit le sac en cuir accroché à un piquet, loin du sol humide, qui contenait le petit bois sec et le lui jeta. Kerleu poussa un cri quand il le heurta et tomba par terre. Archet et foret suivirent le même chemin. Tillu n'avait ni silex ni pierre à feu.

— Allume le feu ! ordonna-t-elle d'une voix qui secoua la tente. Tout de suite !

— Je ne peux pas. Je ne sais pas. Je veux ma pierre !

Il y avait de la peur dans sa voix, en plus du défi. À un autre moment, la colère de Tillu aurait fondu. Mais elle avait froid, faim, et elle en avait assez de servir de tuteur à son fils. Elle s'agenouilla près de lui, prit ses poignets trop minces et l'obligea à toucher les outils. Ses mains restèrent molles. Il refusait de s'en emparer.

— Ramasse-les ! Tout de suite, Kerleu ! Tu les ramasses et tu essaies ! Tu crois que je serai toujours là pour te faire le feu et la cuisine ? Et si je m'étais perdue, aujourd'hui ? Si un ours m'avait tuée ? Si j'étais tombée et que j'avais une jambe cassée ? Tu resterais assis dans cette tente à gémir : « Je ne peux pas ! » jusqu'à ce que tu meures de froid ou de faim ? Hein ? Tu passerais ton temps à frotter un caillou jusqu'à ce que tu meures ? Hein ? Et si je n'étais pas revenue ?

Le garçon se tordit le cou pour la regarder par-dessus son épaule. Ses yeux rapprochés s'écarquillèrent de terreur.

— Pas revenue ? Toi pas revenue ? Kerleu tout seul ?

Dans son angoisse, il retrouvait ses manières de bébé. Bouche bée, la lèvre inférieure humide et tremblotante, il la dévisageait, fou de peur. Tillu resta de glace.

— Voilà. Tillu pas revenue. Bon, tu essaies. Essaie !

Le garçon saisit gauchement les outils, les brandit sans savoir qu'en faire, puis s'efforça de les ajuster. Elle retint sa colère pendant ses trois premiers essais, et lui fit lâcher l'ensemble d'une tape.

— Idiot ! Comme ça ! Une main sur le foret, ici ! L'autre main en dessous, sur l'archet, comme ça ! Essaie !

Il voulut l'esquiver, mais elle l'empoigna sans douceur et lui plaça les mains sur les objets. Il imprima un mouvement de va-et-vient maladroit à l'archet, la main repliée vers le poignet. Le foret pris dans la boucle de la cordelette pivotait, mais gaspillait la chaleur de la friction en dansant sur le bois à échauffer. Tillu se pencha pour le remettre en place et rabroua encore Kerleu.

— Continue !

Il n'y avait aucun encouragement dans son ordre.

— Maaa...

Ignorant sa plainte, elle se redressa brusquement et gagna la porte de la tente à grands pas.

— Appelle-moi quand tu auras réussi.

Sans se laisser fléchir par l'air désespéré et la respiration haletante de son fils, elle souleva le rabat et sortit dans la nuit.

Le froid hivernal subarctique gifla ses joues empourprées. Elle constata qu'elle transpirait ; son accès de rage l'avait revigorée, et elle tremblait encore sous cet afflux d'énergie. Pourquoi Kerleu se comportait-il toujours ainsi ? Pourquoi ?

Tandis que sa colère se mourait dans l'obscurité glaciale,

la honte vint à son tour lui échauffer les joues. Dans la tente derrière elle, le foret creusait le bois avec un bruit de râpe accompagné par des lamentations et des fulminations. Le monde l'entourait, vaste et désert, mais elle n'avait aucun endroit où fuir la petite voix furieuse et le regard perplexe de son fils. Devant les colères noires de sa mère, Kerleu, au lieu de se repentir, boudait comme un enfant et, terrifié, se dérobait à son contact. Elle en ressortait chaque fois l'âme meurtrie.

Elle avait dressé la tente dans une clairière enclose par les versants boisés du vallon. Les pins s'élevaient, plus sombres que la nuit, leurs branches chargées de neige. Parfois, elle sentait une paix profonde l'emplir, qui prenait sa source dans ces arbres, parmi ces collines enneigées, et il lui semblait se trouver abritée au creux de la paume de la forêt. Elle entendit le bruissement des ailes d'un hibou qui piquait, le cri ténu de la proie qu'il saisissait entre ses serres, et frissonna, les nerfs à vif. Elle percevait ce soir-là l'âpre lutte sans cesse recommencée des êtres pour maîtriser l'environnement difficile. Un souriceau aveugle était mieux armé que son fils pour survivre. Pourquoi refusait-elle d'admettre la futilité de l'instruction qu'elle lui dispensait ? Ce serait moins cruel de le laisser continuer son existence de la sorte, jusqu'à la fin. Le forcer à apprendre, le pousser dans la mêlée... Quel bien lui faisait-elle, au fond ?

Il était tel qu'il était. Le battre n'y changerait rien, elle aurait dû le savoir à présent. Pleurer ou supplier, ainsi qu'elle le faisait aussi, restait de même sans effet. Tout ce qu'elle pouvait pour lui, c'était le laisser jouir des chiches plaisirs qu'il retirait du monde et l'enterrer lorsqu'une dernière maladresse l'en éloignerait à jamais. Or le traitement qu'elle lui infligeait en ce moment équivalait à une correction. N'avait-il pas été suffisamment puni au cours de son existence ? N'avait-il pas subi assez d'avanies, de la part des enfants comme des adultes, pour une vie entière ? Son cœur lourd fit pencher la balance dans l'autre sens, et la rage la reprit, dirigée contre ceux qui riaient de Kerleu et de ses défauts. Qui étaient-ils pour le juger, pour affirmer que sa différence en faisait un faible, un inadapté ? Les femmes qui se détournaient de lui avec commisération, les hommes qui l'écartaient d'une bourrade méprisante, tous la mettaient en colère. Mais elle ne valait pas mieux qu'eux.

Elle songea, honteuse, au caillou rougeâtre, et le chercha du regard, en vain. L'obscurité dissimulait l'empreinte qu'il avait laissée dans le tapis blanc en s'y enfonçant. Indécise, Tillu resta un long moment tournée dans la direction où elle l'avait lancé, avec l'envie de tomber à genoux et de fouiller la neige, comme si cette entreprise inutile avait pu démontrer l'amour qu'elle éprouvait pour son fils.

Les larmes lui piquaient le coin des yeux. Elle les essuya d'un revers de sa main gantée. « Demain », se jura-t-elle. Quand le jour s'éclaircirait un peu, elle sortirait le chercher et le lui rapporterait. Pour l'heure, elle ferait bien de rentrer dans la tente, d'allumer le feu et de préparer à manger.

L'orage de colère et de frustration passé, elle se sentit vide et lasse. Elle regretta d'avoir si peu câliné et cajolé Kerleu bébé. Mais cette idée ramena le souvenir du petit corps raide dans ses bras, de son visage cramoisi tandis qu'il se débattait pour échapper à son étreinte. Elle se rappela la douleur qu'il lui infligeait de sa tête trop grosse en martelant sans relâche sa poitrine osseuse d'adolescente, si bien qu'à la tombée de la nuit, sa figure à lui et ses seins à elle n'étaient que bleus. Quand elle le posait, il hurlait ; quand elle le prenait, il se raidissait. Elle aurait peut-être pu essayer davantage. Si elle avait eu sa mère ou sa tante auprès d'elle, l'une ou l'autre lui aurait peut-être prodigué d'utiles conseils. Mais aucune des deux n'avait été là. Avaient-elles même survécu ?

Les pillards l'avaient enlevée à son foyer, près du fleuve. Quand sa grossesse l'avait rendue peu attirante comme compagne de lit, ils l'avaient abandonnée plus vite qu'un cheval boiteux. Elle n'avait jamais su qui était le père de son enfant. Quand elle les évoquait, ils ne lui apparaissaient plus comme des individus distincts. Cheveux noirs rêches, visage creux, ils se fondaient en un seul mâle puant et massif, qui la clouait sous lui et la blessait au plus profond. Il la plaquait contre le sol rocailleux, souffle brûlant dans son cou, lourde masse sur sa poitrine, rires tonitruants tout autour tandis qu'elle luttait et se débattait. Elle frémit au souvenir de ce cauchemar.

Elle tremblait ; des spasmes la secouaient en dissipant ses dernières réserves pour lutter contre le froid. Elle était restée immobile trop longtemps. La nuit lui avait volé sa chaleur. Il lui fallait du feu pour vivre. Et il lui fallait vivre pour Kerleu. Épuisée, elle se tourna vers la tente. Elle prendrait l'archet, le foret, allumerait le feu. Une fois de plus, elle se chargerait du fardeau de leur survie. De la tente jaillit alors une voix plus vive que la clarté des étoiles, dont l'accent de triomphe éclaira et réchauffa la nuit.

— Le feu ! Tillu, Tillu, il brûle, il brûle pour moi !

V

DE L'AIR FROID SUR SON VISAGE. Aussi froid que dehors. Elle s'arracha au sommeil, s'agita sous les peaux. Le feu s'était-il éteint ? Elle ouvrit les yeux avec effort et risqua un regard dans la tente, de l'intérieur de son cocon de fourrures. Non, le feu brûlait, mais il aurait bientôt besoin de bois. Le courant d'air venait du rabat ouvert devant lequel son fils se tenait en chemise de nuit, à scruter les ténèbres.

— Tu as le bois près de ton pied gauche, dit-elle. Inutile de glacer toute la tente pour le trouver.

— Je ne cherche pas le bois, marmonna-t-il.

Le froid qui entrait autour de lui formait une brume légère au contact de l'atmosphère un peu plus chaude dans la tente. Kerleu restait immobile au milieu des volutes vaporeuses.

— Remets-en quand même sur le feu, lui demanda Tillu d'un ton grincheux.

Elle remonta les peaux jusqu'à son menton. De la porte, le garçon fixait toujours l'obscurité enneigée.

— J'ai entendu Carp. (Il oscilla sur ses jambes, comme s'il dormait debout.) Il m'appelait.

Un frisson parcourut Tillu, dont les cheveux se dressèrent sur la nuque. « Idiote ! » se rabroua-t-elle. Mais le ton de Kerleu, la lenteur de ses mots et son regard rivé sur le néant avaient de quoi l'effrayer. Dans la lumière chiche du feu mourant, il tourna la tête. Il n'y avait rien d'ensommeillé au fond de ses yeux, deux trous sombres sous la broussaille de sa chevelure. Son air résolu, intense, évoqua à Tillu l'image d'un grand loup assis, les oreilles dressées, qui attendrait que sa proie parvienne à sa portée. Elle lui dit, et ce n'était pas la première fois :

— Carp ne va pas venir, Kerleu. Tu l'as rêvé.

— Je sais. (Il parlait à sa manière habituelle, en hésitant. Il donnait l'impression de devoir trouver ses mots avant de les prononcer, et les aligner le long du fil de ses pensées ; on le voyait fabriquer ses phrases tels des colliers.) Mais c'était un de ces rêves véritables. Comme ceux qu'il m'a enseignés. Je l'ai vu marcher dans la neige, sous les arbres de la forêt. (L'émerveillement transforma son visage.) Il a levé les yeux vers moi et il m'a souri. J'ai bien vu quelles dents lui manquaient. Il s'appuyait sur le bâton qu'on a taillé ensemble. Il m'a dit : « Tu es à moi, Kerleu. Et je viens à toi parce que les esprits le souhaitent. Prends patience, mais n'oublie pas. » Après, la neige s'est mise à tomber entre nous jusqu'à ce que tout soit blanc et que je ne le voie plus. J'ai cru l'entendre m'appeler, alors je me suis réveillé et je me suis levé pour aller voir.

— Kerleu ! (Tillu maîtrisa sa voix.) Carp ne va pas venir te chercher. Il ne sait pas où nous sommes. Et nous avons fait un long chemin. La tribu de Bénu ne pousse jamais aussi loin à l'ouest. On a quitté son territoire. Je doute qu'on le revoie un jour.

Le garçon garda le silence et hocha la tête, le front plissé. Il laissa retomber le rabat, bannissant la nuit et l'obscurité plus profonde qu'elle abritait. La tente redevint un petit lieu clos, et Tillu put regarder Kerleu. Ses jambes nues sortaient de la chemise en cuir souple qu'il portait la nuit. Ses cheveux noirs, drus, ébouriffés, pendaient devant ses yeux étranges. L'espace d'un instant, elle vit sa solitude et sa vulnérabilité, et elle éprouva un remords. Durant tous leurs voyages, Carp était le seul adulte à l'avoir toléré. Aux yeux des autres hommes, Kerleu ne méritait que le sarcasme ou le dégoût. Les enfants se moquaient de lui depuis qu'il était assez âgé pour trahir sa différence par ses propos. Les femmes s'apitoyaient et le traitaient comme un nourrisson, ou elles plaignaient Tillu et se conduisaient comme s'il représentait un signe de malchance. En fuyant la tribu de Bénu, elle l'avait enlevé à la seule personne qui lui ait jamais témoigné de l'amitié.

— Alors, pourquoi est-ce qu'il a dit qu'il venait ?

Tillu s'efforça de rester patiente face au débit placide et aux questions butées de son fils.

— Tu l'as rêvé. Il ne l'a pas vraiment dit.

Kerleu resta près du feu, à hocher la tête, la bouche entrouverte, s'humidifiant la lèvre inférieure du bout de la langue. Puis il parut répéter tout bas la réponse de sa mère.

— Ah ! dit-il en fixant les flammes. Un rêve.

Tillu, soulagée, se renfonça dans son nid de peaux.

— Tu crois qu'il viendra demain ?

Confrontée à cette question pleine d'espoir, elle se redressa sur son séant dans un sursaut et poussa un soupir.

— Non. Il ne viendra pas demain non plus. Tu n'entends pas ce que je dis, hein ? Rentre du bois pour le feu.

Il obéit et se pencha pour tirer à l'intérieur des branches que la neige de la nuit précédente avait recouvertes de givre. Elles crépitèrent lorsqu'il les laissa maladroitement tomber sur les braises.

— N'en mets pas trop à la fois. Tu vas l'éteindre.

— Alors il faudrait que je le rallume, énonça-t-il avec une note de ressentiment.

— Tout juste, dit-elle avec fermeté.

Ils se turent en cet instant chargé de tension. D'un côté, Tillu voulait se convaincre que son fils devait apprendre à tout prix. De l'autre, elle n'éprouvait qu'un malaise empreint de tristesse. Il oubliait ce qu'elle venait de lui dire, mais il se rappelait sans mal la colère et la souffrance que la dispute du mois précédent lui avait values. Son esprit fonctionnait ainsi, comme s'il sentait ce qui chagrinait sa mère et choisissait de le conserver par-devers lui.

En l'observant qui jetait un vif coup d'œil vers le piquet auquel pendait la viande, elle laissa la commissure de ses lèvres se relever tandis qu'elle se remémorait son triomphe éclatant lorsqu'il avait fini par allumer le feu. Ce souvenir-là, elle le garderait. Il lui rendit son regard, puis lui adressa un sourire incertain.

— C'est presque l'heure de se lever. Tu veux que j'aille chercher de la neige ? proposa-t-il, plein d'espoir.

Tillu comprit alors ce qui l'avait vraiment réveillé : la faim.

Avec lassitude, elle repoussa les peaux qui la couvraient. Elle aurait dû l'obliger à se rendormir et à attendre le matin, mais elle se sentait coupable et elle aussi avait faim. Elle ne trouvait pas assez à manger pour deux. Même par l'hiver le plus rude, la forêt offrait de la nourriture en abondance au chasseur expérimenté. Seulement, elle manquait d'expérience.

Depuis qu'ils avaient quitté la tribu de Bénu, elle chassait des lapins, des lagopèdes et autres petits animaux. Au début, la viande séchée, l'huile et la végétation tardive complétaient leur régime. Désormais, la neige dérobait les plantes, hormis l'écorce pour les tisanes, et, leurs réserves s'étant épuisées, ils devaient se contenter de ce qu'elle tirait. La veille, elle avait rapporté en tout et pour tout deux lièvres minuscules. Après les avoir fait bouillir, elle en avait gardé un train arrière pour le petit-déjeuner. La chair filandreuse des bêtes, qui avaient déjà perdu leur graisse d'automne, ouvrait davantage l'appétit qu'elle ne le rassasiait. Tillu avait une envie de matière grasse que ses proies maigrelettes ne pouvaient satisfaire.

D'un hochement de tête, elle céda à Kerleu. Sans même se soucier de mettre ses bottes, il saisit le récipient et courut le remplir dehors. Elle sortit de sa couche de fourrures, s'habilla en hâte dans la tente glaciale, rajouta du bois sur le feu, posa la marmite à côté, pour que la neige fonde, puis alla décrocher l'arrière-train givré suspendu à l'un des piquets. Constater la maigreur de la chair lui fit secouer la tête, mais elle débita la viande en petits morceaux qui cuiraient vite. Les os et les autres déchets les rejoignirent dans la marmite. Elle attisa le feu pour découvrir les braises, posa le récipient dessus, puis l'enfonça avec un mouvement tournant afin de le caler.

Entre-temps, Kerleu s'était habillé à toute allure. Il ramassa le couteau en os qu'elle venait d'utiliser pour couper la viande et lécha les traces de sang sur la lame. Tillu lui jeta un regard d'avertissement.

— Ne te coupe pas la langue.

— Je fais attention.

Il passa le bout de ses doigts sur la planche à découper et se les lécha avidement. Soudain, elle prit conscience de la médiocrité de leur cadre de vie. La honte monta en elle, le disputant à la colère, mais la lassitude l'emporta sur l'une et l'autre. Soit elle faisait mieux, soit ils ne passaient pas l'hiver. Pensive, elle remua le ragoût. Tout ce qu'ils possédaient menaçait ruine. Il fallait remplacer le couteau en os, recoudre les moufles, tanner les petites peaux récurées des proies pour obtenir du cuir utile. Mais elle était seule et passait déjà le plus clair de son temps à chasser. Avec un autre enfant, une solution simple se serait offerte : le mettre au travail. Or l'expérience lui avait enseigné qu'inculquer un nouveau talent à Kerleu prenait davantage de temps que s'atteler soi-même à la tâche.

Pourtant, il avait allumé le feu. Il s'était chargé depuis lors de ramasser le bois, sans qu'elle ait besoin de le lui rappeler. Peut-être la dureté de la leçon avait-elle enfin porté. Peut-être pouvait-on désormais attendre... non, exiger plus de lui.

Venu s'accroupir à côté d'elle, il la regardait cuisiner tel un oiseau chapardeur posté près d'un camp pour guetter chaque miette de nourriture à dérober. L'eau chauffait et Tillu renifla l'odeur de la viande qui cuisait. Elle épaissit le brouet d'une poignée de lichen séché. Kerleu fronça le nez, et poussa un long soupir, avant de s'asseoir sur la terre froide et de s'appuyer contre elle. Il cherchait sa proximité et sa chaleur tel un petit enfant. Elle tendit la main et lui ébouriffa les cheveux. Il tressaillit, puis leva sur elle un regard interrogateur.

— Kerleu, on peut s'en sortir mieux, mais il nous faut travailler dur. J'ai besoin que tu saches effectuer d'autres tâches et fabriquer des objets pour nous deux.

Elle le vit écarquiller les yeux, inquiet.

— J'ai porté le bois, hier.

— Je sais. Je sais. Tu te rappelles de plus en plus ce que je te demande. Mais tu es grand, maintenant, et il est temps que tu te charges d'autres responsabilités. Je t'apprendrai à curer les peaux de lapin, à réparer les moufles, à...

La lèvre inférieure de Kerleu saillait, rebelle.

— Non. C'est un travail de femme. Carp l'a dit. Je ne suis pas censé faire ces choses-là.

Tillu serra les dents et ravala sa colère. Carp. Toujours Carp. Jusqu'où faudrait-il aller pour échapper à cet homme ? Elle reprit la parole en choisissant ses mots avec soin.

— Des groupes différents ont des règles différentes. Nous sommes désormais seuls, toi et moi. Nous pouvons nous inventer d'autres règles. Et si nous voulons survivre, nous avons beaucoup à accomplir. Comme on ne peut plus troquer mes soins contre de la viande et des habits, il me faut coudre de quoi nous vêtir et chasser de quoi manger. Je n'en ai jamais eu besoin jusqu'à présent. Toi aussi, tu dois t'adapter.

Elle s'interrompit pour observer son fils. Le front plissé, la moue pensive, il lui parut un peu moins têtu. Il réfléchissait. C'était une leçon que les années passées auprès de Kerleu lui avaient enseignée : si les autres enfants étaient sensibles à la fermeté ou la menace, ces tactiques ne servaient à rien avec lui. Aussi lent qu'il puisse sembler, il n'agissait pas sans en décider au préalable. Mais une fois convaincu, il ne déviait plus de ce qu'il tenait pour une nécessité vitale, comme fuir les ours ou entretenir le feu.

— Pourquoi je ne peux pas chasser, alors ? demanda-t-il tout à coup.

— Tu ne sais pas. Je croyais que tu voudrais commencer par des choses simples, par exemple tailler des outils et les fabriquer, pendant que je chasserais.

— Les garçons de mon âge chassent. Avant de mourir, Graado partait tout le temps à la chasse.

— Oui, Graado était un excellent chasseur, mais il avait mis du temps à le devenir. Ce n'est pas le meilleur moment pour apprendre, dans ton cas. Si, par accident, tu manquais ta cible, on n'aurait rien à manger ce soir-là.

Alors que tu pourrais aisément apprendre à fabriquer des bols, des couteaux et d'autres ustensiles. Tu vois ce que je veux dire ?

— Oui. (Il l'admettait à contrecœur.) Je préférerais savoir chasser.

— Tu commenceras cet hiver, promit Tillu.

Elle se surprit de constater qu'elle comptait tenir parole. À présent qu'ils vivaient seuls, elle lui enseignerait quelques talents utiles, y compris en société. Lorsqu'ils se joindraient de nouveau à un groupe, sa différence semblerait peut-être moins flagrante.

— Tout serait plus facile pour toi s'il y avait des gens que tu pouvais soigner.

Face à cette perspicacité qu'elle ne lui connaissait pas, elle lui adressa un regard incisif.

— Qu'est-ce qui te fait dire ça ? (Il haussa les épaules avec entêtement.) Ce serait peut-être plus facile, mais il n'y a personne à soigner dans les environs, Kerleu. Il faut donc nous débrouiller par nous-mêmes.

Il l'observait en silence, sans la contredire, mais sans non plus acquiescer. Elle soupira. Il jugeait qu'une autre solution à leurs problèmes existait, et entendait s'y raccrocher le plus longtemps possible.

— C'est cuit ? demanda-t-il.

Elle touilla le brouet une dernière fois et hocha la tête. Il se dressa d'un bond, rapporta les bols en bois sculpté, puis la regarda servir, affamé. Ils burent leur soupe de viande dans un silence partagé. Tillu était plongée dans ses réflexions et Kerleu absorbé par son repas.

Ils finirent bien trop vite. Tillu se leva et rassembla ses affaires pour la journée. Elle prit une sacoche en cuir nantie d'une solide ceinture, se la noua autour de la taille, et y plaça le couteau d'os, une bonne longueur de tendon tressé et son nécessaire de soins. Depuis l'époque, au bord de la rivière, où sa grand-tante lui avait enseigné son art, elle portait une bourse qui contenait quelques herbes réduites en poudre dans des flacons en os et un rouleau de cuir souple destiné aux bandages. Elle revêtit ensuite, pour couvrir le tout, son lourd manteau en peau de renne. On l'avait tanné en y laissant les poils à tige creuse, qui lorsqu'il était neuf, piégeaient la chaleur. Mais ils étaient aussi fragiles et cassaient facilement, de sorte que l'habit était, par endroits, usé jusqu'au cuir. Ce pesant fardeau valait-il la protection offerte ? Si le blizzard se levait ou qu'elle doive passer la nuit dehors, elle serait sans doute heureuse de porter ce vêtement ; sorte de tunique à manches longues, serrée par une ceinture. Enfin, elle enfila ses moufles.

— Aujourd'hui, dit-elle à Kerleu, tu devras entretenir le feu et ramasser le plus de bois possible pour t'éviter de sortir demain ou après-demain. Tâche de repérer des morceaux qui conviendraient à un bol ou à une cuillère. Ce soir, lorsque je rentrerai, on essaiera de tailler quelque chose.

— Je ne peux pas venir chasser avec toi pour commencer à apprendre ?

Il en revenait donc à son idée ?

— Demain, peut-être. Avec assez de combustible, on pourra alimenter le feu pour la journée. Souviens-toi bien de ramasser beaucoup de bois si tu veux m'accompagner demain. (Elle empoigna son arc et s'immobilisa sur le seuil de la tente.) Essaie aussi de trouver une branche pour façonner un arc. Il t'en faudra un.

— Et si je chantais afin que les esprits t'offrent une bonne chasse ? proposa Kerleu avec prudence.

De toute évidence, il s'attendait à la rebuffade habituelle. Mais où était le mal ?

— Pendant que tu ramasseras le bois.

Sur cette concession, elle se courba et passa sous le rabat. Kerleu entonna d'une voix grêle le chant monosyllabique que Carp lui avait appris. Elle n'avait jamais su déterminer si l'étrange mélopée incluait des mots d'une langue inconnue ou seulement des bruits monotones censés attirer les esprits qu'adorait le chaman. L'espace d'un bref instant, elle revit la belle déesse sculptée du village de son enfance, au bord de la rivière. Les maraudeurs l'avaient abattue et brûlée pour nourrir le feu sur lequel ils avaient mis à rôtir les porcelets bien gras que Tillu gardait alors. Depuis, elle n'avait plus jamais tremblé face à un être spirituel.

De gracieux bouleaux blancs cerclaient la clairière où se dressait leur tente, et de grands sapins sombres verdissaient les hauteurs. Un bouquet de saules sinueux s'élevait à une extrémité de la petite vallée. Tillu soupçonnait la présence, sous la neige, d'une source estivale. Comparé aux collines alentour, le vallon paraissait un vaste espace ouvert. Le soleil qui frappait les parois de peau de la tente durant le jour aidait à la réchauffer ; en plus de les protéger des tempêtes, les sapins des versants fournissaient bois et gibier. C'était un bon endroit où hiverner.

Tillu passait ses journées à chasser dans les collines toutes proches. Elle commençait à bien les connaître, et envisageait d'explorer la vallée voisine. Il faisait encore sombre quand elle pénétra sous les arbres. Le froid nocturne avait laissé une croûte de glace sur la neige, qui lui permit de se déplacer sans encombre au lieu de devoir s'extirper à chaque pas de la couche blanche. Elle prit la direction de l'ouest le long des pistes tracées par le gibier, en évitant le couvert des sapins chargés de neige. Inutile d'espérer trouver des proies si près de la tente. Kerleu et elle vivaient là depuis près de deux mois : bruit et fumée avaient chassé la plupart des petits animaux. Elle poursuivit donc son chemin à grands pas pour s'éloigner du camp avant le lever du jour.

Malgré la brièveté des heures claires, Tillu allait passer une longue journée à chasser. Elle avançait sans bruit, scrutant les ombres de la forêt, ignorant le spectacle du ciel étoilé, rayé des pâles rubans de l'aurore boréale. Si le brouet lui avait réchauffé l'estomac, il ne l'avait pas rempli, et la faim ne tarda guère à amoindrir sa concentration.

La lueur grise du jour la trouva qui allait en silence, une flèche encochée, dans un bois de sapins clairsemé dont les hauts troncs se dressaient autour d'elle. La rareté des broussailles lui permettait de marcher et de guetter le petit gibier sans encombre. Elle détestait la tension constante dans les muscles de ses bras, mais toute proie qu'elle apercevrait l'aurait vue venir. Sortir une flèche du carquois et l'encocher au dernier moment suffirait à effrayer sa cible, qui détalerait aussitôt.

Elle guettait moins un lièvre, un écureuil ou un lagopède

qu'une forme, un mouvement : l'éclair d'un œil ou le frisson d'une oreille dans un fourré, la courbe blanche de la croupe d'un lapin sous un arbre. Elle décocha son premier trait en vain ; le projectile et l'oiseau se perdirent dans la forêt enneigée.

Ses talents de tireuse à l'arc ne jouèrent aucun rôle quand elle attrapa enfin quelque chose, vers midi. Elle déboucha dans une clairière. La souche noircie et les troncs couchés saillant de la neige montraient que la foudre avait allumé un feu vite éteint. Des fourrés criblaient la clairière à l'orée de laquelle Tillu se campa, immobile. Seuls ses yeux bougeaient. L'aube ou le soir gris verrait l'endroit s'animer, elle l'aurait parié, mais elle l'avait découvert au mauvais moment. Il n'y avait là aucun gibier.

En apparence, tout du moins. Un minuscule amas de neige tomba d'un fourré, délogé par un mouvement en l'absence de vent. Feignant de regarder au loin, Tillu examina le buisson du coin de l'œil. Un lièvre s'y terrait, persuadé que son pelage blanc le camouflait. Elle serra les dents. Les branches de l'abri étaient juste assez denses pour détourner sa flèche, ce qui permettrait à l'animal de prendre la fuite. Elle pouvait l'effrayer pour le forcer à s'exposer et tâcher de l'abattre en pleine course. Mais elle connaissait ses limites. Il faudrait trouver un autre moyen.

Tant que la proie croyait passer inaperçue, elle resterait figée là. Tillu se remit en marche ; elle regardait partout sauf en direction du lièvre, la tête droite comme pour scruter l'extrémité de la clairière, et elle s'avançait d'un air dégagé. Son trajet la conduisit à une longueur de la cachette.

La neige crissait sous ses pas. Le soleil éclatant se reflétait sur le sol ; éblouie après son long séjour parmi les ombres douces de la forêt, Tillu se retint de se frotter les yeux. Elle se rapprocha encore. Elle allait dépasser l'animal, qui ne bougeait toujours pas, les oreilles rabattues. Au lieu de bondir, elle se laissa tomber, et s'écrasa sur le buisson, prenant au piège la bête, qui se débattit dans le fouillis des branches qui cassaient sous le poids de la jeune femme.

Les mains tendues, frénétique, Tillu saisit le lièvre par

une patte qui lui échappa, l'empoigna par l'échine, le sentit se tortiller et se dégager, le prit par le cou. Elle le tenait. D'une torsion, elle lui brisa la nuque. Le petit bruit sec parut assourdissant. Elle soupesa la dépouille flasque et chaude, plus lourde que les deux proies précédentes. Cela ferait un bon repas. Elle perça la peau fine entre les deux os longs des pattes arrière, y enfila une mince cordelette de tendon tressé et noua les extrémités pour former une longue boucle, qu'elle passa par-dessus son épaule. Sa prise pendait, la tête en bas contre sa hanche. Son poids l'emplit de satisfaction. Si elle arrivait à en attraper une ou deux autres...

Elle poursuivit sa route dans une forêt plus sombre, dont l'entrelacs de branches niait la vive lumière du jour trop court. Sa chance avait tourné : rien ne bougeait. La lueur déclinante de l'après-midi la força à revenir sur ses pas.

Elle croisa sa piste du matin et gravit avec quelque espoir le versant qui la dominait. La plupart des animaux paissant ou broutant dans les collines surveillaient les pentes en contrebas et, souvent, ne prêtaient guère attention au chasseur qui les traquait de plus haut. Le jour déclinait : l'occasion d'un tir mal assuré valait-elle le risque de perdre une de ses précieuses munitions ? Tillu escalada la crête d'une butte afin de scruter le vallon voisin. Jamais encore elle n'y avait chassé. Elle se demanda si elle devait prendre le temps de l'explorer ou remettre sa tâche au lendemain et rentrer.

Elle se figea, s'efforçant de sonder la forêt ombreuse au-dessous d'elle. Elle venait d'entendre plusieurs cliquetis, que suivirent un bruit de neige tassée et un entrechoc de bois. Il lui fallut attendre que ses yeux s'accoutument à la pénombre. Troncs et branches encombraient son champ de vision, mais elle discerna une croupe, qui se détacha sur la neige un bref instant à l'occasion d'un mouvement. La bête se déplaça de nouveau, et Tillu en profita pour se glisser derrière un arbre qui offrait une meilleure couverture. Le renne, de belle taille, présentait un pelage brun, mais Tillu eut beau scruter la forme dissimulée dans l'ombre, elle ne put l'identifier.

La silhouette leva un peu son chef, dévoilant les bois d'une femelle. Aux aguets, celle-ci regarda alentour tandis que son petit se pressait contre son flanc, en quête de chaleur. Tillu sourit : deux animaux au lieu d'un. Voilà ce qui l'avait déconcertée. Elle serra plus fermement son arc et s'interrogea.

Il lui restait quatre flèches, mais elle ne se faisait aucune illusion sur leur qualité. Leur pointe n'était que de bois durci au feu. Tillu, qui avait fabriqué son arme, en connaissait tous les défauts. Si elle possédait la puissance requise pour assommer un oiseau ou percer le fin pelage d'un lapin, elle n'infligerait guère qu'une blessure superficielle à la bête qui broutait en contrebas. Cédant néanmoins à l'attrait d'une telle quantité de viande emballée dans une peau très utile, Tillu se glissa d'arbre en arbre pour descendre le versant à couvert et se rapprocher.

La mère creusait du sabot à l'intention de son petit, découvrant le lichen tendre. Tandis qu'il broutait, elle guettait les loups, les gloutons et les rares lynx. Une fois sûre que tout allait bien, elle replongeait sa tête dans le creux. Durant ces instants où les yeux de l'adulte se trouvaient sous le niveau de la neige, Tillu progressait.

Elle s'immobilisa hors de portée de tir, le cœur rempli d'espoir, la tête pleine de plans. Si elle s'abstenait d'effrayer l'adulte, celle-ci se trouverait peut-être toujours dans les parages le lendemain. De toute façon, sa présence signifiait qu'il devait y en avoir d'autres dans les collines et les vallées avoisinantes. Sa peau d'hiver, désormais dans sa plénitude, offrirait bottes, manteau et couverture, ses os et ses bois de solides outils, ses tendons du fil, sans parler des quartiers de viande rouge couverts d'une couche de graisse, de la moelle succulente, du foie fumant. La faim la gagna pendant qu'elle réfléchissait en hâte. Que lui faudrait-il ? Un épieu ? Kerleu pour rabattre les bêtes dans la direction où elle attendrait en embuscade ? Cela paraissait réalisable. La mère courba encore l'échine et Tillu risqua un nouveau regard de derrière l'arbre.

Elle se figea : elle n'était pas le seul chasseur du vallon. Sous ses yeux, deux autres rampaient sur la neige pour converger vers les animaux. Ils formaient un couple mal apparié. Intriguée, Tillu leur accorda plus d'attention. L'un, vêtu d'une tunique et de jambières en peau de renne, était grand, large d'épaules. Ses cheveux bruns prenaient des reflets bronze à la lumière. Ils lui descendaient jusqu'aux mâchoires et se balançaient de part et d'autre de son visage tandis qu'il se déplaçait sans bruit à quatre pattes. Un arc en bandoulière, il gardait ses yeux rivés sur sa proie.

L'autre était un jeune, ou un homme de petite stature. Les jambes courtes, fortes, un peu arquées, il allait, dépourvu de la grâce fluide de son compagnon, se tortillant telle une fouine nerveuse. Une épaisse chevelure noire collait à son crâne et encadrait son visage rond, aux hautes pommettes, au nez large, aux lèvres finement dessinées. Tillu l'examina pendant qu'il observait les bêtes. Un frisson lui parcourut l'échine quand elle s'aperçut qu'il ne différait guère des pillards qui l'avaient arrachée à son monde. Tenant un rouleau de corde, il avançait en tête, paraissant vouloir se rapprocher le plus possible de l'adulte tandis que son compagnon semblait juste souhaiter arriver à portée de flèche. Tous deux échangèrent un regard, puis l'aîné hocha la tête à l'adresse du cadet. Le premier roula de côté jusque derrière un arbre, où il se posta pour prendre son arc et encocher une flèche ; le second continua de ramper, sa corde en main. Quand la femelle releva la tête, son petit se plaqua au sol, le ventre et le nez dans la neige. La mère fronça les narines avec un reniflement audible, mais l'air restait immobile sous le sapin à l'écorce noire au pied duquel elle paissait et il n'y avait pas de vent pour porter l'odeur des chasseurs ; elle baissa de nouveau la tête.

Tillu ne sut jamais ce qui l'avait alertée, elle, l'humaine. Faute de bruit, elle dut percevoir un vague mouvement à la périphérie de son champ de vision. En tout cas, elle détourna son regard de la scène en contrebas pour observer le versant sur sa gauche.

Des années plus tôt, un des géants de la forêt s'était abattu et gisait désormais à moitié enfoui dans la neige. Les branches qui s'élevaient de son grand tronc couché, bien que dénudées, formaient toutefois un écran. Dans sa chute, une énorme masse de terre avait été arrachée au sol. L'arbre avait en partie survécu, nourri par les racines encore enterrées, tandis que les autres griffaient le ciel à tâtons, se desséchant peu à peu. Le tout formait un abri inextricable, idéal pour un petit animal soucieux de trouver une cachette. Ou pour l'archer qui surgit soudain de derrière sa couverture.

Tillu ne distingua que la forme de son chapeau, la main qui tenait l'arc, la longue courbe sombre de l'arme. Elle sentit la tension de la corde qui restait invisible. Un large sourire fendit son visage gelé. Au lieu d'attendre que ses compagnons se rapprochent, l'homme allait tirer tout de suite. À en juger par la fermeté de sa poigne, elle était prête à parier qu'il n'allait pas manquer sa cible.

La mère baissa la tête, attirant l'attention de Tillu, qui se demanda s'ils l'emporteraient entière et décida de patienter. Sa fierté ne l'empêcherait pas de prendre ce qu'ils laisseraient.

L'arc chanta au moment précis où le jeune chasseur se dressait pour lancer sa corde. Tillu poussa un cri d'horreur, mais l'avertissement vint trop tard. Trop vite pour qu'on la suive des yeux, la flèche noire fendit l'air, transperça le bras levé au niveau du biceps et poursuivit sa course en tournoyant, déviée par l'obstacle imprévu, pour s'enfouir dans la neige.

La mère et son petit détalèrent en s'enfonçant dans le tapis blanc trop meuble. Prise de vertige, Tillu s'agrippa au tronc qui la dissimulait. Le premier archer jaillit de sa cachette et se rua auprès de son cadet, qui titubait dans la neige tachée de son sang. Du troisième chasseur, elle ne vit aucun signe.

Il aurait été plus sage de fuir. Elle était seule, ignorait tout de ces hommes, et la blessure pouvait se résumer à une simple égratignure, de sorte qu'on n'aurait pas besoin de ses talents. Si elle descendait au fond de ce vallon, elle se mettait à la merci d'inconnus. Ce serait stupide. Ils risquaient de la tuer ou de l'enlever, et Kerleu ne saurait jamais ce qu'il était advenu d'elle. Elle se recula pour se tapir contre l'arbre et observer la scène.

L'homme de haute taille retira la tunique de son

compagnon avec moins de douceur que de célérité. Dépouillé de son vêtement, ce dernier paraissait plus frêle et plus jeune encore que Tillu ne l'avait estimé : un garçon, vêtu d'une chemise de la couleur du blé mur, hormis une manche, d'un rouge brillant qui dégoulinait. Face à cet habit tissé, Tillu tressaillit. Depuis quand n'avait-elle pas vu des gens qui portaient de l'étoffe ? Le blessé s'empoigna le bras avec des halètements de douleur qui parvinrent jusqu'à elle. Soudain, il tomba à genoux et son aîné accompagna sa chute. Le choc et la souffrance prenaient le dessus. L'autre le soutenait et lui parlait d'une voix rauque qu'il n'entendait plus. De toute évidence, il ne savait que faire. Il fallait arrêter le saignement sur-le-champ, ou le garçon n'y survivrait pas. Tillu s'élança vers le pied du versant.

Heckram, agenouillé dans la neige, Lasse dans ses bras, n'entendait que le tonnerre de son cœur, son souffle rauque, et les petits cris du garçon qui se tortillait en serrant sa plaie. C'était un cauchemar. Il allait se réveiller, en sueur, entortillé dans les fourrures de sa couche. Il essaya de voir la blessure, mais l'autre ne fit que serrer plus fort, les yeux clos dans sa douleur. Heckram avait entraperçu l'éclair noir de la flèche jaillie de nulle part. Il raffermit sa prise sur son compagnon.

— Calme-toi. Je t'en supplie, Lasse, calme-toi. Lasse ! Tu dois me laisser voir ton bras. Il faut arrêter le sang.

Le blessé émit une plainte sourde et mollit dans ses bras. Sa tête roula en arrière. Heckram crut sentir son âme geler, puis il vit le pouls vif et irrégulier à la gorge de Lasse. Il avait seulement perdu connaissance. Cela valait peut-être mieux. Heckram tira sur l'étoffe récalcitrante de la chemise pour tâcher de dégager la plaie. Il n'avait rien pour la bander, et le talvsit se trouvait à une journée de là. Il parviendrait à porter son compagnon sur une telle distance, mais, si la blessure n'arrêtait pas de saigner, il ne ramènerait qu'un cadavre. Lasse, maigre comme il l'était, avait déjà le visage aussi blanc que la neige dans laquelle il gisait. La flèche avait transpercé le cuir épais du manteau, creusé une profonde tranchée dans le bras, et rejailli de la manche. La plaie n'était que chair déchiquetée, boursouflée. Heckram crut voir l'os blanc au fond et sentit la tête lui tourner.

Quelqu'un atterrit derrière le garçon évanoui. L'inconnu, vêtu d'un manteau et de jambières à la coupe étrange, avait sa capuche presque close, comme au milieu d'une tempête, et portait un arc en bandoulière. La rage s'empara d'Heckram : quand le nouveau venu tendit la main vers Lasse, il le poussa avec violence.

— Tu es venu voir quelle proie tu as abattue ?

La bourrade projeta l'autre, encore plus menu qu'il n'y paraissait, à la renverse. Il se redressa sur son séant et cracha de la neige, tandis que sa capuche lui tombait sur les épaules. Il apostropha alors Heckram, et se révéla être une femme. Elle se débarrassa de son arc, qu'elle jeta dans la neige. Un lapin tout raide suspendu à une cordelette suivit le même chemin. Relevant les pans de son manteau, elle tritura sa ceinture, en dessous. Heckram, fasciné, l'observait.

Allait-elle se déshabiller dans la neige ? Pourquoi ?

Mais elle se contenta d'extirper une sacoche de cuir souple, de l'ouvrir et d'en sortir un rouleau de peau d'oiseau, très fine et lisse, qu'elle lui agita devant la figure. Elle s'agenouilla de nouveau derrière Lasse. D'un vif regard de ses yeux noirs, elle défia Heckram de la repousser encore. Il s'en abstint, mais serra plus fort le garçon pour lui insuffler un peu de sa chaleur corporelle.

L'expérience de la femme se manifesta lorsqu'elle écarta de la plaie béante le tissu déchiré. Elle reprit la parole à toute vitesse dans ce qui parut à Heckram une parodie de sa propre langue : il lui semblait presque comprendre les mots qu'elle prononçait, quand elle secoua la tête à son adresse d'un air furieux. Dans le silence soudain, elle empoigna fermement le bras de Lasse au-dessus de la blessure, à deux mains, hocha la tête avec vigueur, le lâcha, saisit la main libre d'Heckram, la plaça à l'endroit où elle avait posé l'une des siennes et lui donna un ordre incompréhensible. Il la dévisagea, perplexe, puis empoigna le bras du garçon. Elle opina du chef avant de se détourner pour ramasser une grosse poignée de neige propre qu'elle appliqua à même la plaie.

Lasse tressaillit, Heckram maintint sa prise, la neige rougit entre les mains de la femme, mais le saignement ralentit. Elle se pencha sur la blessure, l'examina, y appliqua plus de neige, la scruta de nouveau. Le traitement parut la satisfaire, car elle prononça quelques mots d'un ton rassurant.

— Ce n'est pas si grave ? s'enquit Heckram.

Elle saisit la question, acquiesça, et lui tapota la main.

— Serre fort !

Lui aussi la comprit, malgré l'accentuation bizarre.

Elle fouilla sa sacoche et en tira un récipient : l'os creux de la patte d'un renne femelle. Elle ôta le bouchon en bois et versa des miettes brun-gris dans la paume de sa main.

— Écorce de saule.

Après s'être exprimée d'une voix lente et distincte, elle saupoudra une pincée de remède sur la plaie. Le saignement cessa presque. Pinçant avec douceur les lèvres de la blessure, elle la pansa de son rouleau de peau fine. Heckram admira la sûreté de son geste quand elle glissa son doigt sous le bandage pour s'assurer qu'il ne serrait pas trop le membre meurtri. Lasse, qui s'agitait, reprenait connaissance ; elle lui parla en s'affairant. Il avait de grands yeux dans un visage creusé.

— Qui est cette femme ? demanda-t-il. Comment va mon bras ? Qu'est-ce qui s'est passé ?

L'urgence du ton dut émouvoir la femme, car elle noua le pansement avec précaution avant de tapoter l'épaule du blessé. Sur un signe de sa part, Heckram relâcha sa prise, et le garçon siffla de douleur lorsqu'il ôta ses mains. L'inconnue reprit la parole, lentement, et il en comprit assez pour dire à Lasse :

— Tu dois te reposer, sans bouger ton bras durant un bon moment, ni manger ni boire quoi que ce soit.

— Bien sûr. Avant ou après le prochain évanouissement ?

— Je sais !

Heckram détourna son regard de la neige rougie et trouva son compagnon beaucoup trop pâle. Il lui laissa sa main sur l'épaule pour le réconforter ; il se doutait que, s'il bougeait, l'autre s'effondrerait.

La femme rangeait déjà ses affaires.

— Hé ! toi ! La guérisseuse ! lança-t-il. (Elle le regarda en reconnaissant le mot.) Les tiens vivent dans les parages ? Il y a un abri près d'ici ? Un kator ? Un talvsit ? (Il crut d'abord qu'elle ne comprenait pas, mais surprit la lueur de prudence dans ses yeux.) C'est le moins que tu puisses faire ! On ne demande qu'un abri pour la nuit. Regarde-le ! Je ne peux pas le traîner chez nous dans cet état. S'il ne saigne pas à mort en chemin, le froid le tuera. Après tout, c'est toi qui l'as blessé !

Rageur, il désigna l'arc de la femme. Elle dut comprendre le sens de ses propos, car elle secoua l'arme à son adresse et le noya sous un déluge de paroles. Il saisit « chasseur » et « accident », et la regarda indiquer avec véhémence un tronc couché plus haut sur la pente.

D'un geste négligent, il accepta son histoire.

— Ce serait donc un accident, bien qu'elle ne donne pas l'impression de s'excuser. Elle doit nous juger imprudents de nous être placés entre elle et sa proie. Si je la persuade de nous emmener jusqu'à son abri pour la nuit, cela te dérange ?

— Parce qu'elle m'a tiré dessus ? C'était un accident, Heckram. Elle aurait pu fuir et me laisser me vider de mon sang dans la neige. Non, mon ami. On ne peut pas lui en vouloir. Et je ne crois pas que j'en aurais la force, même si j'y tenais. Il fait plus froid, non ?

Le mensonge vint sans mal à Heckram.

— Oui. La nuit approche.

Il ramassa la tunique, la secoua pour en ôter la neige et la drapa sur les épaules de Lasse, faute de pouvoir la lui enfiler. Lasse se leva lentement.

— Je pourrais te porter, lui proposa Heckram tout bas.

Le garçon lui adressa un regard meurtri qui devint confus, puis un sourire qui tenait plutôt de la grimace.

— Pas tout de suite, en tout cas. (De sa main valide, il prit appui sur l'épaule de son compagnon.) J'aimerais qu'on ait pris un harke de bât. Je le monterais comme un petit enfant.

Heckram regarda la femme, qui avait ramassé son arc et le lièvre. Elle avait toujours l'air d'hésiter, mais il la dévisagea avec froideur. Elle leur devait l'hospitalité pour la nuit et elle le savait. Pour le bien de Lasse, il ne la laisserait pas déroger à son obligation. Enfin, elle hocha la tête avec brusquerie.

— La tente.

Sur un geste d'invite, elle s'en fut lentement dans la neige.

VI

TILLU NE CESSAIT D'ÉLABORER des plans pour les rejeter aussitôt. Tout au long du trajet, elle resta loin devant les deux chasseurs. Dès que sa tente fut en vue, elle pressa le pas. La lueur du feu filtrait par les coutures distendues et le rabat. Elle se rua à l'intérieur, notant à peine l'amas de bois pour le feu que Kerleu avait empilé près de l'entrée, laissa choir son arc et le lièvre, et regarda autour d'elle avec fébrilité. Comment faire croire qu'un homme partageait sa tente et devait revenir d'un moment à l'autre ? Elle saisit la moitié de ses peaux et les entassa par terre de manière à leur donner l'aspect d'un troisième lit. Non, cela ne convenait pas. Il aurait plutôt fallu élargir sa couche comme si deux personnes y dormaient. Elle les ramassa.

— Il y a du sang sur tes mains. Mais celui qui souillera les miennes sera plus sombre.

Surprise par les paroles de Kerleu, elle porta son attention sur lui. Allongé à plat ventre sur sa couche de fortune, les mains posées à plat sur le sol, il n'avait pas bougé depuis son arrivée. Il avait le regard fixe et vide, la voix rêveuse et profonde.

— Kerleu ! Réveille-toi et aide-moi ! dit-elle d'un ton sec.

Le garçon prit une profonde inspiration, roula sur le flanc et leva les yeux vers elle.

— Tu es partie longtemps. La chasse était bonne ?

Sa voix avait retrouvé son habituelle cadence hésitante, et Tillu poussa un soupir de soulagement.

— Aide-moi à ranger. Deux chasseurs vont venir. L'un d'eux est blessé. Ne leur parle pas. Ils nous comprennent un peu et tu pourrais dire ce qu'il ne faut pas. Ils doivent croire que quelqu'un vit avec nous, un homme qui pourrait revenir d'un moment à...

— J'ai retrouvé ma pierre.

Kerleu lui coupa la parole et tendit la main pour soumettre le caillou rouge poli à son inspection avec un sourire incertain. Elle le foudroya du regard.

— Pour ce que ça va nous servir ! Au travail !

Il la fixait, encore tout ébahi, quand l'homme de haute taille releva le rabat. Le jeune entra le premier, titubant, et tomba aussitôt à genoux devant le feu. L'autre le prit par l'épaule pour lui offrir son soutien tout en examinant l'intérieur de la tente. Il gratta le sol en terre battue du bout du pied et posa une question.

— Du saule ? devina Kerleu, empressé malgré la lenteur de son élocution.

Si Tillu fronça les sourcils, l'homme de haute taille hocha la tête. Incapable de comprendre mieux ce que désirait leur visiteur, le garçon haussa les épaules. Exaspéré par leurs difficultés de communication, l'homme soupira tandis que Tillu aidait son compagnon à s'allonger sur une peau qu'elle venait d'étaler, puis il leur fit signe d'attendre et sortit. Le jeune ferma les yeux. Il était bien trop pâle. Avec une telle blessure, il n'aurait pas dû perdre autant de sang. Même son épuisement paraissait excessif pour un garçon de son âge. Tillu étrécit les yeux pour l'examiner en détail. Moins robuste que l'autre chasseur, il semblait manquer de nourriture, peut-être depuis fort longtemps. À en juger par sa stature, il devait être chétif de naissance, mais semblait malgré tout en bonne santé. Il vivrait, et reprendrait la chasse.

Elle s'agenouilla pour vérifier le pansement. Le blessé ouvrit les yeux, la regarda et se laissa toucher. Le bandage était humide, mais le sang n'avait pas traversé. Mieux valait le laisser en l'état que rouvrir la blessure en essayant de le changer. De la nourriture, de la chaleur, du repos, il n'avait besoin de rien d'autre pour l'instant. Tillu contempla d'un œil noir le lièvre roidi qui devrait rassasier quatre personnes au lieu de deux. On n'y pouvait rien. Autant le cuisiner. Laissant Kerleu dévisager l'inconnu avec curiosité, elle emporta la marmite dehors pour la remplir de neige.

L'autre revint, grande silhouette étrange dans la nuit. Elle lui souleva le rabat. Avant d'entrer, il déchargea de son épaule le gros fagot de branchettes de saule et le fit passer devant lui. Elle le suivit, plaça la marmite près du feu afin que la neige fonde, puis l'observa, intriguée. Lorsqu'il entreprit de répandre une couche de rameaux sur la terre battue, elle se demanda s'il s'agissait d'un rituel de guérison propre à son peuple. On lui avait enseigné les usages du saule : l'huile tirée de son écorce diminuait les problèmes de peau ; le délicieux sirop de ses tendres racines atténuait la toux ; ses cônes minuscules bouillis en tisane calmaient les douleurs de la femme après l'enfantement, ou, grillés sur les braises, produisaient une fumée qui apaisait le mal de tête. Elle l'observa avec attention, pour voir comment il allait se servir d'une telle quantité de branchages sur une plaie ouverte. Sans demander de permission, il tira une peau du lit de Tillu et l'étala sur les brindilles. Aussi doux qu'une mère, il aida le jeune blessé à s'étendre sur cette couche plus souple, puis il se redressa et promena un regard intrigué à travers la petite tente. À quoi pensait-il ?

Soudain, il posa une main sur sa poitrine.

— Heckram, annonça-t-il. Puis, désignant son compagnon : Lasse.

— Tillu... Kerleu, acheva-t-elle en montrant son fils.

— Tillu, marmonna-t-il, avant de se détourner et de quitter de nouveau la tente.

— Qu'est-ce qui lui est arrivé ?

Kerleu désigna Lasse tandis que sa mère s'agenouillait pour vider le lièvre.

— Un imbécile l'a pris pour un renne et lui a tiré dessus, lui expliqua-t-elle d'une voix tendue.

— Le grand ? demanda-t-il, fasciné.

— Non. Quelqu'un d'autre, quelqu'un qui s'est enfui au lieu de rester pour lui porter secours. C'est donc moi qui ai dû le faire à sa place.

— Pourquoi ?

— Parce qu'ils avaient besoin d'aide. Ce n'est pas une raison suffisante ?

— Si, sans doute, dit Kerleu en l'observant avec intérêt. C'est tout ce que tu as tué aujourd'hui ?

— Oui. Et l'on va devoir le partager.

— Il y en aura moins pour chacun, constata-t-il sans la moindre rancœur avant de se remettre à observer Lasse.

Ce dernier ouvrit les yeux et parut perplexe, puis il essaya plus ou moins de se redresser, avec un faible sourire à l'adresse de Kerleu.

— Tu ferais mieux de rester allongé, lui conseilla celui-ci. Ou tu vas saigner de partout. Si tu saignes trop, tu mourras.

— Kerleu ! le rabroua Tillu, voyant que Lasse en avait compris assez pour paraître abattu. Tiens ta langue, je te le répète. Moins tu parles, moins tu as de chances de passer pour un idiot. Et tu dis des choses que je ne veux pas entendre. Alors tais-toi.

Boudeur, il alla tisonner le feu d'un geste rageur, manquant de renverser la marmite d'eau qui chauffait.

Tillu parla à Lasse d'une voix lente et distincte.

— N'essaie pas de bouger pour le moment. Je prépare à manger. Ton ami reviendra bientôt. Tu souffres de ton bras ? Tu as très mal ?

— Oui, mal. Malade.

Il indiqua de sa main valide sa tête et son estomac. Tillu comprit. Le choc de la blessure, la longue marche dans le froid et aussi la douleur constante de la plaie déchiquetée lui occasionnaient faiblesse et malaise. Cela n'avait rien de surprenant. Elle prit sa sacoche de guérisseuse et entreprit d'en trier le contenu.

— Heckram ? demanda-t-il, anxieux, tout en l'observant.

— Oui. Il revient bientôt.

Comme en réponse, le rabat fut soulevé une fois de plus,

dévoilant un nouveau fagot de saule. Heckram entra et s'adressa d'un ton rassurant à Lasse, qui se détendit visiblement. Tandis qu'il étalait son second chargement de branchettes et le couvrait de peaux allègrement prélevées sur la même couche, il reprit la parole, semblant expliquer, pour l'essentiel, que son installation était plus chaude et plus saine que le sol de terre battue. Tillu hocha la tête et continua son travail. Tant que cet homme ne le dérangeait pas, cela allait.

D'abord, elle versa une mesure d'eau chaude puisée dans la marmite dans une tasse. Puis, explorant ses réserves de remèdes, elle sélectionna de petits sachets en boyau, ainsi qu'un assortiment de flacons en os, qui contenaient herbes, racines pilées et autres écorces. Elle en ouvrit plusieurs et fronça les sourcils en constatant que certaines préparations ne s'étaient pas aussi bien conservées que prévu. Elle choisit ses ingrédients avec soin : une pincée d'écorce de saule émiettée dans l'eau, un fragment de racine d'oseille de la taille de l'ongle du pouce, et enfin une pincée de fleur d'anémone séchée, sédatif qui, à forte dose, plongeait le patient dans le coma. Vu l'état de faiblesse du jeune chasseur, Tillu en mit très peu. Après avoir laissé infuser la mixture quelques instants, elle y plongea le petit doigt et le porta à sa langue. Heckram l'agaça en venant s'accroupir sur ses talons près du feu pour l'observer avec un intérêt tout amical. Il salua d'un bref hochement de tête Kerleu, qui le fixait à son tour, mais celui-ci se détourna, toujours de mauvaise humeur. Sans s'offusquer, l'homme de haute taille se leva et fit le tour de la tente pour rajuster certaines peaux sur le lit en saule. Il adressa un murmure à Lasse lorsqu'il s'agenouilla près de lui, avant de revenir avec un petit soupir s'asseoir sur un tas de fourrures et de branchettes près du feu. Tillu se redressa à ce moment pour porter la tasse de liquide ambré au blessé.

— Pour la douleur, dit-elle en le dévisageant afin de voir s'il comprenait.

Heckram hocha la tête, et Lasse, qui l'avait interrogé du regard, but la tisane. Tillu lui reprit la tasse vide sans se soucier de sa grimace. Même s'il trouvait un goût étrange au breuvage, il sentirait la douleur diminuer et aurait à peine le temps de dîner avant que le sommeil le gagne. En outre, l'écorce de saule atténuerait la fièvre. Satisfaite, elle revint s'accroupir près du feu et rinça la tasse dans la marmite. Heckram suivit tous ses mouvements, intrigué, sans doute, par les herbes et les racines qu'elle rangeait à présent avec soin. Elle réfléchit, puis, espérant que son expression ne trahissait rien de son hésitation à puiser dans ses précieuses réserves, elle dosa le remède au fond de la tasse désormais sèche. Ensuite, elle le réduisit en poudre dans un mortier, à l'aide d'un pilon en os de jeune renne, et emballa le mélange dans un carré de peau minuscule.

— Pour demain, dit-elle en le tendant à l'homme de haute taille. S'il a mal.

Il la dévisagea, puis demanda :

— Encore douleur, jour nouveau ?

Tillu hocha la tête – pourvu qu'il ait compris – et se concentra sur le lièvre. Elle aurait aimé qu'Heckram aille s'occuper de Lasse, mais il resta près du feu. Il les observait, son fils et elle, avec bienveillance. Penchant la tête, il leur posa une question d'un air dégagé.

Elle haussa les épaules.

— Il demande si l'on vit seuls, interpréta Kerleu afin de se rendre utile.

Elle fronça les sourcils à son adresse tandis que l'autre lui souriait. De toute évidence, il avait compris la question.

— Tu ne te rappelles pas que je t'ai prié de te taire ? dit-elle d'une voix sifflante et aussi vite qu'elle le put.

À l'adresse d'Heckram, elle esquissa un geste qui pouvait signifier n'importe quoi.

— Bientôt. Très bientôt.

Il parut quelque peu perplexe, mais opina du chef et sourit de nouveau, puis il reporta son attention sur le garçon vexé.

— Viens, tu vas m'aider, dit-il d'une voix bien distincte.

Même si Kerleu n'avait pas saisi les mots, il n'aurait pu se méprendre sur le geste. D'un vif coup d'œil, il demanda la permission à Tillu. Elle hocha la tête, les lèvres serrées. Kerleu se leva, contourna le feu et s'accroupit près d'Heckram.

Ce dernier se leva, ouvrit sa lourde tunique en peau de renne tenue par une ceinture lâche, dont il sortit un paquet, puis l'ôta, révélant une chemise tissée.

Aussitôt, Kerleu tendit la main pour toucher sa manche.

— Qu'est-ce que c'est que cette fourrure ? demanda-t-il, stupéfait.

L'homme sourit de sa curiosité et le laissa palper l'étoffe. Puis il désigna le paquet d'un coup de menton et dégaina un poignard du fourreau qu'il portait à sa hanche. Tillu l'étudia du coin de l'œil. Le fourreau, en tendon ou un matériau similaire, était lui-même tissé. Le poignard était en silex, non pas taillé, mais poli, et la lame bien affûtée. En comparaison, leur couteau en os évoquait un jouet. Quand Heckram ouvrit le paquet, un parfum à la fois inconnu et familier emplit la tente et, alors que Kerleu fronçait le nez, le contenu attira irrésistiblement le regard de Tillu. Du fromage ! Elle n'en crut pas ses yeux.

La moitié d'un fromage jaune et rond remplissait la main du chasseur, marqué sur son pourtour d'un motif entrelacé. Il le posa sur l'emballage et entreprit de le découper. Lasse prit la parole et Heckram se leva pour tirer de la sacoche de son compagnon un paquet semblable qui contenait un morceau de poisson de rivière fumé. Quand Tillu comprit qu'ils partageaient leurs rations avec eux, elle hocha la tête pour les remercier. En même temps, elle réfléchissait à la hâte. Un peuple qui connaissait le tissage, l'art fromager, utilisait le silex poli avec autant d'habitude que les gens de Bénin se servaient de l'os... Ces deux chasseurs ne venaient pas d'une quelconque tribu nomade. Ce fromage indiquait la présence d'un village non loin de là, et l'étoffe signifiait qu'ils gardaient des troupeaux, cultivaient la terre, menaient une existence similaire à celle qu'elle avait connue jadis. Qui possédait des outils en silex poli connaissait aussi le bronze, en règle générale. Refoulant un vague espoir, elle laissa tomber le dernier morceau de lièvre dans la marmite.

Heckram proposa une portion de fromage à Kerleu, qui la prit, la renifla, soupçonneux, et, perplexe, regarda sa mère.

— Du fromage, lui dit-elle dans le langage de son

enfance, faute de terme plus approprié. Mange. Essaie, tu verras, c'est bon.

Le garçon, affamé, n'eut pas besoin d'autre encouragement. Il enfourna la plus grande part de la portion dans sa bouche et, confronté à cette saveur nouvelle, se renfrogna. Heckram hurla de rire, faiblement imité par Lasse. Tillu sentit le rouge lui venir aux joues et ses nerfs se tendre : ils se moquaient de son fils. Elle garda la tête baissée sur le feu pour leur cacher la lueur de colère dans ses yeux. C'était toujours pareil : les hommes se moquaient de son fils ou le chassaient, écœurés. Relever la tête pour voir Kerleu sourire vaguement de leur hilarité l'attrista. Il avait un peu dégluti, mais, les joues gonflées, ressemblait encore à un écureuil.

— Mange proprement, siffla-t-elle. Que doivent-ils penser de nous ?

Il avala et tâcha de s'expliquer.

— Ça a un drôle de goût.

Tillu laissa sa fureur éclater.

— Alors n'en mange plus !

Mais c'était de la nourriture, et il hésitait à y renoncer.

— Je crois que j'aime ça.

La tension crispa les muscles de Tillu. Les deux étrangers avaient remarqué l'échange entre son fils et elle, et tâchaient de l'ignorer poliment en discutant comme si de rien n'était. Malgré les émotions douloureuses qu'elle éprouvait face à Kerleu, elle s'obstina à tourner le ragoût de lièvre. Elle devait protéger Kerleu, mais aurait désiré pouvoir s'en passer ; elle l'aimait tel qu'il était, mais l'aurait préféré autrement ; elle tenait à ce que les autres l'acceptent et voient sa valeur, mais elle aurait voulu sa différence moins évidente. Ses sentiments à son égard n'étaient qu'un tissu de contradictions. Soudain, elle revit la sage-femme qui lui avait mis ce bébé minuscule dans les bras : en faisant la moue, la vieille avait secoué la tête, enveloppé le petit corps dans une peau douce, puis avait dit : « Aime-le autant que tu pourras, mais ne t'avise pas de t'y attacher. À le voir, il ne vivra pas longtemps. »

Pour la première fois, Tillu s'était trouvée confrontée à l'injustice et avait ressenti la colère qui lui deviendrait si familière. Chacun jugeait son enfant sans attendre. Elle avait quitté la tribu dès qu'elle avait recouvré assez de force pour voyager. Les gens l'avaient regardée partir en pensant que ce nouveau-né qui miaulait sans cesse ne tarderait guère à mourir – elle l'avait lu dans leurs yeux. « Mais il n'est pas mort ! » se dit-elle, furieuse. Il avait survécu, il était à elle, et elle était prête à se battre pour lui tant qu'il lui resterait un souffle de vie. Plus tôt ces chasseurs partiraient, mieux cela vaudrait. Elle avait besoin de rester seule avec son fils pour lui apprendre peu à peu ce que les autres enfants maîtrisaient vite, lui enseigner les bonnes manières et les talents adéquats afin qu'il se fonde dans la masse. Elle ne suivrait pas ces deux hommes jusque chez eux. La décision s'accompagna d'un regret poignant dont la vigueur la surprit. L'étoffe, le fromage, un village, une vie bien établie... Ces choses-là l'attiraient donc à ce point ? Elle chassa l'idée importune.

On tira sur sa manche, et elle écarta brusquement le bras. Elle ne voulait pas toucher Kerleu pour le moment, de peur, dans sa frustration, de le gifler, mais c'est la voix d'Heckram qui s'éleva. Il usait du ton d'extrême politesse de l'invité qui a offensé son hôte. Parmi d'autres mots qui lui échappèrent, elle saisit « poisson », « pour toi », et « manger ». Sa gêne ne fit que croître. Elle remercia le chasseur sans le regarder, de même que la nourriture qu'il déposait avec soin près d'elle. Après avoir tourné le ragoût une dernière fois, elle se leva pour aller soulever le rabat de la tente et jeter un regard anxieux à l'extérieur, comme si elle attendait quelqu'un. Le froid apaisa la brûlure de ses joues ; une telle ruse lui rendit en partie sa maîtrise de soi.

— Qu'est-ce qui ne va pas, Tillu ? voulut savoir Kerleu, non sans angoisse.

Il sentait sa propre disgrâce sans en comprendre la cause.

— Rien, répondit-elle d'une voix égale. Il m'avait semblé l'entendre arriver.

— Carp ?

Le garçon, tout excité, courut à la porte, passa la tête sous le bras de Tillu et écarquilla les yeux pour mieux scruter les ténèbres.

— Hmmm.

Elle se garda bien de confirmer ou d'infirmer l'hypothèse. Au moins, Kerleu semblait attendre quelqu'un de façon convaincante. Les deux autres devaient penser que son homme avait été retardé. Ils l'observaient, sur l'expectative. Elle répondit d'un haussement d'épaules à leur question muette. Lasse gisait sur le flanc, un morceau de poisson dans sa main valide. De nouveau, son teint lui parut trop pâle. Elle s'agenouilla près de lui pour examiner encore le pansement et palper son bras blessé : un peu froid, mais la pression du bandage rapprochait les lèvres de la plaie et facilitait la cicatrisation.

— Serre le poing.

Elle joignit le geste à la parole, montrant l'exemple. Il parvint à s'exécuter en tressaillant de douleur. Tillu hocha la tête pour le féliciter, mais il gardait les yeux baissés. Tout à coup, son jeune âge la frappa. Il avait peut-être cinq ans de plus que Kerleu et n'était manifestement pas habitué au contact féminin. Il était timide. Elle resta pourtant près de lui un moment, à savourer le rêve de voir Kerleu grandir et chasser comme lui, et se comporter avec la dignité d'un homme accompli.

— C'est un bon garçon. (Son murmure ne s'adressait à personne, mais, lorsqu'elle releva les yeux, elle vit Heckram acquiescer d'un air paternel.) Vous deux, frères ? demanda-t-elle pour briser le silence soudain pesant.

— Amis, dit Heckram, l'air grave. On chasse ensemble.

Elle opina du chef pour indiquer qu'elle comprenait. Hormis l'accent, les deux langues avaient beaucoup en commun. Il désigna Kerleu du menton.

— Petit frère ? Père vient ? Mère vient ?

Tillu renifla, amusée.

— Fils.

Puis elle s'interrogea. Aurait-il mieux valu laisser croire qu'ils étaient frère et sœur ? Où aurait été la différence ?

L'homme de haute taille avait envie d'une conversation. Les questions se succédaient.

— Vous venez de... loin ? Du sud ?

Il ajouta d'autres mots que Tillu ne reconnut pas. Une lueur d'intérêt brillait dans ses yeux. Un malaise la prit.

Pourquoi voulait-il en savoir autant à leur sujet ? Elle saisit en partie ce qu'il voulait dire, mais le dissimula. Son homme était-il parti négocier dans le Sud ou chasser ? Où se trouvait le reste de la tribu ? Elle accueillit le flot de paroles en secouant la tête avec un sourire d'excuse, puis masqua sa préoccupation en sortant deux bols afin de servir le ragoût. Kerleu utilisa son gobelet et Tillu se garda la marmite, afin que chacun dispose d'un récipient. Elle vit Heckram froncer les sourcils, intrigué, mais choisit de le laisser penser ce qu'il voulait. Une fois de plus, promenant son regard dans la tente, il en jaugea le contenu. Tillu cacha sa nervosité en mangeant.

Le poisson, fumé jusqu'à en être dur, avait un goût de sel et de feu. Il y avait longtemps qu'elle n'avait pas goûté à du fromage. Était-ce la saveur qui différait, ou son souvenir ? Passant le bout de son doigt le long de la croûte, elle palpa l'empreinte du moule sur le petit-lait. Après des semaines de lièvre maigre, la nourriture lui parut d'une incroyable richesse et le ragoût, ainsi complété par d'autres mets, plus abondant. S'avisant qu'elle ignorait ses compagnons tandis qu'elle se restaurait à même la marmite, elle releva la tête. Kerleu et Lasse ne s'occupaient que de leur repas, Heckram, quant à lui, continuait d'examiner la tente en mâchant.

Elle croisa son regard et se garda de détourner les yeux : il pouvait s'agir d'une attitude de soumission, parmi les siens. Ils se dévisagèrent. Elle s'efforça de trouver quelque chose à dire, pour meubler le silence, mais c'est lui qui prit la parole.

— ... hiver... dur... harde... sauvage... mais... peaux... paiement... soins... Lasse.

Elle écouta avec attention, afin de tirer un sens bien établi aux mots de sa phrase, qu'elle saisissait, mais, dans le doute, préféra hausser les épaules. Il agita les mains pour montrer qu'il comprenait son dilemme, puis ajouta, sans ambiguïté :

— Attends. Tu comprendras bientôt.

Elle opina du chef, puis se leva pour rassembler les divers récipients et les nettoyer. Le temps qu'elle finisse, Lasse avait sombré dans le sommeil. Elle s'agenouilla près de lui. Pas de fièvre, un pansement serré juste comme il fallait, une main chaude. À la fin de son examen, elle avisa Heckram, qui l'observait.

— Maigre, dit-elle en encerclant du pouce et de l'index le poignet du garçon.

— Maigres saisons, convint l'autre avec gravité.

Il recouvrit Lasse d'une des peaux du lit et de son propre manteau.

— Kerleu ! lança Tillu d'un ton sec. (Dans un sursaut, son fils s'arracha à la contemplation des flammes.) Pourquoi restes-tu à regarder le feu mourir ? Nourris-le.

Il sortit sans hâte pour rapporter des branches givrées, qu'il entassa sur les braises un peu n'importe comment.

— On va tailler du bois, ce soir ? lui demanda-t-il.

Elle avait oublié sa réprimande du matin et n'avait plus envie de mener son projet à bien. Les tensions inattendues de la journée l'avaient fatiguée ; son ventre plein lui donnait envie de dormir. Chez la plupart des chasseurs, les soirées restaient un moment d'activité : fabriquer des objets domestiques, raconter des histoires, bavarder. Elle se rendit compte qu'elle les avait laissées devenir de longues phases de silence et d'absence, parfois par manque de matériaux, le plus souvent par épuisement. Heckram regardait autour de lui, comme s'il cherchait à s'occuper. Bien qu'il fasse nuit, il était encore trop tôt pour dormir. Tillu hocha donc la tête avec raideur à l'adresse de Kerleu, qui sembla tout à coup plein d'énergie.

Il fila jusqu'à sa couche, y prit une brassée de branches, la laissa choir avec fracas aux pieds de sa mère et s'assit pour attendre, impatient. Elle lui sourit, lasse.

— Je te demande de trouver un ou deux morceaux et tu me rapportes une forêt.

Il lui rendit son sourire d'un air fier tandis qu'elle triait le bois. Le regard d'Heckram ne la quittant pas, son indécision s'accrut. Ses talents avaient dû s'user faute de pratique, et la perspective d'amuser ses hôtes par sa maladresse lui paraissait détestable. Mais l'idée que les difficultés d'apprentissage de Kerleu aient des témoins la rebutait plus encore. Cependant, mieux valait s'atteler à la tâche que rester assis sans rien faire toute la soirée en évitant les regards gênés de cet étranger.

Bon nombre des branchages étaient inutilisables : trop secs, trop cassants, si petits qu'ils se réduiraient à néant une fois taillés, ou perclus de nœuds qui résisteraient à la lame. Tous ceux-là, elle les mit de côté jusqu'à ce qu'il ne reste de l'amas entier que cinq morceaux. Elle en prit un au hasard et le mit dans les mains de Kerleu. Il leva la tête, surpris. Tillu ne put retenir un sourire devant son expression.

— Tu croyais me regarder faire, hein ? Non, pas question. À toi de jouer. Tu as déjà le bois. Attends un instant, je te donne le couteau.

Elle alla fouiller dans ses affaires, rapporta des grattoirs en os – même s'ils servaient à curer les peaux, il faudrait bien s'en contenter – et les aligna devant le garçon. Le matériau et l'ustensile dans son giron, il restait assis sans faire un geste. L'incertitude le rendait malheureux, l'anxiété lui ridait le visage et faisait saillir sa lèvre inférieure. Heckram les observait en silence, l'air un peu perplexe mais amical. Tillu refusa de se laisser troubler par son attention.

— D'abord, tu ôtes l'écorce, dit-elle en s'asseyant près de Kerleu. Allons, l'encouragea-t-elle.

Il saisit le couteau et le morceau de bois. Elle le surveilla, tressaillant chaque fois que la lame dérapait sur l'écorce près de ses doigts. Lorsqu'il tomba sur un nœud plus récalcitrant que les autres, il voulut lui rendre l'ouvrage.

— Non. Essaie encore, dit-elle doucement.

Il plissa les lèvres, le regard plein d'amertume, et continua de racler. La matière résistait à sa maladresse et Tillu le vit qui tremblait. L'échec lui était si familier que le risque d'insuccès suffisait à le handicaper. Au prix d'un effort, elle resta immobile pendant qu'il s'échinait : il *devait* apprendre. Recroquevillé sur son ouvrage, comme pour le lui cacher, et le souffle court, il essayait pourtant de venir à bout du nœud.

Soudain, une grande ombre passa entre eux. Heckram

s'accroupit près de Kerleu sans regarder Tillu et, lorsqu'il prit la parole, il n'y avait que de la curiosité dans sa voix.

— Que fais-tu ?

Le sens était clair, même si les mots ne l'étaient guère.

— Rien, sans doute, répondit Kerleu d'un ton boudeur.

Il banda ses muscles pour accueillir la gifle qu'il attendait.

L'homme tendit la main et Kerleu frémit quand elle se posa sur son poignet. Tillu se prépara à intervenir. Certains hommes pensaient que Kerleu faisait semblant de peiner à la tâche et ils essayaient de l'instruire par la cruauté. Si jamais cet Heckram s'avisait de...

Kerleu voulut aussitôt se soumettre, et donner le bois et le couteau à l'homme, mais celui-ci les refusa, puis disposa autrement les mains du garçon sur la pièce et l'outil. Enfin, il referma sa paume immense sur la petite menotte qui tenait la poignée de l'objet et la guida de sorte que le tranchant de la lame s'insinue sous le nœud récalcitrant.

— Tu vois ? demanda-t-il.

Et tandis que Kerleu hochait la tête, nerveux, Heckram ajouta sa force à la sienne pour faire levier ; l'écorce vola dans la tente et rebondit sur la paroi. Le chasseur éclata de rire et bientôt Kerleu se joignit à lui : le morceau de bois brillait, blanc et lisse, entre ses mains.

— Alors, que fais-tu ? demanda l'autre, l'air dégagé.

— Une cuillère, décida le garçon.

Heckram tapota le bois pour demander à Kerleu de le lui passer, l'examina sous tous les angles, pensif, puis saisit le couteau et le marqua d'entailles peu profondes.

— Ici, coupe, dit-il à voix basse. Ici, coupe. Ici... (Il mima le geste de creuser, près du nœud disparu.) Tu la feras solide. Dure, solide.

Se sentant tout d'un coup exclue, Tillu se leva. Kerleu ne remarqua même pas son départ. Courbé sur son ouvrage, il taillait avec plus d'énergie que d'adresse. Elle sortit dans le froid glacial qui s'étendait sur le monde telle une couverture, par cette nuit claire. Elle prit une brassée du bois que Kerleu avait ramassé et le rapporta dans la tente.

Il aurait pu s'agir de la tente d'une autre, avec un jeune

homme qui dormait étalé par terre, et un garçon qui taillait une pièce de bois avec diligence près d'un homme qui en travaillait une autre, sur un rythme plus mesuré. Heckram dit quelque chose à Kerleu tout en jetant une poignée de copeaux dans le foyer et celui-ci sourit, bien que Tillu soit certaine qu'il n'avait pas compris. Elle posa les branchages et se demanda soudain comment s'occuper. Tous deux murmuraient en travaillant, malgré la barrière de la langue. Après une hésitation, elle prit le manteau de Lasse, le remplaça par une peau et alla fouiller dans son nécessaire de couture avant d'examiner les accrocs laissés par la flèche dans le vêtement. Elle enfila une longueur de tendon dans son aiguille et, lorsqu'elle releva la tête, se trouva confrontée au regard de l'autre.

— Merci.

Il s'était exprimé avec clarté, et une sincérité évidente.

— Merci, répondit-elle d'une voix égale en désignant son fils d'une inclinaison de tête.

Le chasseur se toucha la poitrine.

— Heckram... pas de père. Dur, d'apprendre un travail d'homme. Je comprends.

Tillu acquiesça et sentit ses joues s'enflammer, rendant compte qu'elle venait de se trahir. Il savait, à présent, qu'aucun homme ne la rejoindrait et il prit un air enjoué. Elle se garda bien de lui rendre son sourire. Aussi immobile que le lièvre du matin, elle ressentait cette mise à nu au plus profond. Il la dévisagea un moment et sa gaieté s'effaça. Alors il agita la main pour indiquer que cela ne le concernait pas, puis se remit à superviser le travail du garçon.

Le temps qu'elle ravaude la manche avec des points très serrés qui ne laisseraient entrer ni le froid ni la neige, son fils dodelinait de la tête sur l'ouvrage. De toute évidence, le sommeil le gagnait, mais il refusait de renoncer à l'attention et aux conseils du chasseur. Par nature, il prenait les gens tels qu'ils étaient. Si Heckram l'avait giflé et rejeté, il y aurait vu un trait de caractère plutôt qu'une rebuffade. Il comprenait aussi bien que cet adulte l'accepte et lui consacre du temps à l'instruire. En se frottant les yeux, il soumit le résultat à son inspection. L'autre posa l'ustensile plus achevé qu'il fabriquait pour saisir la cuillère, l'étudier, murmurer son approbation sur certains aspects et indiquer des endroits qu'il fallait encore polir. Mais comme le garçon se disposait à reprendre son travail, le chasseur bâilla avec ostentation et rengaina son couteau. Kerleu ne tarda guère à suivre son exemple.

— Dormir, dit simplement Heckram.

Jetant un regard à la ronde, il haussa un sourcil à l'adresse de Tillu, qui se raidit, mais lui tendit le vêtement recousu. Il se leva, traversa la tente pour le prendre et, palpant du bout des doigts la réparation, la remercia d'un hochement de tête. Elle eut soudain conscience de la haute taille de l'homme et de la largeur de sa poitrine : il la dominait, et lui dérobait la lumière et la chaleur du feu. Elle se recroquevilla un peu face à lui, mais il se contenta de répéter :

— Merci.

Il alla recouvrir Lasse du manteau, puis s'étendit près de lui. Kerleu surgit à son côté pour offrir une des peaux de sa couche, ce qui lui valut un sourire et une bourrade amicale. Puis Heckram s'installa pour la nuit.

Tillu se leva à son tour et sortit chercher du bois afin d'alimenter le feu. Kerleu la suivit pour se soulager et prit une brassée supplémentaire.

— Je les aime bien, dit-il soudain. Allons vivre dans leur peuple. Tu seras leur guérisseuse et moi, leur chaman.

— Chut ! (Elle jeta un regard prudent sur les deux autres. Ils n'avaient pas bougé.) Va dormir. On en parlera plus tard.

Elle disposa le bois avec soin, songeant aux propos de Kerleu. Faire partie d'une tribu pouvait-il lui manquer autant qu'à elle ? Ridicule idée. Que signifiaient les autres pour lui, sinon des corrections et des moqueries ? Hormis Carp. Et ce chasseur, ce soir. Mais la façon dont un homme se comporte avec un enfant seul avec lui, et celle dont il le traite en public différaient souvent. Tillu se souvenait de celui qui voulait faire d'elle sa compagne, des années plus tôt. Il l'avait courtisée en lui offrant de la viande et des cadeaux, puis, une nuit, tandis que son fils dormait, il avait proposé, avec un gentil sourire, de l'emmener et de le laisser là où les loups le trouveraient, afin qu'elle et lui puissent avoir des enfants. « Jamais les dieux n'ont eu l'intention de laisser vivre aussi longtemps un être aussi anormal. » Kerleu et elle avaient quitté la tribu avant l'aube. Pourtant, ils appréciaient tous deux cet homme. Elle secoua la tête et se reprocha ses larmes stupides.

Elle chargea le feu pour la nuit, puis gagna sa couche. Mais avec ces étrangers dans sa tente, elle ne parvint pas à se détendre. Elle se contenta donc de rêvasser en regardant les courtes flammes. Si elle ne les avait vus chasser ensemble, jamais elle n'aurait imaginé qu'Heckram et Lasse venaient de la même tribu. Le jeune était plus petit, trapu. Ses épais cheveux noirs et sa peau jaunâtre lui rappelaient le peuple du père de Kerleu. L'adulte, même si ses pommettes hautes et ses yeux noirs le rapprochaient physiquement de son compagnon, évoquait plutôt ceux de son propre peuple. Ils avaient dû se mélanger. Immobile, Tillu huma les odeurs nouvelles, celle du sang, amère, dérangeante, qui montait de la blessure de Lasse, mais aussi, les parfums plus subtils des peaux tannées selon une méthode particulière, du fromage, du poisson, et de l'homme lui-même. Étrangement, il sentait le renne. Pas l'odeur morte de la viande et des peaux, mais celle, bien vive, que Tillu percevait lorsqu'elle pistait un tel gibier. Il sentait le renne comme son père à elle sentait le mouton, jadis. C'était là une énigme. Elle aurait voulu rester éveillée pour y réfléchir, mais le sommeil l'emporta.

VII

LASSE TENDIT LA MAIN et prit appui sur lui.

— Je suis à bout de souffle.

— Moi aussi. On y est presque.

Heckram s'immobilisa, prêtant son épaule au garçon, qui haletait. Le dernier versant avait été rude, mais ils se tenaient sur la plus haute crête. Les aboiements des chiens se répercutaient dans les collines, la fumée des feux de bois du talvsit donnait à l'air un arrière-goût âcre, la pente boisée au-dessous d'eux dissimulait les huttes de motte et d'écorce du camp d'hiver – bref, ils seraient bientôt rentrés.

— Je préfère ça, marmonna-t-il.

Lasse n'avait pas demandé d'aide, mais il allait d'un pas hésitant, son bras blessé replié contre la poitrine. Ce jour-là, au lieu de précéder son compagnon, il avait profité de la trace que celui-ci ouvrait dans la neige et progressait plus lentement qu'à l'ordinaire. La brève clarté du jour s'éteignait déjà. Heckram se réjouissait de regagner le village avant la nuit.

— Tu préfères… quoi ? demanda le garçon, pantelant.

— Que tout le monde se consacre à ses tâches au moment où l'on arrive. C'est déjà dur de rentrer bredouilles. Ce serait pire de débarquer en disant : « Voilà la seule proie qui a reçu une flèche, et elle n'est même pas bonne à manger. »

Lasse salua la plaisanterie émoussée d'un reniflement de dédain. Ils descendirent la pente et croisèrent bientôt l'un des nombreux sentiers menant au camp. La neige tassée et l'absence de branches basses permettaient d'avancer plus facilement. Ils dépassèrent quelques harkar qui broutaient à proximité et dont les oreilles pivotèrent dans leur direction. Mais la curiosité ne les empêchait pas de continuer à grignoter les tendres extrémités des branches nues. Les autres rennes domestiques se trouvaient soit dans le troupeau qui paissait sur les versants, soit harnachés aux pulkor qui emmenaient vers le sud les marchands désireux d'obtenir de la laine, des outils de bronze et des objets divers.

Ella tirait de l'eau à la source. En les apercevant, elle se redressa malgré le fardeau des seaux qui débordaient.

— Vous revenez enfin ! Qu'est-ce qui vous a retenus ? Un surcroît de chance, j'espère.

Elle s'exprimait d'une voix chaleureuse, soulagée.

Heckram sentit sa gorge se serrer, une sensation fami lière lorsqu'il lui semblait faillir à son devoir.

— Plutôt un surcroît de malchance, dit-il avec brusquerie. Du nouveau, par ici ?

Ella passa devant eux en secouant la tête.

— Rien, sinon que les loups ont tué une des vaja de Jeffor cette nuit, et la plupart des gens du sita sont partis chasser aujourd'hui.

— Sans toi ? dit Lasse. Ils ne prendront pas grand-chose.

Ella sourit du compliment.

— Cette fois, ma mère ne se sentait pas bien. Je suis restée pour tirer l'eau et me charger des lourdes tâches. Mon père accompagne les chasseurs.

— L'homme qui t'a appris à tirer si bien doit sans doute être plus qu'adroit, fit remarquer Lasse.

Heckram ne dit rien. Il savait que la vision de Kuojolk perdait de son acuité. La même pensée dut venir à l'esprit d'Ella, car son visage s'assombrit l'espace d'un instant. Mais elle la chassa aussitôt, posa les seaux lourds sur le seuil de sa tente et se redressa avec un soupir. Alors, remarquant l'étrange posture de Lasse, elle demanda :

— Qu'est-ce qui t'est arrivé ?

— Un accident. (Heckram n'eut soudain guère envie d'en dire plus.) Il y avait une femme étrange, qui devait viser la vaja que Lasse et moi traquions. Il s'est dressé au moment où elle tirait sa flèche, qui lui a traversé le bras. Il va s'en remettre. Elle a des talents de guérisseuse. C'est pour ça qu'on a passé la nuit dehors.

Ella hocha la tête et s'adressa au jeune homme.

— Ta grand-mère s'inquiétait, mais elle a gardé ses soucis pour elle. Pour elle, vous aviez dû trouver plus de proies que vous ne l'escomptiez et vous deviez éprouver des difficultés à les rapporter.

Lasse eut un rire malheureux.

— J'aurais préféré.

— D'où vient cette femme ? Il y a un autre talvsit dans les parages ? J'ai des aiguilles d'os et des outils en bois de renne que j'aimerais troquer. J'ai essayé d'en confier aux marchands qui allaient dans le sud, mais leurs traîneaux étaient déjà chargés au maximum de leur capacité. En revanche, s'il y avait un village à proximité...

L'aîné des deux chasseurs se contenta de secouer la tête, mais le cadet fut plus loquace.

— Non. Pas d'autre talvsit. Seulement une femme et son fils qui vivent seuls dans une tente en peau. Une installation assez misérable, en fait.

— Des exclus, peut-être ? demanda Ella, intriguée.

— J'en doute, dit Heckram. On jurerait des étrangers. Ils ont des habits à la coupe curieuse et un parler différent. On a du mal à les comprendre.

— Tout de même, comment se sont-ils retrouvés seuls ? Ils ont dû subir une calamité par le passé. (Devant le regard perplexe du chasseur, elle se hâta de s'expliquer.) Un fléau a pu détruire leur peuple, ou alors ils s'en sont trouvés séparés lors du passage d'un fleuve.

— À voir le garçon, on le croirait, dit Lasse. Heckram, tu as remarqué comment il nous regardait partir ce matin ? Il ressemblait davantage à un corbeau dans un arbre qu'à un gamin. Comme s'il en savait trop pour son âge, mais qu'il s'en moquait. Il nous a fixés, et pourtant j'aurais juré qu'il ne nous voyait pas. Oui, cela m'a paru un drôle d'air pour un enfant, ajouta le jeune homme en secouant la tête.

Une lueur de curiosité aviva le regard d'Ella. Heckram haussa les épaules, mal à l'aise.

— Tu as trop d'imagination, Lasse. Allons, je te ramène chez Stina. Elle s'est fait du souci pour toi, et ma mère a dû s'inquiéter, elle aussi. Comme si nous étions des gamins restés à jouer trop tard dehors.

— Ce qui n'est pas bien loin de la vérité, si vous voulez mon avis, plaisanta la jeune fille.

Elle les salua de la main, puis empoigna les seaux et se baissa pour pénétrer dans la hutte en forme de dôme.

Le silence régnait dans le camp tandis que les deux amis sinuaient entre les abris d'écorce et de tourbe jusqu'à la hutte de Stina. Ils longèrent les stocks de viande et les abris à provisions de leurs voisins. Sur les atti, de hautes plates-formes à quatre pieds, reposaient des quartiers de renne gelés ; les njalla, des râteliers juchés au sommet d'un poteau lisse et glissant, permettaient de protéger efficacement la nourriture des gloutons voraces. Une rangée de traîneaux posés à l'envers pour les préserver de la neige évoquait un alignement de bateaux avec leur quille, leur proue, leur membrure et leur bastingage. Il y avait les ajka couverts que l'on tirait, destinés au transport du matériel, et les pulkor à demi couverts, que l'on conduisait. Lasse semblait reprendre de l'énergie dans ce cadre familier. Heckram, quant à lui, redoutait la confrontation avec Stina.

Chaque hiver, le peuple des rennes regagnait le talvsit pour quelques mois de repos. C'était le moment de réparer les huttes ou d'en édifier de nouvelles pour les jeunes couples. De couper des rameaux de bouleau, de les étaler sur le sol de terre battue et de les recouvrir de peaux. On descendait des râteliers traîneaux et skis qui y avaient passé l'été tandis que la tribu parcourait la toundra, et l'on hissait dessus le matériel d'estive dont on n'aurait plus besoin avant la migration du printemps. L'existence suivait une orbite elliptique entre ce talvsit d'hiver et le camp d'été au pied du Cataclysme.

Heckram adorait ce site. Dans son enfance, alors qu'il voyageait sur le dos d'un des harkar de son père, il en avait visité d'autres, mais aucun ne lui avait paru aussi bien placé que le leur. On y trouvait des sources profondes qui ne gelaient ni ne s'asséchaient jamais. L'hiver, elles crachaient de la vapeur née du contact de l'eau froide jaillie du sol avec l'air glacial. Les versants offraient du bois pour le feu à profusion, des ramées pour le sol et de l'écorce dure pour divers outils taillés. Et sous la neige abondante, au lieu d'une mousse verte détrempée et immangeable, poussait un lichen tendre à l'abri des sapins. Même laissées en liberté, les bêtes ne s'éloignaient guère. Toujours attentifs, les gens des hardes les surveillaient pendant qu'elles creusaient le sol de leur sabot et fourraient leur museau poilu dans les trous pour se gorger du végétal mis à nu.

L'abri de la vieille femme se situait sur le pourtour du sita. Son mari et elle l'avaient bâti au début de leur vie commune. Heckram souleva le rabat de toile qui protégeait l'entrée et fit signe à Lasse de le précéder. Il prit le temps de taper des pieds afin de débarrasser ses bottes de la neige collée, puis, les dents serrées, entra à son tour pour affronter la grand-mère de son compagnon.

Il fallut un temps à ses yeux pour s'adapter à la pénombre de la hutte qu'éclairait le feu, après la neige illuminée par le soleil. Les flammes brûlaient proprement sur l'arran, le foyer en pierre, situé au centre. Agenouillée non loin de là, Stina tissait, ancrée au poteau central par son métier à ceinture. Comme elle ne daignait pas remarquer leur entrée, Heckram et Lasse restèrent debout, un peu empotés.

Elle était vêtue d'étoffes usées mais aux couleurs vives, décorées des galons qu'elle tissait de ses mains. Ses yeux sombres et caves jetèrent un éclair du fond de leur nid de rides, puis elle se détourna, comme si les deux hommes l'indifféraient. Sa chevelure noire légèrement clairsemée était relevée en un chignon austère, et ses doigts affairés ne cessaient de manipuler les fils qu'elle entrelaçait. Des manchons bien rangés de fibres et d'herbes teintées gisaient près d'elle, attendant leur tour. Partout on voyait les manifestations de son ouvrage assidu : les saucisses et les fromages accrochés, les flacons à sel et les moules à fromage tissés, les paniers de voyage aux motifs d'une simplicité complexe. Les seaux étaient remplis à ras bord d'eau de source bien fraîche. Un rouleau d'herbe peignée pendait à une poutre, prêt pour isoler les bottes à lacets qu'elle avait fabriquées. En revanche, le peigne avait été façonné par le père de Lasse. La hutte sentait le bouleau, la fourrure propre, le feu, le fromage. Il s'agissait d'une odeur familière, réconfortante. Lasse poussa un soupir de gratitude en se laissant choir près du foyer.

Stina noua des fibres et se dégagea lentement du métier à ceinture.

— Alors, tu as retrouvé le chemin de la maison, hein ? Et tant pis si quelqu'un s'est fait du souci pour toi parce que tu es resté chasser deux jours après avoir dit que tu rentrerais le soir même.

Les deux compagnons se dévisagèrent. Heckram haussa les épaules.

— À toi de lui dire, chuchota-t-il. C'est ta grand-mère.

Mais Stina avait l'ouïe toujours aussi fine.

— Tant pis si la vieille grand-mère de quelqu'un a dû aller puiser l'eau, et s'occuper du harke de son petit-fils en plus du sien, poursuivit-elle sans pitié. Tant pis si elle a cuisiné un repas pour deux hier soir et qu'elle l'a tenu au chaud une bonne partie de la nuit pour rien. Tant pis si elle a passé une heure à chercher le seau que quelqu'un avait suspendu hors de vue et d'atteinte, et qu'elle a dû se débattre pour traire une vaja qu'on n'a jamais dressée à se tenir tranquille. Tant pis si...

— J'ai reçu une flèche. (La phrase de Lasse tomba sur la remontrance comme un paquet de neige s'écrase du haut d'un arbre sur un chasseur sans méfiance.) Heckram, aide-moi à ôter mon manteau.

Avant que ce dernier ait pu s'exécuter, Stina se précipita et tira avec douceur sur la manche, tandis que son ton de voix changeait du tout au tout.

— Tu sais, Heckram, quand ta pauvre mère est passée voir si Lasse avait emporté des provisions pour deux jours, elle me disait : « Ils partent chasser sans s'inquiéter de savoir si on les reverra jamais ! Ils partent chasser les vaja sauvages, alors qu'ils feraient mieux de rester chez eux, de s'occuper de ce qu'ils ont déjà et peut-être aussi de chercher moins loin leur avenir. » Ah ! Mais quand est-ce qu'un homme se soucie que sa mère perde le sommeil ? Jamais.

Elle s'interrompit. Lasse, ébouriffé, émergea de son manteau. Elle le tendit à Heckram pour qu'il le pende, puis s'agenouilla près de son petit-fils comme s'il s'agissait d'un enfant.

— Bon. Tu tires peut-être mal, Heckram, mais, au moins, tu as bien bandé la blessure. Moi qui m'attendais à trouver une vilaine plaie à peine tenue par un lambeau de cuir ! Tu as fait un joli travail, comme je n'en ai plus vu depuis que Kila, la sage-femme, est partie vers le sud avec les marchands se marier sans revenir auprès de ceux qui dépendaient d'elle, ni même une pensée pour son vieil oncle qu'elle laissait tout seul. Mais regarde-moi ta chemise, mon garçon ! Où crois-tu que je vais trouver de la laine pour la réparer ! La chemise de ton père, tricotée par les mains de ta mère ! Tu l'as couverte de sang ! Elle a troqué des peaux de renne pour avoir cette laine alors qu'elle pouvait à peine se le permettre, et elle a travaillé dur, la nuit, à la lueur du feu...

— Ce n'est pas lui qui a tiré la flèche, intervint Lasse sans se soucier de son verbiage, mais une étrangère, qui chassait seule. C'est elle qui m'a bandé, aussi.

Stina, vexée, se redressa sur ses talons pour le dévisager d'un regard furieux.

— Ça alors ! Et tu n'en dis pas un mot à ta propre grand-mère ? Je suppose que tout le sita se raconte cette histoire et que je devrai supporter que cette commère de Bror me l'apprenne. Mais après tout, qu'est-ce que je peux espérer ? Qui suis-je, sinon une vieille femme inutile, à peine bonne à tisser, à cuisiner, à recoudre, à laver, à traire et...

Sa voix s'était durcie pendant qu'elle se penchait avec une humilité apparente sur le feu pour en ôter la marmite dont le contenu mijotait. Leur tournant le dos, elle alla en traînant les pieds avec une prudence exagérée prendre des bols et des cuillères dans le coffre en bois.

— Vous êtes la première à l'entendre, se hâta de déclarer Heckram. À part Ella. On lui en a touché un mot par politesse. Elle sait qu'elle devra s'adresser à vous pour en savoir plus, dès que Lasse aura mangé et dormi. Non, merci. (Il secoua la tête alors que Stina lui proposait un bol.) Je vous laisse, afin que Lasse vous raconte tout. Je dois aller retrouver ma mère, et sans doute me charger du travail en retard.

— Écoutez-le ! Comme si Ristin laissait son foyer partir à vau-l'eau sous prétexte que son fils disparaît pour la nuit ! Il n'y a pas si longtemps, jeune homme, elle prenait des peaux de loup et tu n'étais qu'un marmot dans le komse en bois accroché à sa selle de bât. Et tu braillais tellement qu'elle devait remplir ta bouche affamée de moelle tendre pour te faire taire. Ah ! tu es un homme, à présent, et le seul qui a jamais chassé ou travaillé ! Bon, Lasse, comptes-tu me parler de l'étrangère qui tire mon petit-fils comme un lièvre, puis le recoud, ou devrai-je l'entendre des lèvres de Ristin ?

Lasse leva les yeux au ciel, mais Heckram se contenta de sourire tandis qu'il sortait de la hutte. Heureux que son jeune ami se trouve entre de bonnes mains et que Stina ne soit pas fâchée après lui, il s'emplit les poumons d'air froid. Le soir était tombé vite, seules les lumières sourdant des habitations éclairaient le sita. Il se faufila entre les huttes en évitant les chiens qui dormaient recroquevillés devant les portes et en contournant la masse sombre des râteliers à viande. Une silhouette d'homme surgit des ténèbres droit sur son chemin et il dut s'arrêter brusquement pour éviter de la heurter.

— Désolé, murmura-t-il en reprenant son chemin.

— Bien sûr, dit une voix traînante.

Il se figea, puis se retourna sans hâte.

— Un problème, Joboam ? s'enquit-il avec une politesse excessive.

— Je n'en ai qu'avec les idiots qui me foncent dessus dans le noir. Tu rentres en retard de la chasse, paraît-il. Je croyais ne plus jamais te revoir. Pourtant, te revoilà, et tu rapportes sans doute une belle proie.

— Sans doute, dit Heckram d'un ton léger. Mais tu es bien loin de ta hutte ce soir, Joboam. Tu cherches quelque chose ?

— Peut-être. Capiam aime savoir ce qui se passe dans le talvsit. C'est plus facile de résoudre les problèmes avant qu'ils surviennent, il le sait. Je me promène sur sa demande, pour y veiller. Tu n'y vois pas d'objection, j'imagine ?

— Le devrais-je ? Si on laisse les chiens courir entre les huttes le jour, pourquoi pas Joboam la nuit ?

— Je parie que Capiam trouvera ta plaisanterie très drôle quand je la lui raconterai.

— S'il vaut la moitié de son père, il y verra autre chose que de la drôlerie, répliqua Heckram non sans témérité.

Il repartit sur l'étroit sentier, frôlant Joboam au passage. Il s'attendait à ce que l'autre lui saute dessus, et ses épaules se roidirent, mais tout resta silencieux derrière lui.

Il ravala sa rage en se disant qu'elle n'avait aucun motif. Joboam déambulait la nuit pour s'assurer que tout se passait bien. Et alors ? Qu'avait-il à lui reprocher ? Son attitude de supériorité lorsqu'il daignait marcher entre les huttes les plus humbles, voilà tout. Il exerçait une autorité qui ne lui revenait pas. Maître des hardes, Capiam n'aurait pas dû demander à un autre de veiller sur la sécurité du sita. N'avait-il pas des jambes pour se déplacer parmi les siens ? Mais non, depuis que Capiam l'aîné était mort l'hiver passé, son rejeton se prenait au sérieux. Il se comportait comme un chef de clan barbare. Il passait son temps libre dans sa hutte, avec sa compagne et son fils, Rolke. S'il fallait que quelqu'un patrouille dehors la nuit, pourquoi n'envoyait-il pas celui-ci ? Il était temps, pour lui, d'apprendre à agir en héritier du maître des hardes au lieu de rester accroupi toute la journée près de l'âtre maternel. Sa mère était aussi riche que Capiam. Elle ne cousait, ne tissait, ni ne chassait plus guère. Stina s'était demandé un jour à haute voix ce que faisait cette femme de ses journées, sinon reprocher sa paresse à sa fille. Pourtant, elle ressemblait elle-même à une vaja enceinte alors que

Kari évoquait, par sa maigreur, une miesse orpheline. Heckram secoua la tête, écœuré. Capiam semblait fier de l'embonpoint de son épouse, comme si elle était un harke engraissé pour un festin d'hiver.

— Je ne voudrais pas d'une femme de ce genre, se jura-t-il.

S'entendre parler le surprit. Et avec quel genre de compagne comptait-il vivre ? C'était la question bannie des conversations chez lui. Il fit un détour par son râtelier à viande dégarni, se hissa au sommet, sortit son couteau pour tailler un beau morceau sur l'une des cuisses entreposées et prit un boudin. Les efforts de la journée l'avaient affamé. Il allait donc se restaurer en tapant dans ses faibles réserves et espérer qu'il aurait plus de chance à la chasse le lendemain. Quel genre de femme, au fait, voudrait d'un homme au râtelier à viande vide ? Repoussant cette idée d'un brusque mouvement de tête, Heckram souleva le rabat qui fermait la hutte qu'il partageait avec sa mère.

Le feu sur l'arran était presque éteint. Agenouillée à côté, Ristin le nourrissait de brindilles afin de raviver les braises. L'espace d'un bref instant, elle parut à Heckram aussi petite qu'un enfant. C'étaient les ombres qui la diminuaient. Non qu'elle soit grande : elle avait la stature trapue de la plupart des gardiens de troupeau. Parfois, il se faisait l'effet d'un élan dans un troupeau de rennes. Comme son grand-père, un marchand venu du sud pour commercer et qui n'était jamais reparti. Même ses cheveux étaient pâles, disait Ristin, aussi clairs que la queue dressée du renne qui détale. Petite, brune, elle ne montrait aucune trace de son sang mêlé. Celui-ci ne s'était révélé qu'en son fils. Elle portait des fourrures, et une écharpe de laine aux couleurs vives couvrait ses joues et sa chevelure. Ses moufles pendaient à des lacets passés à sa ceinture.

— Tu pars ? demanda-t-il en entrant sans bruit.

Ristin poussa un cri de surprise et laissa choir le morceau de bois qu'elle tenait.

— Oh ! c'est toi. Je suis contente que tu reviennes enfin. Non, je rentre. Je suis allée chasser, mais sans grand succès.

— Ah. Le loup ou le fils ?

Elle esquissa un haussement d'épaules.

— Un peu des deux. Je me faisais du souci pour toi, et il me faudrait une peau neuve. Alors j'ai pris mon arc et je suis sortie. Cela te surprend ?

— De la part d'une femme qui chassait le loup quand je n'étais qu'un marmot dans son komse, auquel on remplissait la bouche de moelle pour le faire tenir tranquille ? Non.

Elle eut un petit rire.

— On dirait que tu as parlé avec Stina. Elle s'inquiétait pour Lasse. Je suis ravie de voir que c'était sans raison.

— Ou presque.

— Ah bon ?

Ristin, qui ôtait son manteau, s'interrompit, la tête passée par le col, tel un hibou dans un arbre creux.

— Rien de grave, mais cela aurait pu être pire. Une étrangère qui chassait seule a visé une vaja et touché Lasse à la place. Il s'en remettra ! ajouta-t-il en hâte en voyant l'inquiétude sur le visage de sa mère. Par chance, elle avait des talents de guérisseuse. Elle a bandé son bras, puis elle nous a accueillis dans sa tente pour la nuit. J'ai... j'ai dit que je paierais les soins. Je ne suis pas sûr qu'elle m'ait compris, elle ne parle pas bien notre langue. Et je sais que si Lasse était au courant, il considérerait que la dette lui échoit.

— Tu te sens responsable de sa blessure ? devina Ristin.

— Un peu.

Heckram se gratta l'oreille, puis le chaume du jour sur son menton.

— Tu aurais pu l'éviter ?

— Non. Sans doute pas. Mais ce n'est qu'un jeune garçon, par certains côtés, et Stina se fie à moi pour veiller sur lui. Je ne veux pas trahir cette confiance, même par accident. (Il s'éclaircit la gorge.) Il y a aussi une autre raison, qui concerne la guérisseuse et son fils. (Il se débarrassa de ses vêtements d'extérieur tout en scrutant le feu.) Mère, tu te souviens de cette année, bien après l'épidémie, où l'on a perdu deux jeunes bêtes pendant la traversée de la rivière et où tu as décidé que l'on ne pouvait pas abattre un seul de nos animaux pour la viande, cet hiver-là ?

Ristin se leva lentement pour accrocher son manteau à une patère, après l'avoir secoué pour l'aérer. Elle s'assit ensuite à côté du feu afin de délacer ses bottes. Elle avait le regard lointain pendant qu'elle les ôtait, puis en retirait les poignées d'herbe qui isolaient ses pieds du froid. Elle la fit bouffer, et enfin l'étala près du foyer pour qu'elle sèche.

— Tu te souviens de cet hiver ? insista-t-il.

Elle se tourna vers lui.

— Comment l'oublier ? Ton père avait disparu. On n'avait ni viande grasse de renne d'automne, ni boudins, ni os à moelle, seulement des lièvres, des lagopèdes et des poissons pris en été. L'épidémie continuait de tuer les rennes sauvages et les loups chassaient mieux que moi les quelques survivants. C'était une période difficile pour nous tous.

Heckram retira sa tunique et la suspendit, puis il se tourna, le visage grave, vers sa mère.

— Son fils mange comme moi en ce temps-là. Quand il regarde cuire la nourriture, on a l'impression qu'il craint de la voir jaillir de la marmite et détaler. Leur tente n'est pas bien cousue, et les peaux sous lesquelles ils dorment ne sont pas bien épaisses. Pire, le couteau qu'elle possède ressemble à un objet que j'aurais pu fabriquer à l'époque. Et je ne crois pas non plus qu'elle te vaille en tant que chasseuse. À part Lasse, elle n'avait tiré qu'un lièvre maigrelet.

— On n'est pas bien riches…

— Je sais, mais…

— Laisse-moi finir. Il y a beaucoup trop d'objets de rebut qui prennent une place inutile ici et dont quelqu'un d'autre pourrait sans doute faire un meilleur usage. Je me demande pourquoi je garde des moufles qui te sont trop petites. Et de combien d'arcs je peux me servir en même temps… Cela dit, si elle a pu abattre Lasse d'une flèche, elle n'a sans doute pas besoin de mieux.

Heckram eut un petit rire.

— J'admets que je n'ai pas remarqué l'état de son arc. Je faisais plus attention à son fils.

Ce disant, il décrocha la planche à découper, qu'il retourna pour en dévoiler la surface couturée. Il y posa la viande et entreprit de la tailler en tranches fines, qui cuiraient vite. Ce soir-là, après cette rencontre avec la guérisseuse et son jeune garçon, il avait plus faim que d'habitude.

— Ils sont vraiment bizarres, poursuivit-il. J'aurais aimé lui parler davantage, à elle, lui demander d'où ils viennent et pourquoi ils vivent ainsi. Elle a l'air d'avoir vu du pays, mais elle se comporte comme si elle ne savait pas se débrouiller seule. Je parie qu'elle a beaucoup à raconter et j'avais envie de l'écouter. Elle a refusé toute conversation. Je crois qu'elle me comprenait mieux qu'elle ne le prétendait. Mais elle avait peur, comme si me parler l'exposait à un danger. Quant au garçon… yeux écarquillés, regard fixe et silence.

— La faim, sans doute. (Ristin marqua une pause, perdue dans ses pensées.) Et la solitude enseigne la prudence à une femme. Mais, tu sais, Heckram…

— Oui ?

— Le pire, en ce temps-là, c'était la pitié de nos voisins. Le village entier nous aidait et certains nous témoignaient de l'amabilité. J'ignore le nombre de fois où le père de Lasse t'a nourri sous son toit. Le matin, quelquefois, je trouvais sur le râtelier de la viande qui n'y était pas la veille. Je savais que les autres agissaient ainsi par gentillesse, mais…

— Je comprends. Je prendrai une partie des affaires pour payer les soins de Lasse. Elle a aussi un sac d'herbes et elle m'a paru s'y connaître en tisanes. Il y a longtemps que notre tribu n'a pas eu de guérisseuse. Je suis sûr qu'il existe des remèdes qui nous seraient utiles et qu'elle sait préparer. Sa fierté n'en souffrira pas.

Il avait fini d'embrocher les languettes de viande et les mit à cuire sur le feu ravivé. La graisse grésilla. Il sentit son estomac gronder.

Ristin hocha la tête d'un air pensif.

— Parfois, c'est tout ce qui reste. Et tu devrais parler à Ella. Elle a des outils d'os et des rubans tissés qu'elle espérait confier aux marchands en partance vers le sud. Elle aimerait peut-être en échanger une partie contre quelque chose pour soulager sa douleur quand il fait froid et humide. Son épaule ne s'est jamais vraiment remise d'une chute. Si tu l'emmenais avec toi quand tu iras payer la guérisseuse ? Elle travaille dur et l'occasion de marchander lui offrirait un peu de repos. C'est loin, d'ici à la hutte de l'étrangère ?

— À skis, non. Si l'on n'était pas partis à pied, en espérant ramener une vaja vivante, on serait rentrés à midi, Lasse et moi. Et maintenant que je sais où vit cette femme, je devrais pouvoir y retourner en peu de temps. Je dirai à Ella que j'y vais. Si elle veut m'accompagner, elle le fera.

— Tu pourrais la traiter avec courtoisie.

— Je n'y manque pas. Je lui en accorde autant qu'à Lasse, Jakke, ou n'importe lequel de mes amis.

— Heckram...

— Tu as faim ? La viande est presque prête.

Ristin accueillit son intonation impatiente avec un soupir.

— Oui. Mais je te rappelle encore que tu ne rajeunis pas. Ni moi non plus.

— Ni Ella. Je sais. Mais je n'aurai pas un enfant affamé près de mon âtre, mère. Je ne chercherai pas de femme avant d'être sûr que je pourrai l'entretenir.

— Si tu attends d'être prêt, tu ne te marieras jamais.

— Mère...

Le silence tomba. Heckram retira la viande des flammes et la répartit sur les deux tranchoirs en bois que sa mère avait posés près de lui. Ristin apporta aussi le juobmo, du lait caillé conservé dans un tonnelet et parfumé à l'oseille. Avec le fromage et le boudin, le tout fit un dîner agréable, quoique silencieux. La viande était plus goûteuse que tendre. Heckram mâcha les petits morceaux en regardant le feu et en réfléchissant. Une fois les ustensiles rangés, Ristin reprit son ouvrage sur un panier à demi terminé. Elle semblait accorder beaucoup d'importance au choix des fibres, quand, soudain, elle le posa à l'écart. Elle dévisagea son fils jusqu'à ce qu'il lève les yeux, puis reprit la parole d'une voix douce.

— Heckram, ton père et moi... Nous n'avons jamais voulu avoir un enfant affamé près de notre âtre.

En entendant le chagrin dans sa voix, il frémit.

— Je le sais bien, répondit-il doucement. Je ne voulais pas te faire de reproches.

— Nous ne nous attendions pas à l'épidémie, poursuivit-elle néanmoins. Et je n'aurais jamais cru le perdre alors que tu étais encore tout petit. Malgré tout, si c'était à refaire en sachant ce qui m'attend... je n'hésiterais pas. Je le choisirais de nouveau pour époux.

Le silence se réinstalla dans la hutte et, cette fois, parut peser plus lourd. Ristin prit son métier à ceinture et s'agenouilla pour l'ancrer au poteau central. Puis elle le tendit et choisit des fibres de racine colorées pour composer un motif, les unes teintes en rouge à l'écorce d'aulne, les autres en jaune à l'oignon sauvage. Elle en tria une poignée.

— Quand j'éprouverai les mêmes sentiments envers Ella, je lui parlerai. Mais pas avant.

Ristin leva les yeux et soutint le regard de son fils durant un long moment. Puis, lentement, elle hocha la tête.

— Ce n'est que justice, murmura-t-elle en se penchant de nouveau sur son ouvrage. Ce n'est que justice pour vous deux. Mais espérons qu'elle éprouvera toujours ces sentiments-là pour toi quand tu te décideras enfin.

VIII

LES LAGOPÈDES ÉTAIENT MINUSCULES. Elle les souleva par les pattes et examina les plumes écarlates du pourtour de leurs yeux qui les avaient trahis. Sans cette note de couleur, elle ne les aurait pas vus dans le bosquet de saules. Même double, la prise ne fournirait guère plus de chair qu'un lièvre. Au moins, elle pourrait les écorcher avec soin et garder les peaux emplumées. Et cette viande succulente les changerait, son fils et elle, de leur régime de lièvres. Elle cuirait l'un à la broche, l'autre au court-bouillon avec des herbes et du lichen pour épaissir et parfumer le ragoût. Deux plats donneraient peut-être à Kerleu l'impression de manger davantage.

Les ombres longues des arbres s'allongeaient sur la neige et se croisaient sur son chemin en un entrelacs bleuté. Le soir engloutissait peu à peu les versants autour d'elle, comme si l'obscurité née dans les creux et les combes montait à la rencontre de la nuit. Déjà, les étoiles les plus brillantes surgissaient dans le ciel d'un bleu profond. Ce jour-là, la course du soleil avait à peine dépassé l'horizon. Bientôt, il disparaîtrait de nouveau. Il valait mieux se hâter.

Tillu se baissa pour passer sous une branche alourdie par la neige en prenant garde de ne pas la heurter. Elle marchait sans bruit, guettant le moindre mouvement qui aurait offert une nouvelle cible à son arc. Elle s'améliorait. Un sourire : bientôt, elle serait aussi douée que les enfants du groupe de Bénu. Mais le paysage alentour restait désert. Le crépuscule noircissait le vert des sapins et brouillait les deux rangées de troncs bordant le sentier, qui devenaient rideau d'écorce grisâtre et de neige ombreuse. Peut-être n'aurait-elle pas dû perdre autant de temps à observer la harde et à chercher le moyen de tuer un renne. Elle réfléchit une fois de plus à ce problème. L'expérience démontrait que les flèches grossières de son arc de fortune se contentaient de ricocher sur la peau épaisse de ces animaux. Elle ne parvenait qu'à les effrayer, et ils détalaient. Elle ne réussirait guère mieux avec une lance, faute des talents nécessaires pour en fabriquer une bonne. Et même dans l'épaisse couche de neige, le renne s'éloignerait à grands bonds avant qu'elle ne l'ait suffisamment approché pour lui percer le flanc avec une pique. Mais le moyen devait bien exister, et elle le découvrirait tôt ou tard.

Elle s'efforça de chasser de ses pensées les longues nuits d'hiver qui restaient. Il lui fallait songer que le pire du froid et de l'obscurité était passé, et qu'ils avaient survécu. Elle poussa un léger soupir en se promettant que tout irait mieux. Son fils changeait, après tout. Depuis la visite des étrangers, trois jours auparavant, il avait taillé douze cuillères, parfois grossières, mais chacune marquant une progression. Et, à son habitude, maintenant qu'il se sentait en confiance, il refusait de produire un autre ustensile. Elle le laisserait jouir de sa réussite quelque temps, puis elle le persuaderait d'essayer autre chose. En tout cas, ils survivaient, et Kerleu gagnait en maturité. C'était déjà ça. Tillu parvint au sommet d'une crête et descendit dans le vallon abrité où se dressait leur tente.

Sur sa route, elle croisa une étrange empreinte dans la neige : des traces jumelles, presque bleues dans les ombres du soir. Tillu se figea, puis scruta la piste dans les deux sens, mais ne vit rien. Sans aucun signe de ce qui avait pu les produire, les marques disparaissaient entre les arbres couverts de neige.

Elle s'agenouilla pour les examiner et toucha leur bord

bien marqué de sa main revêtue d'une moufle. Elles étaient étroites, ininterrompues, comme si un homme avait tiré un objet tout en longueur dans la neige. Mais il n'y avait aucune empreinte de pas. De petits trous, qui accompagnaient les traces à intervalles irréguliers, la laissèrent perplexe. Eux non plus ne lui évoquaient rien de connu. On n'entendait pas un bruit, et il était impossible de savoir dans quelle direction allait cette piste mystérieuse. Mais en reprenant le chemin qui la ramenait à sa tente, Tillu constata qu'elle la suivait – ou la remontait. Lorsqu'il devint évident que son campement se trouvait à l'arrivée ou au départ des marques, elle força l'allure.

Elle haletait lorsqu'elle atteignit la clairière et suivit des yeux l'étrange tracé jusqu'au bord du cercle de neige tassée autour de sa tente. Elle approcha prudemment, aux aguets, le cœur battant la chamade. Quatre planches longues, étroites, à l'extrémité courbée vers le haut et garnies de liens de cuir, gisaient près de l'entrée. Il y avait quatre bâtons plantés dans la neige à leurs côtés. Elle n'avait jamais rien vu de tel. De la tente sortaient, assourdies, la voix flûtée de Kerleu et celle, grave, de l'étranger. L'inquiétude lui noua l'estomac tandis qu'elle se courbait pour passer la porte.

À l'intérieur, le feu qui brûlait joyeusement projetait des ombres dansantes sur les parois. Assis sur ses talons, Kerleu, ses cuillères en rang devant lui, expliquait comment il avait fabriqué chacune d'elles au chasseur, qui hochait la tête. Debout près de l'entrée, une étrangère beaucoup plus petite qu'Heckram fixait le garçon avec une drôle d'expression.

Elle se tourna et dévisagea Tillu de ses grands yeux foncés, que soulignaient les pommettes haut placées. Ses lèvres délicates esquissèrent un sourire hésitant. Ses cheveux d'un noir lustré s'enroulaient sous un bonnet de laine jaune et rouge vifs.

Tillu la détailla, torturée par le mal du pays comme jamais depuis la naissance de son fils. Au fil des ans, elle s'était habituée à voir des peaux et des fourrures fonctionnelles, bien conçues et cousues, mais solides, utilitaires. Même si cette femme en portait, elle arborait aussi à ses poignets, à sa gorge et au bord de son bonnet, en fait partout où la place le permettait, des bandes colorées de fibres tissées, entrelacées de rubans de fourrure. Des perles d'ambre brillant, d'os et de corne cliquetaient au moindre de ses mouvements. Ces ornements éveillèrent en Tillu l'âpre envie de mener une vie stable, dans un village où l'on cultivait les champs, où on faisait paître des animaux domestiques, et où un homme ou une femme pouvait se divertir quelques instants chaque jour de la seule survie. Elle se souvint de ses parents le soir : sa mère tissait pour la beauté des couleurs, son père sculptait et peignait des ustensiles afin de les transformer en objets d'art. Évoquer ce monde, qu'elle croyait depuis bien longtemps si loin au sud qu'elle ne le reverrait jamais, lui fit venir les larmes aux yeux.

— Heckram, murmura l'inconnue.

Il pivota sur ses talons pour saluer Tillu d'un hochement de tête amical, l'air dégagé.

— Bonnes cuillères ! dit-il en guise de salut.

Le visage rose de fierté, Kerleu tourna la tête vers sa mère.

— Ils sont arrivés pendant que tu n'étais pas là. Pour payer les soins que tu as donnés à l'homme blessé par la flèche. (Il s'expliquait à sa façon coutumière, par phrases hachées.) Je lui montrais les objets que j'ai fabriqués. Il préfère l'oie.

Il brandit l'ustensile en question, sa dernière création, dont la poignée incurvée arborait à son extrémité deux ronds et un triangle, qui suggéraient les yeux et le bec d'un volatile au bout d'un long cou.

— Tillu la guérisseuse, dit Heckram. Ella mon amie.

Tillu acquiesça aux présentations d'un hochement de tête. Elle ne s'attendait pas à ce qu'il revienne la payer. Le village devait se trouver moins loin qu'elle l'avait cru. Pour masquer sa confusion, elle décrocha la sacoche à gibier de sa ceinture, et suspendit son arc et son carquois. Les dents d'Heckram étaient très blanches dans son visage bronzé par les intempéries.

— Lasse va mieux ? demanda-t-elle ensuite.

— Bien mieux.

Son métier reprit le dessus et leur évita la gêne à l'un et l'autre.

— Bien. Bien. Un nouveau bandage ? Une enflure ? Du sang ? De la fièvre ?

— Un nouveau bandage. La plaie, refermée. Le bras bouge, sans douleur.

— Bien, bien.

Elle hochait la tête comme un canard pendant la parade nuptiale.

— On croirait que tu parles à un bébé, dit Kerleu non sans dédain.

Heckram devina le sens de sa phrase et répondit en riant :

— Plus facile de comprendre.

— Et toi, sois poli. Il vaut mieux se taire et apprendre les bonnes manières quand on est jeune.

Kerleu baissa la tête. Le chasseur dissimula un sourire. Même s'il n'avait pas saisi tous les mots, il aurait reconnu le ton. Il avait souvent subi cette réprimande dans son enfance. Tillu sentit qu'il s'efforçait de protéger son fils d'une autre remontrance en changeant de sujet.

— Pour payer soins, dit-il.

Il désigna une peau roulée pour former un paquetage. En se baissant, il défit les tendons qui l'attachaient, la déroula et révéla plusieurs paquets, emballés dans du tissu teint, parfois, de couleurs vives. Il les tapota l'un après l'autre.

— Poisson. Fromage. Renne.

Il s'interrompit et leva les yeux, comme s'il lui demandait de choisir ce qu'elle désirait en échange des soins. Elle n'eut aucune hésitation. Kerleu et elle avaient besoin de graisse sous n'importe quelle forme.

— Fromage.

Elle avait reconnu le terme qu'il avait employé lors de sa première visite, et elle imita son accent avec un sourire.

— Fromage, convint le chasseur, hésitant.

Il semblait se demander pourquoi elle avait répété ce mot. Puis il haussa les épaules, resserra les paquets dans la peau et la lui présenta.

— Tout ? s'enquit-elle, ébahie par la taille de l'offrande.

— Pour Lasse.

— C'est trop.

Il secoua la tête d'un air innocent, mais elle estima qu'il avait très bien compris.

— Pour Lasse, répéta-t-il. Tu l'as soigné. Je paie.

Il évita son regard tout en posant le ballot sur sa couche.

Tillu hésita, mais Kerleu l'implorait en silence, les yeux fixés sur elle.

— Merci, dit-elle avec raideur.

Heckram se contenta de sourire au garçon, comme s'ils partageaient un secret. Tout le monde resta figé sans dire un mot, gêné.

— Je viens... troquer ? annonça enfin Ella.

— Troquer ?

Tillu, qui ne s'attendait pas du tout à ce que l'autre prenne la parole, demeura perplexe. Ella n'était-elle pas l'épouse d'Heckram ? Elle jeta un coup d'œil vers le chasseur pour jauger sa réaction, car elle avait coutume de voir les hommes conduire de telles négociations, mais il s'absorbait dans une discussion avec Kerleu. Quant à l'étrangère, elle ne prêtait aucune attention à son compagnon.

— Vieille blessure. Chute dans la rivière, sur rocher. Il y a longtemps.

La jeune femme porta la main au bas de son dos, à son épaule, et mima la souffrance.

— Journée froide, humide ? Enflé ? lui demanda la guérisseuse.

Ella hocha la tête en réponse à chaque question. Tillu désigna ses phalanges et son poignet.

— Enflé, mal là, aussi ?

— Non. (Une fois de plus, elle effleura le bas de son dos, puis son épaule.) Juste l'épaule, juste le dos. Tombée, il y a longtemps.

— Ella travaille dur ? Porte lourdes charges ?

L'autre partit d'un grand rire.

— Oui. Ella femme des hardes. Travaille dur, lourdes charges.

La guérisseuse hocha la tête.

— Tillu voir ?

Ella acquiesça et se pencha pour ôter sa lourde tunique

de peau. Elle jeta un bref regard vers Heckram et le garçon, puis leur tourna le dos avant de retirer sa chemise de laine. Tillu s'approcha et lui passa la main sur l'épaule avec précaution. On ne voyait trace d'aucune blessure. Elle hésita, puis tâta et enfin pressa l'articulation. Une couche de muscles revêtait le dos de la jeune femme, prouvant qu'elle devait, en effet, soulever de lourdes charges. Cette musculature compensait sa petite taille.

— Pas mal maintenant, rappela Ella à Tillu, qui la manipulait. Juste les jours froids, humides. Alors mal, raide.

Tillu hocha la tête, satisfaite. Elle avait déjà vu ce type d'affliction, et souvent. Les réflexions se bousculaient sous son crâne. Parmi les herbes qu'elle avait, certaines, infusées en tisane, soulageaient la douleur, d'autres agiraient plus efficacement une fois pulvérisées et incorporées à un baume. Mais elle manquait de graisse pour le préparer.

Elle fit signe à Ella d'attendre et alla au fond de la tente chercher sa boîte de remèdes. Ella se rhabilla tandis que Tillu mélangeait les herbes et les versait dans une bourse en boyau séché.

— Mets-en un peu dans de l'eau bouillante, laisse tremper jusqu'à ce que les feuilles soient molles, puis prends-en une tasse, pas plus. En boire trop te ferait du mal. (S'apercevant qu'elle s'exprimait à sa manière habituelle, elle dévisagea sa patiente, mais celle-ci opinait du chef pour montrer qu'elle avait compris.) Tu as de la graisse d'ours ? Du lard de loup ? Ou de glouton ?

Ella hocha lentement la tête d'un air intrigué.

— Apporte-m'en, je préparerai un remède pour te frotter l'épaule et le dos. Mieux, aide plus. Tu ne le passes que là où ça fait mal. Compris ?

— La prochaine fois, suggéra la jeune femme.

Tillu hocha la tête à son tour. La prochaine fois. Il y en aurait donc une ? Des gens qui iraient et viendraient ? C'était peut-être une bonne chose. La jeune femme paraissait gentille, et Heckram n'avait jamais giflé ou bousculé Kerleu. Un contact limité comme celui-ci pouvait fonctionner.

— Tu prends, pour remède ?

Ella lui offrait une section de corne sculptée, incisée de

silhouettes peintes en rouge, noir et bleu. Elle n'avait pas regardé Heckram pour lui demander sa permission avant de proposer l'échange. Si une femme s'était comportée ainsi dans la tribu de Bénu, son homme l'aurait battue pour sa témérité. Mais le chasseur ne leur prêtait aucune attention. Tillu prit l'objet et le tourna entre ses doigts.

— Ouvre ici. Tu vois ?

Ella le reprit pour ôter le bouchon et versa trois aiguilles d'os dans sa paume. Neuves, pointues, elles avaient été fabriquées avec habileté. Tillu hocha la tête en signe d'approbation et tendit l'index pour en toucher une. La jeune femme sourit.

— Je les fais, et l'étui aussi, reprit-elle. Mon père, pas de fils. Il m'apprend à sculpter. Maintenant, il dit j'y arrive mieux que presque tous. Je façonne couteaux, aiguilles, pointes de flèche, boucles de harnais. Les miens pas juste solides. Les miens jolis.

Elle reboucha l'étui et le tendit de nouveau à Tillu, qui le prit pour en scruter la surface. Les minuscules motifs lui plaisaient plus encore que les aiguilles neuves. Au bout d'un moment, elle se rappela qu'elle avait des invités.

— Vous restez dîner ?

Heckram se redressa en secouant la tête.

— Nuit presque là. Rentrer vite au talvsit. Tu viens, un jour ? Les gens accueillir guérisseuse, beaucoup de travail pour elle. Tu viens, un jour ?

— Peut-être, dit lentement Tillu tandis que Kerleu sautillait d'excitation à cette perspective.

Elle les suivit jusqu'au seuil, et les regarda se fixer les planches aux pieds et ramasser les bâtons, sidérée.

— Skis, expliqua Heckram en s'amusant de sa perplexité. Pour aller vite sur la neige, pas s'enfoncer. Toi, skis ?

Tillu secoua la tête, les yeux écarquillés. Il lui adressa un large sourire.

— Tu viens au talvsit, je t'apprends. Et à Kerleu, aussi. Bonne façon de chasser, à skis. Vite, pas de bruit. Tu rends visite, tu apprends ski. Peut-être tu racontes ton peuple, ton pays ?

La requête comme la proposition la prirent par surprise.

Elle se sentit rougir de confusion. Heckram, sans se départir de son sourire, hocha la tête avec vigueur à l'adresse de Kerleu, qui gambadait de joie, manifestant qu'il comptait bien la voir accepter.

Ella mit son bonnet et jeta un coup d'œil agacé à son compagnon.

— Temps de partir, dit-elle avec une note d'irritation.

— Je suis contente que vous soyez venus, dit gauchement Tillu.

Elle se demandait si elle avait vexé la femme, mais celle-ci lui dédia un sourire chaleureux.

— La prochaine fois, graisse d'ours, promit-elle.

Après un salut de la main, elle prit appui sur ses bâtons et s'en fut, à larges foulées de ses skis glissant sur la neige. Cet étonnant mode de transport émerveilla Tillu. On ne pouvait nier sa rapidité. Déjà, l'étrangère avait atteint l'orée des arbres et attaquait la pente. Tillu s'attendait à la voir peiner dans l'ascension, mais elle pencha son buste vers l'avant, sans ralentir le train. Cela paraissait si facile !

— Tu viens au talvsit, bientôt, suggéra Heckram en poussant sur ses bâtons pour suivre sa compagne.

Les muscles de ses cuisses entrèrent en action et les skis l'emportèrent. Tillu le regarda s'éloigner. Grâce à son mouvement plus ample, il ne tarderait pas à rattraper Ella, qui devait le savoir, car elle ne faisait pas mine de l'attendre. Mais c'était curieux d'entendre une femme annoncer qu'il était temps de partir, et plus étonnant encore de voir un homme la suivre. Kerleu vint les observer depuis l'entrée de la tente.

— Des skis, lui dit Tillu en désignant les deux silhouettes. Tu aimerais apprendre.

— J'apprendrai un jour. Tu as vu mon couteau ?

Il en brandit un en os, serré dans un fourreau de fibres tressées. Alors qu'elle tendait la main vers l'arme, il la retira, la dégaina et passa la lame devant sa figure, beaucoup trop près, sans lui permettre d'y toucher.

— Où l'as-tu trouvé ? C'est l'homme qui l'a oublié ?

Tillu espérait que son fils ne l'avait pas volé.

— Il ne l'a pas oublié. Il voulait la cuillère à tête d'oie et on a troqué. (Kerleu esquiva ses mains tendues.) À présent, je suis un homme pour de bon !

— Le couteau ne fait pas l'homme, répliqua Tillu. Laisse-moi le voir.

— Regarde, mais ne touche pas ! lança-t-il avec une fierté tolérante. Carp m'a conseillé de ne jamais laisser une femme saisir mes outils. Un chaman peut cacher sa force dedans. J'ai mis de la bonne fortune dans l'ustensile donné à Heckram.

— Carp ! s'exclama-t-elle, moqueuse.

Mais elle laissa retomber ses mains.

Son fils soumit l'arme à son inspection. Il s'agissait d'une belle pièce, avec sa poignée entourée d'une bande de cuir pour assurer la prise. La lame était décorée de lignes creusées, teintes en noir, à l'opposé du tranchant. L'objet avait beaucoup plus de valeur que la cuillère grossièrement taillée, et Tillu se mordit la lèvre, pensive. Pourquoi Heckram se montrait-il si gentil avec Kerleu et si généreux avec elle ? Elle ne comprenait pas. Elle en éprouvait un certain malaise.

— Je trouverai le moyen de rétablir l'équilibre de ce troc quand ils reviendront, se promit-elle tout bas.

— Elle ne reparaîtra pas.

Le garçon s'était exprimé dans un murmure monté des profondeurs de sa maigre poitrine. Il s'immobilisa soudain, le regard fixé sur le versant. La pointe de son couteau effleurait la base de son cou.

Les deux skieurs avaient resurgi sur une corniche dénudée et se découpaient contre le ciel qui s'assombrissait. Fuyant la terre, les couleurs se réfugiaient à l'horizon. Les branches et les troncs d'arbre noircissaient sur la neige pâle. Au sommet de la colline, Heckram et Ella n'étaient plus que des taches sombres sur la traînée violette qui barrait le ciel.

— Elle doit m'apporter de la graisse d'ours afin que je prépare l'onguent pour son épaule, indiqua Tillu. Écarte-toi et laisse-moi passer. On gèle, dehors.

— Elle ne reviendra pas, car il va la tuer. Dès à présent, les ténèbres l'engloutissent et elle disparaît.

Un frisson qui ne devait rien au froid crispa Tillu. Son

fils lui barrait l'entrée de la tente, le couteau pointé vers les formes sur la colline. Le soleil couchant lui emplissait les yeux. La lumière lui donnait un aspect cadavérique. Tillu ne put que suivre son regard. Dans le crépuscule éclaboussant la neige de rose, de pourpre et d'ombre, la silhouette de la femme franchit la crête et parut s'abîmer dans l'obscurité. Sous les yeux de la guérisseuse, celle de l'homme plongea derrière elle. Un vent glacé secoua les branches, dont tombèrent des paquets de neige, dans un bruit qui évoquait des pas mal assurés. Tillu sursauta. Lorsqu'elle reporta son attention sur Kerleu, il lui sourit d'un air innocent.

— Mangeons tout ce soir ! suggéra-t-il, joyeux.

Et il disparut dans la tente, brandissant son précieux couteau dans son poing fermé.

— Attends ! cria Heckram.

Après avoir coupé la descente sur la neige lisse, Ella avait presque disparu dans un bosquet de saules. Il jeta un dernier regard vers la tente isolée, devant laquelle la femme et le garçon se tenaient, puis il poussa sur ses bâtons. Ella avait raison de forcer l'allure – le soleil se couchait et la clarté déclinait –, mais elle devait aussi être d'humeur joueuse. Enfants, ils ne cessaient de se mesurer, à pied, à skis ou dans leur pulkor, dont ils encourageaient à grands cris les harkar bondissants qui le tiraient. Heckram s'efforçait d'étirer ses peaux de loup tandis qu'elles séchaient, afin qu'elles paraissent plus grandes que celles de sa jeune et mince voisine. L'été, ils comparaient leurs prises dans la rivière, et la taille de leurs jeunes rennes pour voir lequel des deux troupeaux prospérait davantage. Ella était une éleveuse robuste, compétente, indépendante, mais Heckram n'appréciait plus tout à fait autant, depuis qu'il avait atteint l'âge adulte, les défis qu'elle lui lançait.

— Attends ! lança-t-il encore.

Elle s'arrêta, plantant ses bâtons dans la neige.

Le vent du soir picota le visage d'Heckram tandis qu'il la rattrapait. Celui-là même et l'effort consenti avaient rougi les joues d'Ella. Sa lourde chevelure cherchait à s'échapper de son bonnet. Elle ôta ses moufles et remit en place les mèches rebelles. Elle avait le regard aussi fier et brillant que celui d'une petite vaja. Elle retira ses doigts de son bonnet, mais accrocha ses cheveux au passage, qui rejaillirent plus ébouriffés encore. Heckram sourit de la voir s'escrimer à grands gestes.

— Pourquoi ne pas les laisser libres ?

— Et passer la soirée à les démêler ? Très peu pour moi, merci bien. Pourquoi ne pas m'avoir parlé du garçon ?

— Je l'ai fait. J'en suis sûr. Je t'ai dit que la guérisseuse avait un fils.

— Non, pourquoi ne pas m'avoir dit à quel point il est bizarre ? Lasse en a touché un mot, mais tu as répondu qu'il s'imaginait des choses. Je t'ai cru. Mais quand on est entrés dans cette tente, avant le retour de sa mère... brrr ! J'ai failli tourner les talons et repartir. La façon dont il nous regardait !

— Ce n'est qu'un gamin, dit Heckram. (Il eut un rire dédaigneux, conscient que ses remarques l'avaient plus irrité qu'elles ne le méritaient.) Il doit se sentir seul et il a toujours faim.

Ella renfila ses moufles.

— Tu en es persuadé, hein ? J'imagine que tu n'as pas côtoyé beaucoup d'enfants. Ce garçon... écoute, il n'est pas comme les autres. Regarde la manière dont il s'est comporté à notre arrivée.

— Je ne comprends pas.

Ella secoua la tête, empoigna ses bâtons et s'éloigna. Il la suivit, en retrait, un peu sur le côté.

— Quand les marchands du sud viennent au talvsit, reprit-elle, comment réagissent les petits ?

Le rythme de sa phrase épousait celui de ses bras poussant sur les bâtons tandis qu'elle choisissait son chemin à travers bois.

— Ils se ruent dehors, jacassent comme des pies, réveillent les chiens et posent aux arrivants des milliers de questions, répondit-il d'un air revêche.

Il avait l'impression qu'elle lui faisait la leçon, et cela ne lui plaisait guère.

— Tout juste. Et qu'a fait ce garçon quand nous sommes arrivés ? Il n'est pas sorti de la tente, même s'il a dû nous entendre dehors. Il a fallu que tu hausses le ton, que tu demandes s'il y avait quelqu'un. Alors il est venu sans bruit jusqu'au rabat, nous a invités à entrer, s'est assis près du feu, nous a priés de nous asseoir, comme si l'on avait fait tout ce chemin pour venir le voir. Il n'a pas couru chercher sa mère, il ne l'a pas appelée, et il n'en a parlé qu'après que tu lui as demandé où elle était. Il t'a montré ces cuillères qu'il avait taillées comme s'il s'agissait d'un trésor. Tu sais bien que celle que tu as prise ne valait pas le couteau que tu lui as donné. Je m'étonne que sa mère l'ait permis.

— Je doute qu'elle soit même au courant. Cela s'est passé entre Kerleu et moi. Et ce n'était pas les objets qu'il me montrait, mais la mise en pratique de ce que je lui avais appris la dernière fois. Quant à ses manières... Ella, ces gens-là ne font pas partie de notre peuple. C'est normal qu'ils aient des coutumes différentes. Peut-être que leur tribu tient un enfant bruyant pour mal élevé. Et j'imagine qu'à force de vivre seul avec sa mère, il en est venu à se comporter comme s'il était plus âgé.

— Ce n'est pas ça du tout, répliqua Ella avec irritation. Ce garçon n'est pas normal. Il... Bon, il n'est peut-être pas simple d'esprit, mais il n'en est pas loin. Il suffit de voir comment il s'exprime !

— Il ne parle pas notre langue ! rétorqua Heckram, agacé.

— Mais quand il s'adresse à sa mère dans la leur, on dirait qu'il parle tout aussi mal ! Pourquoi te mettre en colère ? Tu réagis comme si je critiquais Lasse ou ta mère ! Ce n'est que le fils de la guérisseuse.

— Parce que... Je ne sais pas. Parce qu'il est différent, je suppose. Comme je l'étais, faute de père pour m'apprendre les talents d'homme. Ma mère chassait, gardait le troupeau, pêchait, tissait, je l'aidais de mon mieux, mais je me faisais toujours du souci sans rien dire. Je n'arrêtais pas de me demander ce que je deviendrais s'il lui arrivait quoi que ce soit. Et j'avais à l'esprit qu'on vivait d'une manière différente de tous nos voisins, pour eux incompréhensible.

Ella avait ralenti à mesure que le rythme des enjambées et des phrases d'Heckram s'accélérait, si bien qu'il la rattrapait. Il serra les dents, gêné d'en avoir tant dit. Fâché, aussi, de ce que le passé n'ait pas été ce qu'il aurait dû. Il ne pouvait pas le refaire ni changer ce qu'il avait vécu. Il ne pouvait modifier que la vie de Kerleu dans le présent. Il jeta un coup d'œil vers sa compagne.

— On ne peut pas discuter avec toi ! lança-t-elle. On ne peut pas te dire un mot sans que tu le prennes pour toi. Il faut donc marcher sur des œufs quand on aborde tes sentiments ? C'est moi qui devrais être blessée. Ce que tu as troqué sans arrière-pensée contre une cuillère tordue, c'est moi qui te l'ai fabriqué. Tu t'en souviens ? Au dernier tri du troupeau, mon couteau a cassé, je t'ai emprunté un des tiens pour marquer un petit, et je l'ai cassé aussi. J'ai dû en fabriquer deux et je t'ai donné le meilleur. Est-ce que je me crois insultée parce ce que tu l'as échangé ? Non. Mais toi, tu prends la mouche quand je me permets une remarque sur un sujet insignifiant. Tu ne ressemblais pas du tout à ce Kerleu. Tu le sais. Moi aussi. J'étais là quand tu étais petit, tu te rappelles ? Tu n'as jamais été aussi bizarre que lui. Tu veux défendre un enfant étranger ? Très bien. Je ne t'en empêcherai pas. Tout ce que j'essaie de dire, c'est qu'il n'est pas normal. Tu t'en rendras compte assez tôt. Comment fait Lasse pour chasser avec toi ? Tu prends toujours tout du mauvais côté !

Les épaules voûtées, il la laissa parler, honteux d'avoir échangé ce bien en oubliant qu'elle lui en avait fait cadeau. Elle avait le droit de se sentir vexée. Mais cela valait mieux, sinon, elle aurait continué à le tancer tel un enfant stupide. Il n'aurait jamais dû l'inviter à l'accompagner chez la guérisseuse. Comme de juste, à vouloir contenter chacun, il avait déçu tout le monde. Sa mère saurait sans doute bientôt à quel point il s'était montré peu sociable.

Il jeta un nouveau regard en coin à la jeune femme. Son nez et ses joues ne rougissaient pas que de froid, il l'aurait parié. Il devait l'avoir offensée, et elle s'en défendait pour l'épargner, lui. Il s'efforça de changer de sujet.

— Comment va le petit renne orphelin que tu nourrissais ?

— Il est mort, laissa-t-elle tomber, glaciale. Depuis un bon mois. Je suis certaine de te l'avoir dit à l'époque.

— C'est vrai. Je m'en souviens. Tu vois, mon esprit bat la campagne, ces temps-ci. J'ai trop de choses en tête, je n'arrive plus à me concentrer, même Lasse me le reproche. J'ai juste...

Soudain, Ella planta ses bâtons dans la neige et s'arrêta. Il l'imita, non sans effort. Puis il la dévisagea, stupéfait. Elle pleurait.

— Je regrette d'avoir oublié, pour le petit, concéda-t-il.

Il se sentait honteux, de nouveau, mais il s'étonnait aussi d'une telle réaction. Un jeune renne avait-il désormais tant d'importance dans la vie d'Ella ?

— Tu es *vraiment* un imbécile. Vous faites bien la paire, ce garçon et toi. Tu ne sais rien de ce qui se passe dans le talvsit. Tu ne penses qu'aux rennes, à la chasse, et à ramener des animaux dont tu pourras entailler l'oreille. Tu sais que Joboam prétend qu'il m'épousera ?

Au bout d'un moment, Heckram referma la bouche avec un claquement de mâchoires, l'esprit en déroute.

— C'est un homme très riche, dit-il à l'adresse d'un sapin tout proche.

— Oui. Et il pue comme une carcasse qu'on aurait oublié de vider, et il a les manières d'un glouton, et je ne voudrais pas de lui quand bien même il serait le fils du maître des hardes. Ce qu'il a l'air de s'imaginer, d'ailleurs, alors que Capiam a un fils appelé à lui succéder. Mais il revient me voir, il revient à la charge, sans cesse, il me suit partout, tel un chien avec une chienne en chaleur. Et il offre à mon père et à ma mère des présents qu'ils ne peuvent pas refuser de peur de l'offenser, des choses dont ils ont besoin et que je suis incapable de leur fournir. Il s'assied près de notre arran jusque tard dans la nuit. Si je sors pour être seule, il est sur mes talons. Si je vais rendre visite à quelqu'un, il tient à m'accompagner. Impossible de l'éviter. Et si je lui dis que je préfère chasser seule, il me piste de loin. Je le sais, même si mon père me croit folle. Il a déjà dit à Capiam que je l'épouserai ce printemps près du

Cataclysme. Je tiens de Marta que Capiam, ravi, prévoit une grande fête avec de nombreux cadeaux pour nous. J'ai l'impression d'être emportée par la rivière sans pouvoir me raccrocher à quoi que ce soit.

— Réponds-lui non, suggéra Heckram d'une voix dure.

Il se sentait suffoquer, tel le saumon que le filet soulève de l'eau bouillonnante. L'insistance de sa mère à le marier ne lui paraissait plus risible du tout. Pourquoi ne lui avait-elle pas parlé sans détour du dilemme d'Ella ? La rage l'envahit. Qui était Joboam, pour que chacun craigne de l'offenser ?

— Je l'ai déjà fait. Il m'a conseillé de réfléchir. Puis il a ri et il a dit à mon père que les jeunes filles ne savent pas ce qui vaut mieux pour elles, mais que, si je réfléchissais, je changerais d'avis. Je ne veux pas le froisser, mais…

— Pourquoi ? voulut savoir Heckram. C'est un homme des hardes comme nous, non ? Il n'a aucun droit de te forcer. Fait-il partie de notre peuple, ou est-ce un sauvage de la forêt obligé de voler une femme ?

— Mais quelle raison lui donner ? Que puis-je lui répondre ?

— « Je ne t'aime pas. Laisse-moi tranquille et va-t'en. »

Il avait parlé sur le ton de la plaisanterie, mais Ella posa sur lui un regard brouillé par les larmes.

— Heckram… les temps ont changé. Tu ne t'en rends pas compte ? Joboam a beaucoup de rennes, et son râtelier ploie sous le poids des fourrures, de la viande et des peaux. Mes parents m'ont eue tard. Ils se font vieux. Il me semble que ma mère est toujours malade, et mon père a la vue… Je ne peux pas chasser et garder un troupeau pour trois. Et puis… Joboam m'effraie. Quand il dit que les jeunes filles ne savent pas ce qui vaut mieux pour elles, son regard est… dangereux. Ce n'est pas comme un homme qui a envie d'une femme, mais comme quelqu'un qui s'apprête à dompter un harke pour qu'il accepte de devenir une bête de bât. Sans se soucier du bien-être de celui-ci, parce que cela n'a aucune importance. Joboam se moque de ce que je préfère. Il est convaincu que je l'épouserai au printemps.

— Pourquoi m'en parler ?

Il regretta aussitôt sa dureté de ton. Ella se détourna et se raidit. Maudissant leur mère respective et leur langue de pipelette, il déplaça ses skis de manière à pouvoir lui poser la main sur l'épaule. Elle fit volte-face et le prit dans ses bras, maladroite. La petite Ella. Encore plus petite que Lasse. L'amie d'enfance. Généreuse, indépendante, solide, talentueuse. Elle était capable de se débrouiller seule, mais cela ne suffisait plus. Sans que ce soit sa faute, elle ne pouvait plus assumer le fardeau de ses responsabilités. Il se rappelait un peu ses deux frères aînés. Ils avaient son âge et mesuraient la même taille qu'Ella. Ils n'avaient pas survécu à l'été de l'épidémie. Maladroit lui aussi, il lui tapota le dos et la sentit frissonner, secouée par un sanglot.

— Tout finira par s'arranger, lui dit-il.

Mais il en doutait. S'il la prenait pour femme, ils se retrouveraient responsables de deux foyers, car sa mère à lui vieillissait – voire de trois. Ils devraient avoir leur tente, leur troupeau de harkar, leurs ustensiles de cuisine, leur literie, leurs pulkors, leur râtelier à viande.

Rageur, il se contraignit de cesser l'énumération.

— Je parlerai à Joboam. Je lui dirai qu'on a un accord, toi et moi. Il cessera de t'importuner.

— Je ne te demande rien !

— Tu n'en as pas besoin. C'est moi qui te demande, non ? De te joindre à moi, précisa-t-il d'une voix douce.

De soulagement, elle se remit à pleurer. Elle pressa son front contre le torse d'Heckram et s'appuya sur lui de tout son poids. Le sommet de sa tête n'atteignait même pas le menton de son compagnon.

— Tu parles si peu. Je commençais à croire que tu t'en fichais, que tu ne dirais jamais rien. Ma mère me répétait de ne pas m'inquiéter, que tu étais comme ton père, timide, mais j'avais peur. Je t'aime, Heckram. Je serai une bonne épouse pour toi.

Gêné par les skis et les épais vêtements d'hiver, il lui caressa maladroitement le dos.

— Tu es une femme pleine de bonté, Ella, dit-il en choisissant ses mots avec soin. Joboam ne te mérite pas.

« Et tu aurais besoin de plus que de compliments pleins de réserve. Mais comment t'offrir davantage ? »

— Je serai un bon époux pour toi, conclut-il.

Le cœur serré, il lui sembla que cette phrase le liait tel un serment.

— Tu viendras dans ma tente, ce soir ?

La question n'avait rien d'inhabituel pour une femme du peuple des rennes. Qu'il y ait ou non du mariage dans l'air, Ella était libre de l'inviter. Ce n'était pas la première fois, d'ailleurs, qu'elle lui laissait entendre qu'il serait le bienvenu. Mais il ressentit la question comme le loup la blessure d'une seconde flèche.

— Non, répliqua-t-il aussitôt. (Il continua d'une voix plus douce :) Nous aurons notre propre tente. Je m'en serai procuré les peaux par le troc et tu les auras cousues. Alors, nous serons ensemble, comme il se doit.

— Tu te souciais moins des convenances, jadis, plaisanta-t-elle sans méchanceté, le visage toujours plaqué contre sa poitrine. La mousse des collines ou l'herbe des clairières, cela t'était égal. Et même dans la neige, une fois. Tu te rappelles ?

Elle leva vers lui des yeux brillants et le défia du regard par jeu, mais il scrutait le ciel qui s'ombrait au-dessus des versants boisés en pinçant les lèvres d'un air résolu.

— Heckram ? murmura-t-elle.

— Bror voulait que je l'aide à fabriquer un pulkor neuf. Je lui ai répondu que la chasse me prenait trop de temps, mais, si j'accepte, il me donnera peut-être des peaux de tente contre ce travail, dit-il en baissant la tête. (Il croisa le regard hésitant qu'elle levait vers lui.) Ne t'en fais pas. Je parviendrai à nous procurer ce qu'il nous faut. Tu ne manqueras de rien.

Dans la nuit qui tombait, il se pencha et l'embrassa avec précaution. Ella passa les bras autour de son cou et pressa son visage contre le sien tandis que leur baiser se réchauffait. Son poids l'entraînait vers le bas, et il sentit son dos se voûter comme sous l'effet d'un fardeau.

Kerleu

LA BOURSE

AINSI TILLU ÉTAIT PARTIE sans lui. Bien. Il s'en fichait. Un chaman n'avait pas besoin de savoir chasser. Il a mieux à faire de son temps. Peu importe s'il n'apprenait jamais. Elle pouvait garder ses secrets, lui avait les siens.

Kerleu s'installa près du foyer et posa soigneusement sa bourse près de lui. Il attisa le feu avec une fine branche de saule. La blancheur du rameau écorcé ressortait sur ses mains marquées de suie. Maintenant l'extrémité dans les braises, il regarda le bois noircir avant de s'enflammer brusquement. Alors, il releva la baguette avec précaution, la tenant comme la longue tige d'une fleur délicate. Un sourire plein d'amour illumina son visage. La flamme était courte et épaisse quand il tenait le bâtonnet immobile, longue et mince s'il l'agitait. Il joua avec elle, immobilisant sa main, puis faisant doucement bouger le rameau. Après un long moment, il se rappela que ce jeu allait au-delà des transformations de la fleur de feu au bout de la baguette. Comme le lui avait enseigné le vieux chaman, il fixa la flamme, yeux grands ouverts exposés à la lumière. Mais il cilla involontairement et sursauta en découvrant fugitivement ce qu'il y avait derrière ses paupières baissées. S'empressant de les refermer, il regarda. De pâles yeux de loup luisaient. Le loup regardait en lui pendant que lui regardait dehors. Le loup le surveillait, venait à sa rencontre ? Avec un délicieux frisson, il ouvrit les yeux à la lumière, accueillant la flamme jaune, brillante et dansante. Il la rapprocha de son visage jusqu'à sentir la chaleur caresser ses lèvres et la contempla droit au cœur.

— Carp ? chuchota-t-il.

En un instant, la flamme avait disparu, ne laissant qu'un filet de fumée. Kerleu soupira.

— Il est toujours fâché après moi...

Il jeta le bâtonnet dans le feu.

— Il est toujours fâché après moi, répéta-t-il avec désarroi. Parce que je suis monté au lieu de descendre.

Il admira le feu un long moment. Son estomac lui semblait lourd, sa gorge serrée l'irritait.

— Mère ! Tillu, je crois que je vais être malade. Tillu !

Puis il se rappela qu'elle n'était pas là. Elle l'avait laissé seul pour aller chasser, et en plus Carp lui en voulait.

Avec un nouveau soupir, il se frotta le visage. Si seulement l'étranger, l'homme à la cuillère, pouvait revenir. Il aimait sa haute taille, et celui-là ne le frappait pas. Non, il lui souriait. En général, ceux qui ne l'agressaient pas ne le regardaient pas non plus. Les lèvres pincées, il se concentra pour dénombrer ceux qui ne le frappaient pas et lui souriaient. Il y avait... l'homme à la cuillère... et Carp. C'était la première fois qu'il les rapprochaient et l'association lui plaisait. L'homme à la cuillère et Carp. Dommage que Tillu ne les aime pas.

Tillu. Le feu. Pris d'une soudaine agitation, Kerleu baissa les yeux. Comme il le craignait, il ne restait que des braises. Il bondit, fonça jusqu'à la pile de bois et en rapporta une brassée, qu'il laissa choir sur les charbons ardents. Le feu grésilla, projetant des escarbilles crépitantes sur la terre nue autour du foyer, puis dans un mélange de vapeur et de fumée, le bois s'enflamma.

La fumée. Si seulement il était descendu au lieu de monter en la suivant. S'il était descendu, il aurait un esprit frère, maintenant. Et Carp serait avec lui, et il serait devenu un chaman puissant. S'il était descendu au lieu de monter, il n'aurait pas à s'occuper du feu. Tous auraient du respect pour lui, comme ils en avaient pour Carp. Ils lui porteraient des langues et des foies, lui offriraient des fourrures douces et des outils neufs. Personne ne le frapperait. Et si jamais quelqu'un s'y risquait ? Ses prunelles jaunes s'étrécirent. Alors, il lui jetterait un sort, détournerait la chance de ses chasses, ferait mourir sa femme en couches, pourrir sa viande, et rendrait ses enfants malades. Oui ! Alors tous sauraient qui était Kerleu le chaman, ils reconnaîtraient son pouvoir et le traiteraient bien. Même sa mère se dépêcherait d'allumer son feu et lui rapporterait ses meilleures prises. Non que ses proies soient de très bonne qualité. Généralement, ça se limitait à un lièvre ou un écureuil, de petits animaux à chair rouge et cuir fin. Kerleu aimait la viande bordée de graisse blanche, de gros morceaux qu'il pouvait saisir fermement entre ses doigts. Il leva les mains, fit le geste d'empoigner une pièce de viande et sourit largement. Quand il serait chaman, il mangerait à satiété et essuierait ses doigts pleins de graisse sur ses cheveux pour les faire briller. Ainsi faisait Carp. Carp. Carp était en colère.

L'idée le refroidit et son sourire disparut. Ses mains retombèrent sur ses genoux et il recommença à fixer le feu. Et s'il essayait de voir Carp dans une flamme au bout d'un rameau de saule… Non, il l'avait déjà fait. Quoi d'autre ?

Il tendit la main pour prendre sa bourse et défit le lien qui la maintenait fermée. Puis il appliqua la bouche et le nez dans l'ouverture et inspira profondément. L'odeur était très agréable, mélange de cuir tanné et des herbes de sa mère. Pendant un instant, il s'amusa à prendre de grandes bouffées du délicieux fumet en regardant le sac s'aplatir. C'était très drôle. Il pouffa dans la bourse ; lorsqu'il riait plus fort à l'air libre, le son était totalement différent. Finalement, quand son estomac finit par lui faire mal à force de rire, il dégagea son nez et sa bouche, et, avec précaution, introduisit la main dans le sac.

Il était essentiel de ne toucher qu'un des objets à la fois, et de les sortir dans le même ordre. Carp l'avait dit. Il sentit d'abord le couteau. Il semblait toujours l'effleurer en premier. C'était le plus gros. Esprit du couteau. Il le sortit lentement.

Il lui plaisait. Il s'agissait d'un très bon couteau. Bien meilleur que celui de sa mère, et il savait qu'elle aurait aimé l'utiliser. Jusqu'alors, personne ne lui avait offert un outil. Quand il avait donné la cuillère porte-bonheur à l'homme, celui-ci avait compris à quel point l'objet était spécial. C'était pourquoi il lui avait fait un aussi beau présent.

Kerleu le fit glisser hors de son étui tissé. Des rennes y étaient gravés. L'un, en pleine course, avait la tête si rejetée en arrière que ses bois touchaient sa croupe. Plus près de la poignée, un autre paissait avec un veau à son côté. Celui-là ne portait pas de bois. Entre les animaux, serpentaient des motifs qui rappelaient à Kerleu les étoiles qu'il avait escaladées. Il tenait particulièrement à ce couteau. Pas seulement parce qu'il recelait l'esprit de la bête que Kerleu avait vue pendant son premier voyage de chaman, mais aussi parce qu'il était fabriqué à partir d'un os de celle-ci. Kerleu le retourna dans sa main et le brandit dans son poing serré. Le couteau avait un esprit qui possédait sa propre puissance. Pour lui témoigner son respect, Kerleu le pointa vers les flammes et chanta longtemps pour lui à voix basse. Puis il le remit dans sa gaine et le posa près de lui.

Se demandant qui serait le suivant, il remit la main dans la bourse. Ses doigts effleurèrent une surface lisse et fraîche. La pierre de sang. Il l'ôta du sac et l'observa en se demandant si elle aussi était toujours en colère après lui. Il la caressa jusqu'à ce qu'elle tiédisse entre ses paumes. Il l'avait retrouvée très froide et très fâchée après que Tillu l'eut jetée dans la neige. Maintenant, elle semblait moins irritée. Il la garda dans ses mains et chanta pour elle. Il s'agissait d'un talisman important, et il n'aimait pas la savoir en colère contre lui. Carp l'appelait la pierre de sang. C'est lui qui avait montré à Kerleu comment la trouver. La première manifestation de son pouvoir. Ce premier jour... Kerleu fronça les sourcils en ramenant le souvenir à sa conscience. Il y avait si longtemps maintenant, et tout ce qui s'était passé avant ce moment semblait comme un long rêve. Carp l'avait éveillé du temps du rêve.

Oui. Carp l'avait tiré du sommeil, mis debout, et obligé à marcher avec lui, même si les jambes de Kerleu étaient aussi arquées que l'extrémité des branches de saule. Aveuglé par la lumière trop brillante du soleil, il n'avait cessé de se toucher le crâne pour s'assurer que sa tête était toujours là – son cou s'était allongé et elle penchait au bout. Mais cela ne l'empêchait pas de se sentir très bien, à l'aise. Et Carp le chaman, cet homme important, le guidait en le tenant par le poignet. Tous deux avaient quitté les tentes pour gagner les collines. Kerleu avait froid et se sentait si léger qu'il avait peur de se faire emporter par le vent. Il s'était demandé où ils allaient.

Puis ils étaient arrivés devant une surface piétinée au flanc de la colline. Carp s'était arrêté devant des baies écrasées éparpillés sur le sol. « Ici, avait-il dit. Cherche ici. »

Kerleu se rappelait s'être accroupi sur ses talons. Il avait failli perdre l'équilibre. Il se demandait ce que le chaman attendait de lui. Carp s'était dressé au-dessus de lui : « Trouve ! » le pressait-il.

À son regard sérieux, Kerleu s'était recroquevillé, de peur de recevoir un coup de pied.

Mais cela ne s'était pas produit et après quelques instants, il avait fait courir ses doigts avec précaution à travers les baies éparpillées. Il ne savait toujours pas ce que voulait le chaman, mais parfois les gens ne frappaient pas si l'on faisait semblant de les comprendre. Il avait laissé les baies couler entre ses doigts comme à travers un tamis, lorgnant Carp du coin de l'œil derrière l'écran de ses cils pour voir si ça lui plaisait. Était-ce ce qu'il attendait de lui ? Mais le vieil homme se contentait de l'observer.

Kerleu avait fait traîner le bout de ses doigts sur la mousse et les feuilles qui recouvraient le sol. Il avait ramassé quelques éléments au hasard et les avait examinés avec application, puis avait encore guetté la réaction de Carp. Était-il satisfait ? Mais son expression n'avait pas varié. Il attendait sans bouger. Kerleu commençait à se sentir nauséeux, pris de vertige, mais n'osait pas se plaindre. Tillu était loin, partie chercher de l'eau, se souvint-il brusquement. Carp était venu chercher Kerleu en son absence. Si le chaman décidait de le frapper à coups de pied et de poing, rien ni personne ne l'en empêcherait. Sa lèvre inférieure s'avança et il commença à trembler. Le sol nu qu'il grattait de ses ongles courts lui apparaissait à travers un rideau de larmes.

À cet instant, il s'était senti très malade. La terre ne cessait de s'éloigner et de se rapprocher. Un de ses ongles accrocha quelque chose et se retourna. Son exclamation de douleur provoqua un hoquet d'intérêt chez Carp, qui s'accroupit près de lui, couvant d'un regard avide ses doigts en train d'extirper la pierre du sol. Puis Kerleu l'avait levée à hauteur de son visage pour la scruter avec attention. Une de ses larmes tomba sur la surface terreuse et fit apparaître une trace rouge.

« Ah ! s'exclama Carp.

— C'est ça ? » avait demandé Kerleu en lui offrant la pierre.

Peut-être la prendrait-il et le laisserait-il tranquille ? Ainsi il pourrait retourner sous la tente. Et sa mère l'envelopperait dans une confortable fourrure tiède, et lui ferait une bonne soupe salée, bien chaude. Il l'espérait.

C'est alors que Carp lui avait sauté dessus et l'avait saisi dans ses bras pour le serrer contre son corps noueux. Kerleu en eut le souffle coupé ; ses poumons en manque d'air ne lui permettaient pas de crier, et il craignait de mourir sur-le-champ. Mais cet homme-là ne le secouait pas, ne le pinçait pas, ne l'envoyait pas rouler à terre. Il se contentait de le tenir en murmurant des félicitations, puis l'aida à se redresser et à regagner sa tente. Enfin, il avait pris le bol de bouillon salé préparé par Tillu pour nourrir Kerleu et était resté auprès de lui jusqu'à ce qu'il s'endorme, le poing refermé autour de la pierre rouge.

Kerleu posa l'objet avec révérence. Le couteau et la pierre de sang. Ses deux talismans les plus importants. Ils semblaient toujours arriver ensemble. Est-ce que le couteau appelait le sang ? Il secoua la tête avec perplexité. Si seulement Carp était là pour l'aider. Il glissa une nouvelle fois sa main dans la bourse. Elle ne contenait plus grand-chose. D'ailleurs, il n'était pas certain du pouvoir que détenaient le reste des objets. Il les avait ramassés parce qu'il s'était senti attiré par chacun et les avait glissés dans son sac car il ne supportait pas l'idée de les abandonner. Ils constituaient ses seuls biens et il ne s'en séparerait pas volontiers.

La patte racornie d'un lagopède qu'il avait trouvée au milieu d'une grande tache de neige souillée de sang, au milieu de quelques plumes, seuls restes du festin d'un renard. Il aimait la manière dont les doigts s'étaient étroitement refermés. Un poing d'oiseau. En même temps, les plumes étaient restées douces. Il caressa la patte avec respect et la posa près des autres trésors.

La main dans la bourse. Une dent de glouton. Tillu serait fâchée si elle savait. Elle lui avait dit de ne pas toucher au cadavre de la bête quand ils l'avaient découvert parmi les racines d'un arbre non loin d'un ruisseau. Elle avait dit qu'il s'était noyé. Dans ce cas, pourquoi n'était-il pas toujours dans l'eau, lui avait-il demandé. Et elle avait répondu que le courant avait emporté l'animal plus haut et l'avait déposé là. Après réflexion, il s'était de nouveau enquis pourquoi, alors, la bête n'était pas dans l'eau ? Mais sa mère n'avait fait que répéter sa première réponse. Le responsable était peut-être l'esprit de l'eau. Suffisamment fort pour tuer un glouton. Tillu avait dû craindre de l'irriter si elle touchait sa proie. Ou encore, elle ne voulait pas qu'il prenne la dent. Mais pendant la nuit, il s'était glissé près du ruisseau et l'avait dérobée. Mort ou vif, le glouton était un esprit farouche. Posséder sa dent donnerait peut-être à Kerleu du pouvoir sur lui. Il la caressa du pouce et la posa à côté de la patte d'oiseau.

Maintenant, la bourse était très légère. Il essaya de retrouver ce qu'elle contenait encore. Mais il y avait vraiment trop de choses. Il détailla attentivement ce qu'il avait déjà sorti. Le couteau, la pierre, la patte, et la dent et la patte, et la pierre. Plus qu'il ne pouvait compter. Et il restait encore des objets dans sa bourse. Quelque chose de doux. Il sortit une boule de poils qui avait été une queue de lièvre. Un gibier rapporté par Tillu.

Il s'en caressa doucement le visage, sentant le petit grattement du coccyx toujours à l'intérieur de la touffe de fourrure. La portant à son nez, il renifla l'odeur du lièvre, la fit de nouveau légèrement courir sur ses joues, puis la posa avec réticence. L'aimant beaucoup, il espérait qu'elle avait du pouvoir.

Il glissa la main à l'intérieur de la bourse et fit courir ses doigts le long des coutures en prenant mille précautions. Restait-il quelque chose ? Oui !

L'objet était logé au plus profond du sac. Il le libéra en douceur en se demandant ce que ça pouvait bien être. Quand il le fit émerger dans la lumière, il le reconnut.

Le nid de chouette était coincé au sommet d'une souche de vieux saule de l'autre côté du vallon. Kerleu avait grimpé le versant opposé un jour où Tillu était à la chasse. Le nid contenait les restes d'un oisillon. Les plumes et les pelotes trouvées alentour lui avaient appris qu'il s'agissait d'une chouette. Le petit crâne dépourvu de bec l'avait effrayé et troublé. Celui des hommes ne différait guère. Il avait tout laissé tel quel, trop impressionné pour y toucher. Mais l'objet l'attirait, et finalement, il avait escaladé la souche et s'était emparé de sa découverte. Les orbites avaient contenu des yeux. Elles étaient vides maintenant, hormis quelques lambeaux de chair desséchée. Ici c'était la place du bec ? Où était-il passé ? Peut-être n'y avait-il jamais vraiment eu une chouette ? Un étrange frisson parcourut le corps de Kerleu, qui faillit laisser choir sa prise. En tremblant, il se hâta de placer avec soin son trophée avec ses autres possessions. Le pouvoir de celui-là n'avait pas été mis en doute. Le nid le remplissait toujours d'appréhension.

Il fit courir son regard sur ses talismans, se laissa imprégner de leur merveilleuse aura jusqu'à ce que les poils de sa nuque se hérissent et que ses bras picotent. Un message lui était adressé : Carp lui avait dit qu'un chaman pouvait beaucoup apprendre simplement en étalant le contenu de sa bourse. Kerleu détailla une fois encore ses trésors. Le couteau, la pierre de sang, le crâne. La patte d'oiseau, la queue de lièvre, la pierre de sang. Son esprit était sur le point de tout savoir, tout comprendre. Il existait une signification dans cette disposition. Le couteau voulait que quelque chose se passe, quelque chose de sanglant. Et la griffe de lagopède...

À peine échafaudées, ses idées se dissolvaient. Il avait

froid, fixant le déploiement d'objets devant le feu mourant. Tillu serait très fâchée s'il le laissait encore s'éteindre. Et il devrait attendre pour manger. Il remit hâtivement tout en place dans sa bourse, qui alla rejoindre sa cachette creuse sous sa couche.

Il préleva une grosse brassée de bois de la pile entassée près de l'entrée de la terre, et la posa sur les cendres et les charbons ardents. Le combustible siffla en dégageant de la vapeur, et un tourbillon de fumée irritante envahit l'espace, avant de s'évacuer en tournoyant par le haut. La fumée. Carp était-il encore en colère ? Kerleu eut soudain une idée. Il prit le couteau, et sortit à la recherche d'une bonne baguette de saule à couper et écorcer. La colère de Carp s'était peut-être calmée. Cette fois, il consentirait peut-être à lui parler.

IX

TOUT AVAIT COMMENCÉ comme un voyage sans but, une longue marche à une allure assez soutenue pour le faire souffler, un filet de sueur ruisselant le long de sa nuque. Maintenant, Heckram se tenait sur la colline qui surplombait la tente et observait le val. Il se demandait s'il s'était dépêché pour arriver ici ou pour fuir le talvsit.

La question l'irrita, et il jeta un regard fulminant à l'abri précaire, comme s'il était à blâmer. La guérisseuse aurait dû l'installer de manière à ne pas présenter l'entrée au vent dominant, et stocker son bois à l'arrière pour éviter l'accumulation de la neige sur le combustible. Et aussi assouplir les coutures avec de la graisse pour resserrer le laçage. Ce n'était probablement pas le genre de choses auxquelles elle pensait. Il y avait tant de manières de se faciliter la vie. Des actions simples, faciles. En revanche, il ne comprenait pas d'où lui venait cette irritation en constatant ce qu'il y avait à faire. Et qui ne serait pas fait.

Il commença à descendre le versant. À chaque pas, ses bottes faisaient craquer la couche de neige. Ils n'étaient probablement même pas là, et dans le cas contraire, quelle excuse trouverait-il pour expliquer sa visite ?

— Pour leur annoncer la nouvelle, murmura-il. Pour lui apprendre qu'Ella et moi allons nous unir.

C'était une joie qu'un homme devait partager, n'est-ce pas ? Après tout, le talvsit entier était déjà en pleine effervescence. En le croisant, chacun hochait la tête avec un sourire, dans le secret de sa future union, et s'arrêtait pour discuter des détails : du moment de la fête, de l'emplacement de la hutte, de sa fierté d'avoir une femme aussi robuste et en bonne santé, du bonheur que devrait lui apporter la fin de sa solitude. Bientôt, il n'aurait plus à chasser, à passer ses soirées ou à dormir seul. Bientôt, Ella serait avec lui pour toujours et partagerait chaque instant de sa vie. Il prit une profonde inspiration, comme s'il était sur le point de se noyer.

— Kerleu !

Le garçon venait de passer la tête par l'ouverture de la tente. Il lui adressa un large sourire, propre à combler les aspirations de n'importe quel visiteur.

— Rentre ! cria-il d'une voix que l'excitation faisait déraper dans les aigus. Viens me rendre visite !

Il ouvrit largement le rabat à l'approche d'Heckram et recula à peine pour le laisser entrer. Ses doigts couraient avec fébrilité le long de la manche de l'homme, esquivant à peine le contact établi, tel un chiot timide qui renifle un nouveau venu. Avec un grand sourire, Heckram lui posa la main sur l'épaule et la pressa fermement. Le visage de Kerleu exprimait toujours un bonheur éclatant, et il ne chercha pas à se dégager.

— C'est le salut d'un homme pour accueillir un autre, dit-il soudain à sa manière étrange mais compréhensible.

Sa petite main frêle alla tapoter l'épaule d'Heckram.

— Bienvenue sous ma tente ! dit-il solennellement en désignant le feu d'un geste d'invite.

— Je te remercie de m'offrir un abri, répondit Heckram avec le sérieux qui convenait à la circonstance, sachant combien c'était important pour le garçon.

Il se souvenait de ce malaise informe qui accompagnait un certain moment de l'enfance, ce besoin d'être considéré comme un homme parmi ses pairs après avoir été trop longtemps « le fils de Ristin ». Sans aucun doute, Kerleu était las d'être « le fils de la guérisseuse ». Heckram enleva son capuchon et ses moufles, se rapprocha du feu et s'assit.

Kerleu fit le tour du foyer pour s'installer en face de lui. Son sourire s'était fait un peu incertain, et le silence menaçait de devenir inconfortable. Il ne savait pas comment se comporter seul avec les gens, comprit Heckram. Il ne possédait aucune notion de la manière de s'adresser à quelqu'un. Les relations avec autrui étaient l'affaire de sa mère. Le sourire de Kerleu devenait désespéré.

Heckram vint à son secours et prit la parole, lançant le premier sujet qui lui venait à l'esprit.

— Je me suis dit que je pourrais passer vous voir aujourd'hui pour prendre des nouvelles de ta mère et de toi.

— Je vais bien. J'entretiens le feu. Parfois, je fais une cuillère.

Kerleu se tut, cherchant d'autres idées.

— Et Tillu, comment va-t-elle ? demanda charitablement Heckram.

— Bien. Elle va bien. Mais elle n'est pas là.

Kerleu se tut brusquement, avec une étrange expression.

— Ah ? dit Heckram en essayant de l'encourager, tout en s'interrogeant sur la nature du problème.

Kerleu fixa d'abord le feu, puis son regard erra dans les coins d'ombre de la tente.

— Elle est partie chasser pour nous rapporter de la viande.

— Oh, répéta Heckram.

— Je m'occupe du feu. Si j'était parti aussi, il risquerait de s'éteindre. Ou quelque chose de mal pourrait arriver par ici.

Le garçon semblait sur le point de fondre en larmes. La situation s'éclaira brusquement pour Heckram. Il s'accroupit sur ses talons, hésita une fraction de seconde et ouvrit la bouche :

— Je me demande qui ramènera les meilleures proies, dit-il lentement d'un ton détaché. Tillu ou... nous.

Il avait terminé sa phrase dans un sourire plein de malice et en comprenant ce qu'il impliquait, Kerleu avait ouvert de grands yeux. Il prit deux longues inspirations avant de pouvoir répondre.

— Toi et moi ? Nous allons chasser ?

Heckram acquiesça. L'enthousiasme du garçon avait chassé ses dernières hésitations. Il se félicita de l'habitude qui l'avait poussé à emporter son arc ce matin, que Kerleu ne quittait pas des yeux.

— Prends ton arc, et habille-toi chaudement.

Le visage du garçon s'assombrit immédiatement.

— Ce n'est pas un bon jour pour chasser, dit-il soudain en s'adressant aux bottes d'Heckram. Nous ne pourrons rien attraper. Et j'ai du travail. Le feu. Et je dois aussi fabriquer une cuillère.

Il semblait pousser les mots hors de sa gorge un par un. Heckram se souvint de la maladresse avec laquelle Kerleu avait manipulé le couteau de sa mère, qui avait dû lui sortir des racloirs pour qu'il puisse sculpter. Son cœur se serra. Ils étaient peut-être pauvres, mais un gamin de l'âge de Kerleu n'avait pas à subir pareille humiliation. Pas étonnant qu'il tente si désespérément de prouver sa virilité. Sa mère était-elle aveugle ?

— Tu pourrais apprendre avec le mien pour l'instant, suggéra-t-il tranquillement. Nous t'en fabriquerons un plus tard.

Il avait essayé de trouver la meilleure façon de formuler sa proposition sans aggraver la situation. Kerleu sembla se tasser un peu plus et resta immobile, le regard rivé sur le feu.

— Si jamais tu as besoin de ma vie, elle est à toi, dit-il d'une petite voix.

Il leva ses yeux pâles vers Heckram. Celui-ci hocha la tête, sachant que l'offre était sincère. C'était là tout ce que Kerleu avait à lui donner.

— Alors, allons-y, dit-il.

Kerleu, semblant revenir brusquement à la vie, saisit ses bottes.

— Habille-toi chaudement, lui rappela Heckram. Nous partons pour la journée. Je chargerai le feu pour qu'il ne s'éteigne pas.

— Ça ne fait rien ! lança joyeusement le garçon. S'il s'éteint, j'en ferai un autre. Un jour, je te montrerai.

L'éclat du soleil sur la neige paraissait plus brillant que ne s'en souvenait Heckram, l'air plus vif, le ciel plus bleu.

Entre la fougue et l'inexpérience, Kerleu se montrait souvent maladroit, mais Heckram était étonné par sa propre patience. Il avait trouvé un bon affût au-dessus d'une piste de gibier, et attendre un lièvre devint plus passionnant que toutes les traques de rennes de l'hiver en compagnie de Lasse. L'arc était bien trop puissant pour le garçon ; Heckram devait l'aider à bander et à stabiliser l'arme. Les flèches empennées et brillamment colorées avaient arraché des cris de ravissement à Kerleu, qui les avait examinées une par une dans le carquois avant de choisir celle qu'il allait encocher. Heckram avait béni l'esprit qui avait inspiré au gibier tant de déplacements propices. Des sept lièvres qui passèrent à leur portée, ils en abattirent trois, puis s'amusèrent beaucoup à retrouver les flèches qui s'étaient égarées dans les bois.

Ils parlaient peu, de peur d'effrayer le gibier. Leur mode de communication, fait de coups de coude et de hochements de tête, atténuait les difficultés de Kerleu à s'exprimer. Heckram l'avait laissé aller récupérer le premier lièvre. Il avait empoigné le solide projectile en os de renne qui avait transpercé la bête de part en part. Quand il s'était relevé, ses épaules s'étaient redressées et il paraissait plus grand, comme si son corps s'était épanoui à la lumière. Il relevait le menton, une lueur nouvelle dans le regard.

— Bientôt, Tillu le saura ! se contenta-t-il de dire.

Puis il revint vers l'affût pour attendre le prochain passage ; le sourire n'avait plus quitté son visage.

Le soleil était bas sur l'horizon avant qu'ils ne soient las de leur chasse, et ils rentrèrent au crépuscule, la main d'Heckram posé sur l'épaule de Kerleu. Le garçon serrait trois lièvres contre son cœur. Ils échangeaient peu de phrases, trop occupés, tous deux, à imaginer les réactions de Tillu devant un tel festin.

— Ils sont lourds, ce sont des lièvres, dit une fois Kerleu. Très, très lourds.

Heckram savait pertinemment qu'il n'était pas question de lui proposer de les porter.

Le vent se levait lorsqu'ils franchirent la dernière colline, et la voix de Tillu leur parvint comme un hurlement de louve.

— Kerleu !

Elle étirait le nom en le jetant au vent, son désespoir chevauchait l'haleine sombre de la nuit. La souffrance qui vibrait dans ce cri pénétra Heckram jusqu'à l'âme ; c'était la voix d'une femme qui avait tout perdu.

— Nous sommes là ! Nous arrivons ! rugit-il vers la nuit.

Il hâta le pas, poussant le fils de Tillu devant lui.

Ils émergèrent de l'obscurité et elle fixa la grande silhouette qui marchait près de son fils. Submergée par le soulagement, elle se précipita à leur rencontre et prit Kerleu dans ses bras avec un cri de joie. Il se dégagea de son étreinte en poussant une exclamation embarrassée. Elle ne remarqua même pas les lièvres dans ses bras.

— Où étais-tu ? (Puis, se tournant vers Heckram :) Où l'as-tu trouvé ?

Elle regarda de nouveau son fils, et ne vit que son large sourire, qui contrastait si brutalement avec toute la peur et l'angoisse qu'elle venait d'endurer. La colère l'envahit. Non seulement il était parti vagabonder seul, mais encore Heckram avait dû interrompre sa chasse pour le ramener.

— Pourquoi es-tu parti comme ça ? Crois-tu que je n'ai rien d'autre à faire que m'inquiéter pour toi ? Et Heckram, penses-tu qu'il peut ainsi s'occuper de toi ? Tu sais que tu ne dois pas quitter la tente quand je suis absente ! Et si Heckram ne t'avait pas trouvé pour te reconduire ?

Le sentiment de triomphe de Kerleu se dilua dans l'humiliation. Il restait muet à regarder enfler la colère de sa mère, ses lièvres inutiles serrés contre la poitrine. Heckram lui posa la main sur l'épaule, soudainement voûtée, et la serra amicalement.

— Nous sommes partis à la chasse, dit-il à Tillu, étonné d'entendre tant de défi dans sa propre voix.

— J'imaginais que tu aurais pu demander la permission avant d'emmener mon fils hors de ma tente, répliqua-t-elle. Tu ne m'as rien laissé, aucun signe ! Je l'ai cherché et appelé jusqu'à perdre ma voix ! Tu n'avais aucun droit d'agir de la sorte.

— Mais Kerleu voulait m'accompagner, se défendit Heckram.

Malgré leur accent singulier, les paroles de Tillu lui étaient plus compréhensibles que jamais.

— Et il a bien chassé, ajouta-t-il.

— Il n'est pas assez vieux pour décider lui-même de ce genre de choses. Est-ce votre coutume d'enlever un enfant sans prévenir sa mère ?

— Est-ce la coutume, chez toi, pour une mère, d'humilier son fils devant son ami, au lieu de se réjouir de ses premières prises ? Le garçon s'est bien débrouillé ! Il est temps qu'il apprenne à chasser !

— Ce n'est pas à toi d'en décider ! Tu ne connais pas Kerleu, il n'est pas comme les autres ! Il est...

— Parti, fit remarquer Heckram.

C'était vrai. Kerleu avait laissé tomber les lièvres en un petit tas pathétique aux pieds de sa mère et avait disparu dans la tente. Tillu les contempla silencieusement pendant un long moment. L'embarras lui mettait le feu aux joues. Comment avait-elle pu se quereller avec un étranger à propos de son fils, et admettre que Kerleu avait besoin d'une surveillance constante ? Comment osait-il les prendre en pitié et défendre son fils contre elle ? Elle jeta un regard furieux au gibier rapporté.

— Tu n'as pas à chasser pour nous, énonça-t-elle froidement. Je peux nous procurer la viande qui nous est nécessaire. Et aussi m'occuper de mon fils. Alors, prends les lièvres et va-t'en.

— Ce ne sont pas les miens ! (Heckram mourait d'envie de la secouer, et cette pulsion transparaissait dans sa voix.) Kerleu les a tués. Tous. Pour te faire plaisir. Pour être un homme. Pourquoi le traites-tu si mal ? Pourquoi n'a-t-il pas un arc, pourquoi fais-tu comme s'il était toujours un bébé ? Ne veux-tu pas qu'il devienne un homme ?

Tillu se laissa tomber lentement à genoux, s'effondrant presque dans la neige. Elle posa ses moufles sur la fourrure douce des lièvres.

— Il les a vraiment tués ?

Une certaine incrédulité se faisait encore entendre dans sa voix. Heckram hocha la tête en silence.

— Mon fils peut chasser.

Elle avait parlé à haute voix, mais il savait que ces paroles chargées d'émerveillement et de gratitude ne lui étaient pas destinées. Tillu leva la tête vers lui, les yeux brillants de larmes.

— Ses premières prises...

Elle s'arrêta net et son visage s'assombrit au souvenir de son attitude précédente.

— J'étais tellement inquiète. J'avais tellement peur... Je suis désolée.

Il secoua la tête, refusant ses excuses.

— C'est à Kerleu qu'il faut dire ça. Moi, je devrais t'avouer que je suis navré de l'avoir emmené ainsi. Je n'avais pas l'intention de faire du mal.

Maintenant que leur dispute tirait à sa fin, Heckram était un peu décontenancé en repensant aux paroles trop franches qu'il avait prononcées plus tôt. Qui était-il pour s'interposer entre Tillu et son fils ?

— Je devrais rentrer au talvsit. Il se fait tard.

— Non !

La véhémence de Tillu le surprit. Elle rassembla les lièvres, les serrant contre elle comme des bébés, du même geste que Kerleu.

— S'il te plaît, continua-t-elle d'une voix plus douce. J'ai tout gâché pour Kerleu. Alors reste pour me voir dépouiller ses prises. Dîne avec nous. Célèbre avec lui sa première chasse.

— N'importe quelle mère se serait inquiétée. J'ai été stupide de ne pas te laisser le moindre signe. (Son comportement semblait soudain condamnable à Heckram.) J'aurais vraiment dû t'en parler d'abord.

— Non, non. Je me dis toujours, si seulement le garçon voulait faire quelque chose de lui-même, si seulement il pouvait décider par lui-même, alors il y aurait un peu d'espoir pour lui. Et puis, la première fois qu'il s'y met, je lui fais des reproches et je l'humilie. J'ai tout gâché.

Pourquoi fallait-il avoir de l'espoir pour Kerleu ? Heckram ne comprenait pas l'angoisse de Tillu. Comment voulait-elle que le garçon apprenne si personne ne lui enseignait ? Comment pouvait-elle l'aimer autant et le comprendre si peu ?

— Et comment s'est passée ta propre chasse ? demanda-t-il à haute voix.

— Un couple de lagopèdes, répondit-elle en haussant les épaules.

— Seulement deux ?

Elle acquiesça avec perplexité.

— Alors, tout peut encore s'arranger, assura-t-il avant d'élever la voix. Kerleu ! Sors de là et viens nous donner un coup de main. C'est exactement comme je te l'avais dit ! Tous les deux, nous avons mieux chassé que Tillu. Tu as fait trois prises et elle seulement deux ! Kerleu ! Dépêche-toi ! Tu ne crois tout de même pas que je vais porter ces lièvres tout seul ?

L'attitude hésitante du garçon faisait peine à voir. Il avançait avec prudence, les épaules voûtées, comme s'il les craignait l'un autant que l'autre. Il attendit que sa mère s'écarte pour oser se rapprocher d'Heckram. Les trophées étaient allongés dans la neige, là où Tillu les avait disposés. Le regard de Kerleu fixa d'abord le gibier, puis Heckram, et enfin Tillu.

— Ce sont de très belles prises, dit-elle d'une voix douce.

Il se contenta de la regarder sans répondre. Elle se tourna un bref instant vers Heckram et revint vers son fils.

— Elles sont bien meilleures que les miennes. Je n'ai eu que deux oiseaux décharnés. Mais toi, tu as rapporté toute cette viande le jour de ta première chasse. (Elle se redressa brusquement comme si elle bravait la nuit.) As-tu vu quel bon chasseur est mon fils ? s'exclama-t-elle en s'adressant à Heckram, avec une fierté sincère.

— Bientôt, ce ne seront plus des lièvres qu'il attrapera, mais des rennes. La graisse crépitera au-dessus du feu et toute la tente sera embaumée par sa riche odeur.

Un peu de fierté parut revenir à Kerleu. Il ramassa lentement ses proies et les souleva dans ses bras.

— Viens dans notre tente, dit-il solennellement à Heckram. Ma mère va cuire mes prises et nous, les chasseurs, nous mangerons bien cette nuit.

Kerleu ouvrit la marche et Heckram le suivit jusqu'à la tente. Il dut se baisser pour y pénétrer et le feu alluma un reflet de bronze dans ses cheveux sombres. Le rabat retomba derrière eux, et Tillu demeura seule dans l'obscurité. Était-ce bien son fils, ce garçon qui parlait si clairement et se tenait presque droit ? Avait-il réellement tué ces lièvres ou simplement partagé la chasse d'Heckram ? Elle secoua la tête, et la question sembla perdre de son importance quand surgit la suivante. Pourquoi Heckram l'avait-il emmené chasser, puis défendu contre son propre jugement hâtif ? Sans compter qu'il avait sauvé le triomphe de Kerleu en réparant l'humiliation inconsidérée qu'elle lui avait infligée.

Leurs voix mêlées parvenaient jusqu'à elle. Celle de Kerleu, plus aiguë, répondait à quelque chose que venait de dire l'homme, puis tous deux éclatèrent de rire. « Je pourrais partir, maintenant, se dit-elle. Je pourrais partir et lui laisser mon fils, et il serait parfait pour lui. Je ne pouvais pas laisser Carp le prendre, mais je pourrais le donner à cet Heckram sans avoir à le regretter ».

Le pan de cuir se souleva, laissant passer la lumière.

— Dépêche-toi de venir, s'impatienta Kerleu. Viens partager ma viande et les nouvelles d'Heckram. Il va bientôt prendre une femme, cette Ella. Il a de la chance, non ?

Il rentra la tête sans attendre sa réponse.

— Elle a de la chance, non ? murmura Tillu.

Sa dernière réplique lui fit froncer les sourcils. Puis elle retourna à la tente qu'elle partageait avec son fils.

X

— Mère ?

Ristin préparait une peau pour le laçage en y perçant des trous à intervalles réguliers. Elle leva la tête en sursautant, touchée par le chagrin que trahissait la voix de son fils. Il bloquait en partie la lumière en s'encadrant dans l'entrée de la hutte de tourbe, mais les rayons qui passaient autour de sa silhouette étaient aveuglants. Elle cligna des yeux pour se protéger de l'éclat, et il entra, laissant retomber le pan de cuir qui fermait l'ouverture. Il semblait anéanti. En cet instant, elle sut quelle allure aurait son cadavre. Cette vision la terrifia.

Elle essaya de masquer ses craintes.

— Voilà une bien triste mine pour un homme dont la fête de fiançailles va se dérouler dans cinq nuits. (Elle tapota la peau jetée sur ses genoux.) J'ai bientôt terminé les trous. Ella a déjà préparé les tendons pour le laçage. Si tu prends le temps de couper et de tailler les perches, cette tente pourrait être prête à la tombée de la nuit. Aurais-tu des arrière-pensées ?

Comme s'il avait eu quelque pensée à propos de cette union… Il esquissa un faible sourire.

— Au contraire. Je viens de décider de sacrifier mon

meilleur harke pour l'occasion. Tu veux bien m'aider à le dépecer ?

Elle le fixa avec consternation. Sachant à quel point il rechignait à abattre une de ses bêtes, elle ne pouvait comprendre qu'il ait choisi le plus beau de ses mâles.

— Mais je croyais que tu avais décidé de chasser pour la viande...

— C'est vrai, mais quelque chose m'a épargné cette peine. C'est Bruk. Il doit être abattu. J'ai besoin d'un peu d'aide.

Ristin se leva brusquement, sans se préoccuper de l'alêne d'os et du pesant pan de cuir qui glissaient de son giron. Sans rien ajouter, elle le suivit hors de leur hutte, vers l'endroit où leurs harkar de pulkor étaient entravés. Le soleil allumait des étincelles sur la neige, mais l'air était froid. Ristin enroula les bras autour de son corps, regrettant de ne pas avoir pris le temps d'enfiler sa tunique d'extérieur. Certes, l'hiver tirait à sa fin et la lumière durait plus longtemps chaque jour, mais le véritable dégel printanier n'avait pas encore commencé. Elle se hâtait pour suivre les longues enjambées de son fils, tendant l'oreille pour saisir ce qu'il marmonnait.

— J'allais harnacher Bruk et aller en pulkor chez la guérisseuse pour l'inviter avec son garçon à la fête des fiançailles. Mais quand je suis arrivé ici...

Il se contenta de lever le bras.

Les deux harkar de Ristin déambulaient à la lisière de forêt, occupés à gratter la neige pour découvrir le lichen. Leurs autres animaux paissaient avec le grand troupeau plus haut dans les collines. Ils avaient gardé ces harkar de trait et Bruk plus près de la hutte pour des questions pratiques. Le mâle était un animal en pleine force de l'âge, qui pesait deux fois plus que son grand fils, même si ses épaules arrivaient à hauteur de la poitrine de l'homme. Il avait le poil lisse, les muscles roulaient à son cou et ses hanches. Il était capable de porter son propre poids ou de tirer un traîneau chargé toute la journée sans fléchir. Hall l'avait dressé au harnais deux ans plus tôt, quand il n'était qu'un trois ans fougueux. Maintenant, c'était un animal aussi affectueux et docile qu'un éleveur pouvait le souhaiter, solide et robuste. Il avait une longue existence d'utilité devant lui. Ristin ne pouvait pas songer à un bien auquel son fils tenait plus qu'à Bruk.

Mais le harke ne paissait pas avec les autres. Pour l'instant, il se reposait, mais ses flancs se soulevaient comme s'il avait couru toute la nuit. Puis, sous les yeux horrifiés de Ristin, il se souleva sur ses membres antérieurs. Haletant, grognant, il se débattait pour se relever. Son arrière-train demeurait immobile, cloué sans force sur le manteau neigeux. À bout de forces, Bruk se laissa retomber sur la neige piétinée, exprimant toute sa détresse par des meuglements rauques.

— Qu'est-ce qu'il a ? demanda Ristin.

Craignant une nouvelle maladie, elle resta à distance.

— Les tendons de ses jarrets ont été sectionnés. C'est arrivé cette nuit.

La voix d'Heckram était soigneusement mesurée, mais Ristin sentait l'effort que cela lui coûtait. Bruk représentait plusieurs années de travail, c'était le meilleur harke de son fils. Maintenant, il n'avait plus que sa chair à leur offrir. C'était un rude coup pour un homme qui envisageait de se marier. Et un accident inconcevable.

— Mais comment ? demanda Ristin. (Sa voix enflait avec son indignation.) Aucun glouton ne tue de cette façon. Un ours l'aurait déchiqueté. Il peut arriver qu'un loup tranche les jarrets d'un renne sauvage. Mais n'importe quel prédateur l'aurait tué et l'aurait dévoré avant de partir. Et nous n'avons rien entendu la nuit dernière.

— Bruk était habitué aux hommes. Il s'est contenté, certainement, de rester sans bouger en attendant d'être harnaché.

Tout en parlant, Heckram s'était rapproché de l'animal en pleine panique et avait posé la main sur son épaule. Bruk tourna vers lui ses yeux pleins d'incompréhension.

— Du calme, mon vieux.

Le renne, épuisé, laissa retomber sa tête. Heckram se rapprocha et le flatta en murmurant des paroles apaisantes. Quelques secondes plus tard, il plongea son couteau jusqu'au cœur d'un coup preste et assuré, puis tourna la lame d'un geste adroit et la laissa en place. Bruk poussa un mugissement surpris, puis retomba lentement sur la neige piétinée. Peu de sang s'échappa de la blessure. Parmi les éleveurs, c'était la manière traditionnelle d'abattre les animaux de boucherie. Le sang s'accumulait dans la cavité de la poitrine et finissait par s'y congeler. Il serait ensuite recueilli par les bouchers à l'aide de petites pelles de bouleau pour en faire du boudin.

Ristin avait assisté à de nombreux abattages sans en être particulièrement émue, mais elle tressaillit quand l'arme frappa. Et c'est en silence qu'elle regarda frémir les épaules puissantes de Bruk, traversées par un ultime frisson.

— Qui est capable de faire une chose pareille ? se demanda-t-elle d'une voix étranglée. L'as-tu fait savoir à Capiam ? Il devrait venir voir ça avant que nous commencions à dépecer, venir constater que nous disons la vérité. Celui qui a fait cela doit être conduit devant le maître des hardes !

— Non.

La voix d'Heckram était douce mais ferme. Il s'agenouilla dans la neige près de la bête étendue. Le manche de son couteau saillait du poitrail, mais il caressait le flanc du renne comme si son contact pouvait encore réconforter l'animal.

— Non. Je n'en ai parlé qu'à toi. Et les choses n'iront pas plus loin. Voyons, mère, Capiam nous a-t-il adressé ses félicitations pour mon mariage ? A-t-il envoyé une offrande de nourriture, ou promis quelque chose pour la fête ? Qui l'a fait ? La grand-mère de Lasse, bien sûr. Rilk, Reynor, Trode et Lanta, Jakke. Ibb et Bror. Tous sont des gens qui vivent aussi chichement que nous. Ceux qui en possèdent le moins ont offert le plus. Et ceux qui se vautrent dans la nourriture, et nourrissent leurs chiens mieux que nos enfants ? Ils n'ont rien envoyé, pas un mot, pas un cadeau, pas un signe.

« Alors, devrais-je leur donner la satisfaction de me regarder courir vers Capiam, en me lamentant sur la perte d'un animal et pleurant pour demander justice ? Non. Il n'y en aurait pas, seulement la satisfaction de celui qui a fait ça. Il saurait ainsi combien son coup a porté. Donc, nous aurons un abattage aujourd'hui. Toi et moi. Notre meilleur harke, pour honorer Ella et sa famille. Bruk sera peut-être un peu coriace. Il n'était pas jeune et il avait déjà bien vécu avant même que je ne le trouve. Mais sa chair sera abondante. Et il donnera une bonne idée de l'opinion que nous avons d'Ella et des siens. (Il fit de nouveau courir sa main sur la fourrure lustrée.) Il donnera une belle couverture pour la couche d'Ella.

— Veux-tu que j'aille demander de l'aide à Lasse ? demanda Ristin d'une voix douce.

— Pas encore. Plus tard. Quand personne ne pourra plus se rendre compte que les tendons ont été coupés avant la mort de l'animal. Je ne veux pas de plainte, ni de notre part, ni de celle de quelqu'un qui parlerait en notre nom. Le coupable se démasquera plus facilement s'il est en confiance.

— Tu soupçonnes Joboam.

Ce n'était pas une question, mais une constatation.

— Vas-tu le dire à Ella ?

— Non.

— Tu le lui diras plus tard, n'est-ce pas ?

— Non. C'est censé être un moment heureux pour elle. Je ne veux pas que notre union soit gâchée par la peur ou l'angoisse. De plus, le geste de sacrifier un renne serait diminué si elle sait que j'y suis contraint, non ? continua-t-il en adressant à sa mère un sourire carnassier. Permets-moi de conserver le crédit de cet acte auprès de ma future femme.

— Des secrets et des inquiétudes dissimulées, ce n'est pas une bonne manière de commencer, Heckram.

— Ne rejette pas le blâme sur moi, parce qu'on ne m'a pas laissé le choix.

— Mmmpf, dit sa mère en se levant de sa position accroupie. Je vais chercher les couteaux à dépouiller. Il n'a pas l'air bien gras, n'est-ce pas ?

— Pas autant qu'il ne l'était il y a deux mois. Mais mieux que tout ce que j'ai d'autre à ma disposition. Mieux qu'un renne sauvage. Pauvre Bruk.

Une certaine intonation alerta sa mère, qui leva la tête.

— Si tu n'as pas l'intention de demander justice devant Capiam, il te faut oublier cette histoire. Il n'y a pas d'autre manière de faire, en tout cas pas parmi notre peuple. C'est notre tradition.

— Mais il y en a un tas de nouvelles qui apparaissent un peu partout. Comme couper les tendons du meilleur harke du futur marié avant sa fête de fiançailles, imposer ses attentions à une femme parce que sa famille est moins riche que la vôtre... Moi aussi, je pourrais en lancer à ma manière.

Ristin afficha une expression pleine de mépris, qui ne laissait aucun doute sur ce qu'elle pensait de cette idée.

— Es-tu un homme ou un petit garçon ? Car tes paroles sont celles d'un enfant qui en menace un autre, avant de l'empoigner et de rouler dans la poussière, comme si ça pouvait prouver qui a raison et qui a tort. Sommes-nous une de ces tribus de la forêt, où les hommes se tuent entre eux ou finissent estropiés après les bagarres ? Non ! Nous sommes du peuple des rennes. Les nôtres ne s'entretuent pas ! Si le comportement de quelqu'un se dégrade au point qu'il ne puisse plus vivre parmi nous, nous le chassons, et c'est une punition suffisante. Si tu te conduis comme un sauvage, tu couvriras de honte ta mère et la mémoire de ton père. Et c'est toi qui seras chassé.

Les yeux fixés sur le renne mort, Heckram garda le silence, manifestement peu repentant. Ristin sentit la profondeur de sa colère et vint se poster près de lui. Elle s'adressa à lui d'une voix plus douce.

— Tu ne m'as jamais parlé de la réaction de Joboam quand tu lui as annoncé qu'Ella t'était promise.

— Parce qu'il n'y a rien à en dire. Je n'ai pas voulu le lui annoncer directement pour ne pas lui faire honte, mais je le regrette. J'avais décidé de traiter le problème comme si tout allait bien. Plus pour préserver la fierté d'Ella que la sienne. J'ai attendu le bon moment. Joboam était dans un groupe de chasseurs qui venaient de rentrer. Ils discutaient de leurs prises de la journée. Je me suis approché d'eux en disant : « Ma chasse est bien meilleure que la vôtre, car Ella a décidé d'une date pour notre fête de fiançailles. » Les uns m'ont souhaité du bonheur. Amma, toujours aussi blagueur, s'est demandé tout haut si j'avais été le prédateur ou la proie. Certains n'ont rien dit et ont préféré parler d'autre chose. Joboam m'a toisé et s'est détourné avec colère. Tu vois, il n'y avait rien à dire.

— Ça lui ressemble bien, sournois comme un chien qui vous mord les talons. Tu as un ennemi dangereux, Heckram. Et il a l'oreille du maître des hardes.

— Eh bien, dans ce cas, il pourrait aussi prendre la fille de Capiam, dit Heckram d'une voix hargneuse. J'ai entendu dire qu'elle n'était pas contente du partenaire qui lui est promis, cet été, au Cataclysme. Qu'on lui donne donc Joboam à la place.

— Tu ne devrais pas écouter les racontars. Si Kari joue les réticentes, c'est parce que cela sied aux jeunes filles. Si je m'en souviens bien, il y a quelques années, on avait parlé de l'apparier avec Joboam. Mais ça n'a rien donné.

— Et c'est moi qui dois éviter d'écouter les ragots ? Mais tu t'entends ? Si tu en parles, autant exprimer clairement les choses.

Heckram avait sorti son couteau de silex poli, héritage de son père, et incisa à partir de l'anus de l'animal. Il procédait avec précaution, pour éviter de percer l'abdomen et gâcher la viande avec la bile et les déchets.

— C'est Joboam qui n'a pas voulu d'elle. Il s'est débrouillé pour trouver de bonnes excuses, mais c'est ce qui est ressorti de toute l'histoire. Et si Pirtsi l'accepte, c'est uniquement pour avoir sa place près de Capiam. Cette fille est aussi maladroite qu'un veau nouveau-né, et complètement lunatique, en plus. Elle est très jolie, mais elle passe son temps à pleurer ou à bouder. Qui aurait l'idée de partager un foyer avec ça ?

— Il faut dire que Pirtsi est un parti que toutes les femmes se disputeraient, pas vrai ? demanda Ristin d'un ton sarcastique. Quand il ne se pavane pas comme un oiseau des marais au printemps, il couche avec toutes les femmes assez stupides pour l'accepter. Je ne vois pas comment Kari pourrait être fière d'entendre ce genre de choses sur celui qu'elle s'apprête à épouser au printemps.

— Je croyais qu'elle feignait les réticences d'une jeune fille ?

L'incision progressait le long de l'estomac recouvert de fourrure de Bruk. Heckram dégagea la lame, l'essuya sur la jambe de son pantalon pour en ôter les poils et le sang collés, puis la replaça dans le sillon.

— Aucun doute, ils seront bien assortis tous les deux, reprit-il. Elle pourra pleurer quand il sera là, et bouder quand il n'y sera pas.

Ristin s'abstint de relever ces commentaires et se leva lentement – les articulations de ses genoux protestèrent.

— Je vais chercher les couteaux à dépouiller... On ne peut pas compatir avec ceux dont on ignore les souffrances, mais il faut se dire que le chagrin n'est jamais sans fondement, lança-t-elle par-dessus son épaule.

La peau se soulevait graduellement et se séparait de la chair à mesure que le tégument cédait dans un bruit de déchirure. De temps à autre, le couteau se faufilait entre les deux pour trancher à un endroit plus résistant. Mais pour dépouiller un animal, il s'agissait plus de libérer la peau que de la découper.

— Tu vois ? Tu gardes une tension régulière et tu sépares les deux couches avec ta lame quand tu en as besoin. De cette manière, tu es certain d'obtenir un cuir sans trous, et sans fragments de chair qu'il faudra gratter plus tard. Tu vois ? Il ne faut utiliser le couteau que lorsqu'on en a besoin. Quand tu arrives à la queue... Kerleu !

Le garçon tourna la tête en sursautant et enleva prestement ses doigts sanglants de la bouche du veau mort.

— Quoi ? demanda-t-il à sa mère en s'agitant nerveusement.

— Pourquoi ne fais-tu pas attention ? Si tu veux chasser et préparer la viande, tu dois apprendre à dépouiller un animal. D'ailleurs, que faisais-tu ?

— Rien, répondit-il d'un ton coupable. Bon, je vais m'en occuper, maintenant.

Il sortit son couteau, celui que lui avait donné Heckram, puis se redressa, agrippa d'une main ferme le pan de peau déjà libéré et exerça une vigoureuse tension. La membrane interne s'étira. La substance était transparente, claire et mousseuse come l'écume, mais elle collait aux mains nues. Kerleu tira plus fort et une partie du tégument céda dans un bruissement de bon augure. L'intérieur de la peau était d'un blanc lisse et crémeux. La chair était recouverte d'une gaine fine et transparente, qui dévoilait les lignes fonctionnelles des muscles au regard curieux du garçon. Le veau dépecé était pourpre, blanc et rouge foncé. La peau resta accrochée ; le coup de couteau de Kerleu y ouvrit une grande balafre.

Figé par la consternation, il contemplait les dégâts. Tillu poussa un long soupir.

— Tout va bien, se força-t-elle à dire. Tu apprends. La prochaine fois, ton outil devra suivre la courbe du corps de l'animal. Il faut couper près de la chair. Continue à essayer. Mais ne tire pas près de l'endroit abîmé, ça agrandirait le trou. Continue à partir d'un point différent.

L'odeur chaude de la bête fraîchement abattue emplissait l'air. Tillu avait déjà ôté les entrailles de l'abdomen. En voyant la manière dont Kerleu maniait son couteau, elle était contente de s'être chargée seule de cette part du travail. Une simple petite perforation suffisait à gâter toute la viande. Dès que le veau serait écorché, elle le dépècerait en morceaux faciles à manipuler et ils pourraient les traîner jusqu'à la tente.

En grinçant des dents, elle regardait son fils travailler. Il avait encore percé la précieuse peau, mais elle garda le silence. La différence était flagrante – l'intérieur, blanc et crémeux là où elle avait opéré, était marqué d'entailles et de rouge là où le couteau de Kerleu avait taillé dans la chair au lieu du tissu conjonctif. Gratter cette peau représenterait un gros travail. Mais il fallait bien qu'il apprenne. Et il ne s'éduquait pas comme les autres enfants, en observant et en retenant. Il avait dû la regarder préparer des tisanes un millier de fois. Mais lorsqu'elle lui avait demandé de faire du thé, il avait jeté les feuilles dans l'eau froide et placé le tout sur le feu, au lieu de laisser l'eau bouillir, puis d'y mettre les herbes à tremper.

Il essayait. Tillu savait qu'il aurait bien aimé que cela suffise. Mais ce n'était pas le cas. Un homme pouvait mourir de froid en tentant d'allumer un feu, ou de faim en espérant tuer un lièvre. Kerleu devait faire mieux que de simplement essayer. Quelques jours auparavant, quand il était revenu avec Heckram, elle s'était sentie transportée d'espoir. Son fils, son Kerleu, avait chassé et fait de bonnes prises. Mais tout comme son unique triomphe avec le feu, il s'agissait d'un incident isolé, un succès dans une série d'échecs. Sa mémoire ressemblait à un filet de pêche troué qui retenait les poissons, pour les laisser échapper l'instant suivant. Il pouvait aller chercher de l'eau, rapporter du bois, faire du feu. Mais si elle lui demandait de ramasser du bois pour faire le feu et de rapporter de l'eau à chauffer pour le repas, il oublierait ses tâches. Plus tard, elle découvrirait le seau près du tas de bois. Son cri de colère ferait sursauter Kerleu, absorbé dans l'observation d'une flottille de feuilles tourbillonnant dans le ruisseau, et il s'enquerrait en toute innocence du moment où le dîner serait prêt. En revanche, il se révélait capable de réciter mot pour mot les histoires de Carp, ou de lui demander d'un ton détaché ce que signifiait quelque chose qu'elle avait dit des mois auparavant.

Le frapper n'avançait à rien. Quand ils étaient tous deux beaucoup plus jeunes, elle le battait à cause de ce genre d'événements, le croyant paresseux ou simplement désobéissant. Elle éprouvait une jalousie de petite fille envers les beaux enfants au regard vif des autres femmes. Elle avait désiré désespérément que Kerleu ait l'esprit ou le corps agile, qu'il soit au moins obéissant. Elle aurait aimé être fière de lui.

Au lieu de cela, elle entendait les autres se moquer de lui, lorsqu'il s'adressait à eux à sa manière hésitante, et les paroles pleines de compassion des femmes, qui déploraient que son unique enfant soit faible d'esprit. Elle le défendait avec irritation et lui confiait une tâche quelconque. Et il échouait. L'humiliation redoublait sa colère, et elle le tapait. Il se mettait alors à pleurer, sans comprendre le sens de la punition, car il ne se souvenait pas d'avoir mal agi.

Devant son petit visage effrayé et ruisselant de larmes, elle finissait par se sentir coupable. Et lorsqu'il se recroquevillait devant ses bras tendus, ou se raidissait et luttait contre son étreinte repentante, le cœur de Tillu exigeait un châtiment. Finalement, elle avait cessé de le frapper, et de l'envoyer rouler dans la poussière ; ce n'était bon ni pour l'un ni pour l'autre. Les autres se contentaient de rire du spectacle ou ils se détournaient, embarrassés. Elle avait arrêté de se sentir comme une gamine dont l'unique poupée était cassée, et commencé à accepter le fait que l'apprentissage de son fils se déroulerait différemment de celui de ses congénères. Mais il devait apprendre, il fallait trouver une nouvelle manière de faire.

Voilà pourquoi elle était accroupie, à présent, près de ce veau mort, les pieds glacés et de plus en plus insensibles, regardant patiemment Kerleu massacrer la peau en dépouillant la carcasse. La chance, qui avait conduit l'animal jusqu'à eux, seul, meuglant pour appeler sa mère, ne se présenterait sans doute pas une seconde fois. Le petit était épuisé, il trébuchait dans la neige. Tillu avait imaginé que la mère avait dû être tuée par un glouton. Le prédateur rusé avait dû attendre que le renne ait profondément enfoncé la tête dans le trou creusé dans la neige à l'aide de ses sabots pour atteindre le lichen enterré. Plus la couche était épaisse, plus il était facile pour le chasseur de s'élancer et de planter ses crocs dans la tendre encolure de l'animal en train de paître. Ces derniers jours, Tillu avait croisé des traces suggérant plusieurs attaques de ce genre. Elle en avait rapporté un butin d'os sanguinolents pour garnir le bouillon et dont elle récupérait la moelle.

Ce veau, moins gros que ceux qu'elle avait eu l'occasion de voir, avait dû fuir du lieu d'un tel massacre. Pour tomber sur Tillu en pleine chasse, se faire assommer avec une branche d'arbre et trancher la gorge. Elle ne le regrettait pas. Qui que soient les dieux ou les esprits qui régnaient sur ces collines couvertes de forêts, ils ne faisaient aucune distinction entre Kerleu et le jeune orphelin. Tillu avait donc choisi pour eux la créature qui allait survivre à l'hiver. Ensuite, elle était partie chercher Kerleu pour qu'il l'aide à dépouiller et transporter la bête.

Kerleu s'arrêta et se gratta la joue d'un air affairé. Ses doigts maculèrent son visage de rouge. Les manchettes de son manteau et les genoux de son pantalon étaient également tachés de sang.

— Je prends le relais, proposa Tillu.

Après un instant de réflexion, sourcils froncés, son fils

hocha le tête. Il se leva, se composant une telle expression de sérieux et de maturité, qu'elle ne put s'empêcher de lui sourire. C'était un bon garçon et elle l'aimait profondément. Il y avait ces moments où il faisait preuve de bonne volonté, où les choses allaient bien entre eux, et son cœur semblait exploser d'amour pour lui. Alors, elle se disait que les ennuis faisaient partie du passé et que l'avenir s'annonçait radieux. Elle lui adressa un signe de tête appréciateur.

— Tu as fait du très bon travail pour une première fois.

— Je sais, répondit-il en touchant le manche de son couteau avec fierté. Je peux faire beaucoup de choses. Je sais sculpter des cuillères et faire un feu. Tuer des lièvres et dépecer les animaux. Je suis plus un homme que tu ne le penses.

— Les hommes ne se vantent pas, fit remarquer Tillu d'une voix brève.

Peu sensible à la rebuffade, Kerleu continua à caresser le manche de couteau. Elle soupira.

— Pendant que je termine, tu pourrais porter le panier jusqu'à la tente, suggéra-t-elle. Fais bien attention.

Elle désigna de la tête la corbeille enfoncée dans la neige qui contenait à grand-peine le foie, la langue, le cœur et les reins du petit veau.

— Quand tu seras arrivé, ajoute du bois dans le feu. Comme ça, il ne s'éteindra pas avant notre retour. Ensuite, tu reviens tout droit ici pour m'aider à porter la viande. Tu te souviendras de tout ?

— Oui, dit-il en secouant vigoureusement la tête. Tu crois que je suis encore un bébé ?

Son visage prit une expression concentrée, ses yeux rapprochés semblaient soucieux sous ses sourcils froncés. Mais il répéta lentement :

— Rapporter le panier, recharger le feu, et revenir tout de suite.

— Bien, vas-y, maintenant. Dépêche-toi, mais ne renverse rien.

Elle le regarda se frayer péniblement un chemin dans la neige. Les abats laissaient échapper des gouttelettes qui formaient une trace rougeâtre derrière lui. Il grandissait vite et bien, maintenant. Peut-être n'avait-il besoin que de cela : une chance d'être seul avec elle, avec du temps destiné à l'apprentissage à leur disposition. Et une occasion d'apprendre les talents d'homme de quelqu'un comme Heckram. Elle secoua la tête. Kerleu pourrait recevoir un enseignement de quiconque serait prêt à y consacrer le temps nécessaire. Ça s'était déjà vérifié. Le chasseur allait prendre femme et ils le verraient moins souvent. Peu importait. Elle prendrait soin de son fils et d'elle, lui enseignerait ce qu'il avait besoin de savoir. Tout allait très bien se passer pour Kerleu, très bien. Elle sourit pour elle-même. Son fils. Il serait bientôt ce qu'il prétendait être. Il prendrait des décisions, serait libre de ses actes, vivrait sa vie. Et puis ? Pourrait-elle en faire autant ? L'idée fut écartée avec un reniflement de dérision. Jusqu'à présent, elle s'était débrouillée seule. Se penchant de nouveau vers l'animal, elle empoigna la peau et la libéra d'un coup de lame précis.

Après l'avoir entièrement dégagée, elle l'enroula, en laissant le côté cuir apparent, et la posa à part. Ensuite, elle s'appliqua à découper la dépouille en morceaux pour les transporter. La tâche aurait été plus difficile avec une bête plus imposante. Mais même son pauvre couteau disposait facilement des muscles et de la chair du veau. Elle disloqua les pattes aux articulations principales, et coupa les tendons entre les cavités articulaires et les têtes d'os pour séparer la carcasse en quatre parts, avec le torse et la tête.

Quand elle termina le gros du travail, le soleil effleurait l'horizon. Sous sa tunique, la transpiration baignait son corps, mais elle savait à quel point il serait stupide de l'enlever. La sueur gèlerait et elle mourrait de froid. Il valait mieux continuer à bouger et à transpirer que de risquer une fin pareille. Elle observa la piste un long moment, guettant l'arrivée de Kerleu. Mais il n'y avait pas signe de lui pour l'instant. Il s'était sans doute écoulé moins de temps depuis son départ qu'elle ne le pensait. Ou encore, il s'était peut-être arrêté pour manger quelque chose avant de revenir. Le panier était lourd. Il aurait fait une halte pour se reposer en chemin et mis plus longtemps que prévu pour arriver à la tente. Elle se pencha pour couper une fine tranche de viande rouge. La première bouchée emplit sa bouche du goût délicieux du sang frais. Le morceau disparut rapidement et elle en consomma un autre plus lentement. Où était passé le garçon ? Eh bien, il était inutile de perdre du temps à l'attendre.

Avec un soupir, elle se tourna vers les entrailles. Elle sépara les intestins, les vida des déchets en les pressant du bout des doigts. Une fois nettoyés, ces boyaux étaient utiles de cent manières différentes. Puis elle préleva des morceaux de graisse, qu'elle empila. D'un coup de couteau, elle ouvrit l'estomac et en vida le contenu sur la neige ; il servirait à transporter le suif. Il ne resterait pas grand-chose aux corbeaux. Elle se redressa, prit quelques instants pour masser son dos douloureux et se remit au travail. Le temps que Kerleu revienne, elle en aurait terminé.

Plus tard, quand les ombres longues du soir passèrent du bleu au noir, quand les couleurs de la forêt se fondirent dans la grisaille, elle hissa la majeure partie de la viande dans la fourche d'un arbre, espérant que les charognards ne la découvriraient pas avant son retour. Puis elle enroula un quartier arrière dans la peau raidie de gel et chargea le paquet en travers de ses épaules. Après tout ce temps passé penchée sur son ouvrage, son dos la faisait souffrir et ses pieds se ressentaient de sa longue station dans la neige. La bise nocturne qui se levait lui picotait le visage. En revanche, elle ignora le chagrin qui lui serrait le cœur et la brûlure des larmes qui perlaient à ses paupières. Une fois de plus, elle enfouit la certitude que Kerleu n'irait jamais bien, qu'il ne serait jamais un jeune homme joyeux, rapportant fièrement le produit de sa chasse. Alors qu'elle avançait voûtée sous son fardeau, à chaque enjambée, la neige semblait vouloir entraver ses pas.

XI

LES FLAMMES QUI LÉCHAIENT LA BÛCHE de pin atteignirent la réserve de sève sous l'écorce, qui s'embrasa en craquant. La lumière plus vive éveilla Heckram. Il avait l'impression qu'il était plus tôt que son heure de réveil habituelle, mais Ristin était assise près du feu, un bol de thé entre les mains. Leurs regards se croisèrent et elle se détourna, mais il eut le temps de remarquer la soudaine humidité qui faisait briller ses yeux. Il se frotta le visage, conscient de l'avoir surprise pendant qu'elle l'observait dans son sommeil.

— Quelque chose ne va pas ? demanda-t-il d'une voix encore endormie.

— Non, non, tout va bien. Je pensais seulement que c'était le dernier matin où mon fils s'éveillait chez moi. Demain, je me réveillerai seule. Et ce sera ainsi chaque jour.

Sa voix s'éteignit, et elle évita de le regarder.

Heckram se frotta de nouveau le visage d'un air las, et sentit sa barbe rugueuse sous ses doigts. Avec effort, il retint le soupir lové dans sa poitrine. Maîtriser sa propre réticence avait déjà été suffisamment difficile. Il ne pensait pas pouvoir affronter aussi les nouveaux doutes de Ristin.

— N'était-ce pas ce que tu voulais ? Tu m'as assez

souvent répété que je devrais être chez moi, à fabriquer des petits-enfants pour te faire plaisir. Et quand je finis par suivre ton conseil, je me réveille pour te trouver en train de pleurer.

Ristin laissa échapper un rire bref et aigu, avant de se remettre à sangloter. Elle se tourna vers son fils, souriant à travers les larmes qui lui mouillaient les joues.

— Je suis heureuse pour toi. Si heureuse et si contente que tu sois avec Ella. Je ne pleure pas sur tes fiançailles. Seulement sur les modifications qu'elles apportent. Les vieilles gens comme moi réagissent toujours ainsi quand vient le temps des changements. Pour les naissances, les morts, les unions et les séparations. Ce sont des moments qui appellent les larmes.

— Les vieilles gens ! s'esclaffa-t-il en rejetant ses couvertures. Va dire ça aux renards que tu as rapportés hier !

— Ce qui marque l'âge, ce ne sont pas les choses que l'on peut faire, mais ce que l'on ne peut plus faire.

Heckram l'observa avec attention, pesant le regret qu'il avait perçu dans ses paroles. Il essaya de la voir comme une étrangère, sans y parvenir. Ristin était Ristin. Sans doute un peu plus frêle, avec des lignes autour des yeux un peu plus nombreuses, des articulations et les jointures des doigts plus apparentes, mais elle était toujours Ristin, capable et efficace. Il refusa de se laisser gagner par la mélancolie.

— Si je comprends bien, tu es trop vieille pour aider à construire une hutte pour Ella et moi. Ce n'est pas grave, je demanderai à la grand-mère de Lasse de te remplacer...

— Quoi ?... Ne te moque pas des cheveux blancs de ta mère, mon garçon ! Je ne suis pas aussi vieille que ça. Sors du lit, maintenant. J'ai fait la cuisine pour toi ce matin, peut-être pour la dernière fois. Non que je le regrette ! Alors, lève-toi et mange. Et n'oublie pas d'aller chercher de l'eau pour te laver. Les raisons d'Ella sont un mystère pour moi, mais puisqu'elle tient à t'avoir, la moindre des choses que je puisse faire pour elle est de m'assurer qu'elle te trouve propre. Dépêche-toi, grand benêt, tu as une hutte à construire aujourd'hui, et une femme à réclamer.

Tout en parlant, elle décrocha sa tunique du crochet où

elle était suspendue et l'enfila. Au moment de quitter la hutte, elle adressa un sourire à Heckram qui lui répondit de la même façon. Mais après le départ de sa mère, il s'assombrit. Avec un poids sur le cœur, il quitta sa couche et s'approcha du feu à pas lourds. Aujourd'hui, avec la confection d'une hutte, il demanderait formellement à Ella de s'unir à lui. Ils commenceraient leur vie commune, même si le mariage ne serait pas reconnu avant le rassemblement du peuple des rennes dans son entier, au Cataclysme. Il laissa son regard courir sur les murs noircis de fumée, partageant soudain le sentiment de sa mère. Il ne se réveillerait plus jamais ici, ne partagerait plus son feu ni sa nourriture. Changements. Elle vivrait seule et lui dormirait avec Ella.

Résistant à l'envie de retourner s'enfouir sous les fourrures de sa couche, il s'étira et inspecta les marmites. Un porridge de viande et de céréales clapotait doucement au bord du foyer. Un pot plein de thé infusait à l'écart des braises. Il y plongea une tasse taillée dans du bouleau noueux, puis aspira bruyamment le liquide fumant. Cela débarrassa sa gorge des résidus de la nuit et chassa de son esprit les regrets inutiles.

Il mangea rapidement, puis, tout en s'habillant, essaya de retrouver l'état d'esprit qui l'avait conduit à accepter cette situation. La veille, il avait emprunté le plus jeune harke de sa mère sous prétexte qu'il avait besoin d'entraînement, l'avait harnaché à son pulkor et était parti en forêt. Le traîneau glissait sans à-coups sur la neige, le jeune animal tirait presque avec entrain. Débarrassé pour un temps des bavardages du talvsit, il avait médité, les yeux dans le vague, guidant le pulkor autour d'obstacles qu'il évitait sans les voir. Il avait essentiellement pensé à Ella. Ses genoux ne tremblaient pas de désir lorsqu'il l'évoquait, sa poitrine n'était pas gonflée de soupirs. Leur amitié l'avait toujours satisfait, il trouvait un certain confort dans la stabilité de leurs relations. Serait-ce suffisant pour elle ? Ou pour lui ? Parmi les femmes du camp, aucune ne lui semblait plus attirante. De plus, elle avait la plupart des qualités qu'on peut souhaiter chez une épouse. Elle n'était pas ennuyeuse, ou servile. Au contraire, elle avait du caractère, ce qu'il admirait. Et du courage. Pas seulement celui de résister aux avances de Joboam, mais aussi celui de venir le trouver, lui, Heckram, et de lui parler sans détour. Elle le désirait. Ça devait sans doute compter pour quelque chose. Il avait entendu parler de femmes mariées qui s'étendaient à regret près de leur compagnon. Ella ne viendrait jamais vers lui à contrecœur. Elle aurait pu choisir un homme riche, possédant rennes et outils en métal, qui l'aurait couverte d'ambre, de bronze et d'ivoire. Mais elle l'avait élu, lui.

Il se rendit compte tardivement que par trois fois, il s'était approché puis détourné du chemin qui menait chez la guérisseuse. Il avait envie de voir Kerleu, son visage illuminé par l'excitation, de l'emmener faire un tour sur le pulkor. Il était certain que le garçon n'en n'avait jamais vu. Ni sa mère. Mais la figure de Tillu ne s'éclairerait pas en le voyant. Elle serait comme la renarde surveillant son petit. Vigilante, guettant le danger susceptible de menacer sa progéniture. Elle était farouche. Il se rappelait encore la réprimande qu'elle lui avait infligée pour avoir emmené Kerleu à la chasse. Et lorsqu'elle avait compris son erreur, l'expression de tendresse qui avait envahi son visage, proclamant tout son amour pour son fils. « C'est ainsi que Ristin veillait sur moi. Elle est une bonne mère pour son garçon. Elle a parfaitement raison, ils peuvent se débrouiller seuls. » Puis il détourna son harke et ses pensées des occupants de la tente.

Quand il revint de son long périple, le soleil se couchait. Il n'était pas plus amoureux qu'auparavant, mais appréciait la femme qui se donnait à lui. Il ne pouvait pas, non plus, ignorer les élancements du désir dans son ventre lorsqu'il songeait à elle. Sa réticence et ses doutes étaient maintenant enfouis, il avait résolu de faire face à ses obligations. Ses projets d'expédition vers les villages au sud et les terres étranges qui s'étendaient au-delà n'étaient que des rêves d'enfant, un moyen d'adoucir la dure réalité à l'époque où il était trop jeune pour réagir différemment. Désormais, il était un homme, sur le point de prendre Ella comme épouse. Il devrait penser à autre chose.

Plus tard, pendant qu'il enfilait et laçait ses bottes, il

songea encore une fois à sa décision de ne pas inviter la guérisseuse et son fils. Il aurait bien aimé qu'ils soient présents, que Tillu découvre son peuple et que Kerleu mange à satiété. Et peut-être lui aurait-elle enfin parlé des clans qu'elle avait croisés pendant ses voyages. Il n'avait jamais rencontré personne qui lui ressemblait. Son apparence était presque aussi singulière que sa silhouette. Mais il doutait qu'Ella partage son enthousiasme pour les histoires de terres lointaines, ou apprécie de voir Tillu accaparer l'attention des autres pendant sa cérémonie de fiançailles. « Une autre fois », promit-il mentalement à Kerleu, mais le vœu valait aussi pour lui. Une autre fois.

Les seaux à la main, il quitta la hutte et partit vers la source. Il était tôt, mais le village était déjà sur pied et bourdonnait d'une énergie retenue. Tout au long du trajet, Heckram fut accueilli par des sourires et des hochements de tête entendus. La matinée était claire, et malgré le froid, l'air frémissait des premiers souffles du printemps. Un genou en terre, il remplit les contenants et rebroussa chemin. Il s'arrêta près de chez Stina pour raffermir sa prise sur les poignées humides et, accessoirement, observer un emplacement derrière la hutte, qui avait été débarrassé de la neige. La veille, il avait nettoyé l'endroit avec l'aide de Lasse. Le jeune homme lui avait prêté main-forte pour balayer à l'aide de branches de pin, puis ils avaient gratté une couche de mousse gelée et de tourbe. Pour l'instant, le cercle de terre dénudée attendait, paraissant encore plus vide au milieu de la clairière enneigée. Stina serait une bonne voisine, ils n'étaient pas très loin de la source, et un ou deux rennes de trait pouvaient paître derrière la maison. C'était un emplacement valable pour construire son foyer.

Il souleva les seaux et repartit. Un peu plus loin, Bror s'étirait en bâillant devant sa hutte. En apercevant Heckram à la faible lueur du jour, il eut un large sourire.

— Tu as du travail devant toi aujourd'hui, jeune homme.

— En effet, concéda Heckram avec le sourire.

— Prends garde de ne pas trop te fatiguer, si tu vois ce que je veux dire. Des murs épais ne suffisent pas à réchauffer correctement une nouvelle hutte. Que vas-tu faire de toute cette eau ?

— C'est pour me laver et me raser. Je ne me suis jamais senti gêné d'avoir la haute taille de mon grand-père, mais lui aussi a dû sacrifier ses moustaches.

Comme la plupart de ses frères de clan, Bror était imberbe, hormis quelques poils fins qui ornaient sa lèvre supérieure. Il les caressa en hochant la tête à l'adresse d'Heckram.

— Épouse ou pas, si j'étais toi, je ne prendrais pas un bain à cette époque de l'année. Rien de plus facile que d'attraper la mort en hiver parce qu'on s'est mouillé. Attends le printemps, quand l'eau court en chantant dans les ruisseaux. Voilà un bon moment pour se laver. Pour l'instant, contente-toi de te décrasser à la vapeur, de te passer un peu d'huile pour adoucir ta peau. Voilà qui devrait satisfaire n'importe quelle fille. Ne commence surtout pas par trop la gâter, conclut Bror en se frottant énergiquement la nuque.

Ibba passa la tête par l'ouverture de la hutte et adressa une grimace narquoise aux deux hommes.

— Au contraire, Heckram, gâte-la autant que tu pourras. Ou tu te retrouveras comme Bror, obligé de te tenir tranquille pendant que ta pauvre femme déniche les lentes dans tes cheveux. Et toi, dépêche-toi de rentrer, vieux bavard. Aujourd'hui, Heckram n'a pas le temps de jacasser, il a une hutte à construire et une femme à réclamer. Vas-y, Heckram, et n'oublie pas de bien te frotter la nuque !

Il prit congé avec un grand sourire, pendant qu'Ibba saisissait Bror par la main pour l'entraîner à l'intérieur, sans prêter attention à ses protestations. Le sourire d'Heckram perdura pendant qu'il remontait la piste entre les abris vers celui de Ristin. La bonne humeur générale était contagieuse, et il commençait à éprouver les sentiments d'un homme qui s'apprête à élever son foyer dans le talvsit. Heureux et impatient. Il se surprit à fredonner un de ces longs joiks presque sans paroles de son peuple. Les mots épousaient le rythme de ses foulées, qui faisaient craquer la neige tassée sous ses bottes. Le timbre profond de sa voix produisait à peine plus qu'un bourdonnement harmonieux.

— Voilà un fiancé qui a l'air heureux.

Heckram avait les yeux fixés sur la piste enneigée. La voix agressive et glaciale qui venait d'interrompre le fil de ses pensées lui fit l'effet d'un jet d'eau glacée sur le visage. Il posa les seaux et fit rouler ses épaules pour détendre les muscles, puis jeta un bref regard à Joboam, nonchalamment appuyé sur un pulkor retourné au bord du sentier.

— Es-tu venu me souhaiter bonne chance pour mes fiançailles avec Ella ? demanda-t-il avec amabilité.

— Je ne suis pas certain qu'il te suffise d'avoir la chance de ton côté. Il en faut plus que ça pour satisfaire une femme et la garder sous son toit. Rappelle-toi qu'entre maintenant et le Cataclysme, elle est libre de te quitter sans explication. Après les fiançailles, beaucoup de filles s'aperçoivent qu'elles ne souhaitent pas que l'arrangement devienne permanent.

Joboam se redressa lentement et s'étira, faisant craquer avec ostentation les muscles puissants de son cou et de ses épaules. Heckram leva le menton pour continuer à le regarder dans les yeux. L'autre était plus grand et plus large que lui, sa structure musculaire était enrobée dans une gaine de chair dure. En comparaison, Heckram semblait presque élancé. Il s'était souvent demandé lequel d'entre eux était le plus fort. Et à en juger par l'attitude provocatrice de Joboam, ils le découvriraient peut-être le jour même.

— Ella pense qu'elle sera heureuse avec moi. Et contrairement à certains, j'ai tendance à croire que les femmes savent avec qui elle souhaitent se marier.

Heckram avait gardé un ton agréable, les bras le long du corps, dans une attitude détendue, mais il restait sur ses gardes.

— Ces paroles te ressemblent bien. Il y a toujours eu des hommes, dans ce sita, qui se sont contentés d'obéir aux femmes, et de vivre dans la tente de leur mère en attendant qu'une épouse vienne les choisir.

— Ça vaut mieux que d'habiter seul et ne jamais être choisi, convint Heckram, toujours courtois.

Le regard de Joboam s'étrécit. Heckram sentit sa propre respiration prendre un rythme plus profond, ses muscles gonfler et se tendre. Mais il était tout entier dominé par un intense sentiment de patience. La hâte ne convenait pas à ce jeu. Que nul ne puisse dire qu'il avait provoqué le favori du maître des hardes. Avec un léger sourire, il attendit que Joboam fasse le premier geste. Le temps s'égrena et l'autre se relâcha. Une conviction s'installa petit à petit dans l'esprit d'Heckram. Joboam continuerait peut-être à l'abreuver de sarcasmes, mais il ne pousserait pas la dispute jusqu'aux coups. Manifestement, il ne souhaitait pas l'affronter. En tout cas, pas maintenant. Le sourire d'Heckram s'élargit. Un petit muscle tressaillit sur la joue de Joboam.

— Pourquoi attendre qu'une fille te choisisse, alors qu'un homme peut prendre n'importe laquelle, ou toutes ? demanda-t-il soudain d'une voix trop forte – du bluff. À l'époque des chaleurs, la chienne ne va pas vers le mâle qui gémit pour elle, mais est prise par le plus fort.

— Joboam !

Le cri strident les fit sursauter tous les deux. Perchée sur un pulkor tout proche, Kari l'écervelée, la fille du maître des hardes, ressemblait à une sorte d'oiseau insouciant. Ses cheveux noirs et lisses épousaient la forme de son crâne, la tension de la natte étroitement tressée étirait ses yeux vers le haut. Elle avait le regard sombre et brillant, les dents trop blanches derrière ses lèvres trop rouges. La délicate structure osseuse de son visage se dessinait avec précision sous sa peau.

— Joboam ! répéta-t-elle de sa voix perçante.

— Que veux-tu ? demanda-t-il avec mauvaise humeur.

— Capiam veut te voir. Immédiatement. Il t'a envoyé chercher deux fois à ta hutte, mais tu n'y étais pas. Alors, il m'a envoyée pour te ramener. Tu viens ?

— J'arrive.

Il avait accepté de mauvaise grâce et adressa à Heckram une œillade emplie de défi, attendant ses prochaines paroles. Mais celui-ci se contenta de lui sourire. Kari sauta de son perchoir, sa tunique de renard blanc flottant autour d'elle au rythme de sa démarche. Elle avait perdu du poids et ses vêtements trop larges contribuaient à son apparence éthérée. Elle s'approcha des deux hommes à petits pas pressés et, sans les toucher, s'insinua entre eux. Pour parler à Heckram, elle dut lever la tête.

— *Moi*, je te souhaite bonne chance pour tes fiançailles avec Ella, déclara-t-elle avec emphase.

Avec une pointe d'embarras, Heckram s'interrogea sur ce qu'elle avait saisi de son échange avec Joboam. Il tenta de se rappeler ce qu'il avait dit, tout en se demandant si certaines de ses paroles pouvaient lui causer des ennuis, puis essaya de se convaincre qu'il aurait sans doute remarqué la présence de Kari. À moins qu'elle n'ait utilisé ses fourrures de renard blanc comme le faisait l'animal lui-même quand il traquait une proie ? Les yeux de la jeune fille restaient rivés aux siens.

— J'espère qu'Ella comprend sa chance, continua-t-elle. Non seulement d'avoir qui elle souhaite pour compagnon, mais encore de pouvoir le réclamer ! Dépêche-toi de poursuivre ton chemin, Heckram. Va élever les murs de sa maison et te préparer pour elle.

Pendant que Kari s'adressait à Heckram, Joboam avait reculé d'un pas ou deux. La jeune femme se retourna et frappa sèchement des mains, comme si elle avait affaire à un chiot récalcitrant.

— Et toi, Joboam ! Va voir Capiam. Ne fais pas attendre le maître des hardes quand il a envoyé sa fille pour te ramener. Dépêche-toi ! File !

Joboam les couvait d'un regard furieux, mais au dernier ordre de Kari, il prit un trot lourd le long de la piste.

— Joboam ! cria Heckram. (Il attendit qu'il se retourne avant de continuer.) Je ne m'y connais pas en chiens. Mais rappelle-toi que les loups se lient pour la vie.

— Tous ceux qui chassent le loup devraient s'en souvenir, renchérit Kari.

Dans l'air froid, son rire semblait aussi fragile qu'une stalactite. Le son cristallin se rompit brutalement et fut suivi d'un soupir inattendu. Elle se tourna vers Heckram.

— Je viendrai à tes fiançailles ce soir, annonça-t-elle soudain en le fixant intensément.

— Et tu seras la bienvenue, comme tous ceux du talvsit

qui voudront bien nous honorer de leur présence, répondit-il avec gravité.

Elle le scruta un long moment, si proche de lui que sa poitrine touchait presque les côtes d'Heckram.

— Tu sens le renne et la viande fraîche. Tu ferais mieux d'aller te laver, lui conseilla-t-elle soudain.

Puis elle se détourna rapidement et s'éloigna de son petit pas sautillant, ses fourrures blanches flottant autour d'elle, telles les ailes d'un oiseau mutilé.

Heckram la regarda tandis qu'elle se frayait un chemin à travers le village sans jamais fouler le sentier bien tracé entre les rangées de huttes et les plates-formes à viande, mais choisissant de marcher là où personne ne l'avait fait. Son cœur cognait contre ses côtes, l'excitation du combat avorté contre Joboam vibrait encore dans son organisme sans trouver d'exutoire. Il se pencha pour reprendre les seaux et hâta le pas vers le foyer de Ristin.

Enfin arrivé à destination, il mit l'eau à chauffer dans des marmites au-dessus du feu, sortit une grande cuvette et fouilla ses affaires à la recherche du rasoir de son père. Ensuite, il versa un peu d'eau tiède dans le récipient et contempla longuement l'objet qui était fait de bronze, matière bien rare dans la hutte. Son seul outil de métal, avec le couteau, légalement hérité de son père, presque trop précieux pour l'utiliser. Selon les marchands du sud, tous les ustensiles étaient maintenant en bronze, là-bas, et seuls les pauvres utilisaient encore du silex. Mais dans le talvsit d'Heckram, le pierre et l'os restaient les matériaux de base. À vrai dire, les lames de silex étaient affûtées et polies de manière à ressembler à leur équivalent de bronze, mais elles n'en possédaient pas la société. De plus en plus d'objets en métal arrivaient dans le Nord. Heckram avait eu l'occasion de voir la hache que Capiam avait troquée contre de l'ambre et des peaux de renard blanc. Elle avait la même forme que celle de Lasse, et sa poignée présentait la courbe familière des bois de renne que leur peuple utilisait depuis toujours pour cet usage. Mais la tête était en bronze, et hormis le tranchant, chaque portion était couverte de motifs élaborés. En dépit de sa délicate beauté, elle permettait d'accomplir des tâches qui briseraient l'outil de Lasse. Mieux valait, peut-être, chasser pour rapporter les épaisses fourrures blanches et collecter l'ambre tant apprécié des marchands du Sud, que continuer à rassembler des rennes. Heckram secoua la tête. La mesure traditionnelle de la richesse était trop profondément inscrite en lui pour qu'il s'en détourne aussi aisément.

Le rasoir était muni d'une poignée d'os gravée de spirales serrées. Après avoir humidifié son visage, puis la lame, Heckram passa l'outil effilé sur sa peau et fit courir le bout de ses doigts sur sa joue, éprouvant avec satisfaction la douceur qui résultait de l'opération. Puis conscient d'avoir déjà perdu beaucoup de temps, il termina rapidement de se raser.

Il mélangea de l'eau fumante à de la froide afin d'obtenir une température agréable, puis se dévêtit en toute hâte. Sous ses vêtements en fourrure, il portait une longue chemise de laine tissée. Depuis quand ne l'avait-il pas ôtée ? Avant l'arrivée du premier froid de l'automne ? Il la fit passer par-dessus sa tête, dénudant entièrement son corps frissonnant. Après une brève hésitation, il alla ouvrir le coffre. Une bourse contenant des herbes aromatiques et un carré de tissu aux mailles grossières trônaient sur le dessus du contenu, comme s'ils l'attendaient. Il les prit.

Il serra une poignée d'herbes dans la toile en une sorte de tampon, qu'il plongea dans l'eau chaude. Au contact du liquide, leur parfum emplit la hutte. Il se frotta vigoureusement le visage et le cou, et sentit les pores de sa peau se dilater. Il progressa vers le bas de son corps. L'eau vira au marron et il la vida avant de remplir de nouveau la cuvette. Sa peau était rougie, il frissonnait et se refroidissait, mais il termina son bain avec opiniâtreté. Puis il versa de l'eau fraîche dans le récipient et laissa une poignée d'herbes y tremper. Après s'être agenouillé, il mouilla son abondante crinière brune, puis plongea la tête dans le liquide parfumé et se frotta le crâne avec vigueur. Sa tignasse devenait de plus en plus douce. Au moins, il n'avait pas à se préoccuper des lentes comme Bror. Ristin n'aurait jamais toléré de vermine sous sa tente. Il soupçonnait Ella de professer la même interdiction.

Ses cheveux s'emmêlaient entre ses doigts et se prenaient

aux aspérités de ses cals. Il libéra ses mains en marmonnant un juron et replongea la tête sous l'eau. Il la dégagea pour respirer et sa chevelure pendit devant son visage telle une cascade dégoulinant dans la cuvette. Son crâne lui donnait une impression de propreté. Il essora ses cheveux au-dessus du récipient. Ella les aimait. Depuis que leur engagement était devenu public, à chacune de leurs rencontres, elle cherchait l'occasion de les toucher, d'entortiller leurs mèches autour de ses doigts en lui parlant. Ils étaient plus fins que ceux des autres hommes du clan, et quand le soleil les frappait, leur reflet n'était pas bleu, mais bronze. Heckram jugeait leur nature peu pratique ; ils ne cessaient de lui revenir dans les yeux ou s'accrochaient à ses doigts quand il tentait de les discipliner. Il les rejeta en arrière en secouant la tête.

Le corps parcouru de frissons, il ramassa sa tunique de laine à l'endroit où elle était tombée. Mais au moment de la passer par-dessus sa tête, son odeur le frappa de plein fouet et il la laissa glisser avec un grognement de dégoût. Il avait vraiment porté ça ? Pas étonnant que Kari lui ait dit qu'il sentait la boucherie. Elle atterrit dans l'eau parfumée de la cuvette et Heckram en chercha une autre.

Dans son ballot de vêtements, il découvrit deux chemises en cuir de lièvre, parfaites pour la douceur de l'été, mais trop légères pour les rudes températures hivernales. Mais il ne trouva qu'elles et se résolut à regret à en choisir une, et un pantalon propre. Il faudrait bien que ça fasse l'affaire. Il les lança par-dessus le foyer vers sa couche et prit ses bottes.

La tunique éveillait des souvenirs brumeux. Des images de son père, qui lui apparaissait toujours comme un homme de haute taille au visage flou, surgirent soudain clairement dans son esprit. Heckram se rappela qu'il lui semblait grand comme un arbre, penché vers lui, et que son rire roulait comme le rugissement du vent. Il avait des yeux noisette, le nez long et mince en comparaison de celui des membres du peuple des rennes. Quand il soulevait Heckram au-dessus de sa tête jusqu'à lui faire toucher les chevrons du toit de la hutte, ses mains encerclaient complètement la poitrine de l'enfant. Il portait cette chemise marron. Heckram la ramassa lentement et la renifla ; elle avait l'odeur des herbes que sa mère mettait dans le coffre pour tenir les souris à l'écart. En se demandant à quel moment elle l'avait placée dans ses affaires, il l'enfila avec précaution, comme s'il craignait de détruire les souvenirs qui y étaient associés, puis il passa le pantalon de cuir et l'attacha, avant de se redresser. Roulant des épaules pour ajuster la tunique, il essayait de s'habituer au contact.

— Elle est un peu étroite pour toi. Je crois que tu as les épaules un peu plus larges. Je ne m'en étais pas rendu compte jusqu'à présent. Ton sang du Sud doit être très puissant, tu l'as reçu à la fois de ton père et de moi. Mais elle se détendra et finira par t'aller.

Il se retourna lentement. Postée sur le seuil de la hutte, Ristin l'observait avec un sourire doux-amer.

— Tu lui ressembles beaucoup. De caractère aussi. J'imagine qu'Ella apprendra à vivre avec tes humeurs comme j'ai dû le faire avec ton père.

Heckram hocha lentement la tête.

— C'est pour moi que tu avais gardé ça ?

— Précisément pour cette occasion, répondit Ristin en acquiesçant à son tour. Ton père la portait le jour de nos fiançailles. (Elle se détourna brusquement, comme si elle ne pouvait plus supporter de le regarder.) Coiffe-toi, et file d'ici, continua-t-elle. Je vais nettoyer tout ce désordre à ta place pour la dernière fois, et je laverai aussi ta chemise. Dépêche-toi. Lasse et les autres t'attendent depuis trop longtemps.

Tout en parlant, elle s'agitait d'un air affairé, rangeant le paquet d'herbes dans le coffre, immergeant de nouveau la tunique sale. Heckram comprit qu'elle ne souhaitait plus parler pour l'instant, aussi se contenta-t-il de passer un peigne d'os dans ses cheveux humides, d'enfoncer son bonnet par-dessus et de partir en silence.

— C'est un bon moment de l'année pour construire une hutte de tourbe, lança Lasse d'une voix railleuse aux autres hommes en voyant approcher son ami.

Heckram les salua avec solennité, touchant les mains des uns, embrassant les autres, et ignorant ostensiblement le groupe de jeunes filles et de femmes qui s'étaient rassemblées pour les observer derrière chez Stina. Parmi elles, il pensa avoir entrevu le bonnet bleu d'Ella, mais ne voulut pas tourner la tête pour mieux regarder.

— Alors, Heckram, tu as décidé de bâtir un foyer, aujourd'hui ? dit Bror à haute voix.

— Ça pourrait se faire. J'ai pensé que ce serait bien d'avoir un endroit pour y poser mes affaires.

Affichant une attitude détachée, les hommes le suivirent à travers la clairière, jusqu'au flanc de la colline. Ils gardèrent le silence pendant qu'il balayait la neige pour découvrir une portion du sol. Puis il y enfonça profondément la lame d'un couteau et traça avec soin le contour d'un carré. À l'aide d'outils d'os et de bois, il trancha l'épais matelas de racines qui retenait le bloc et le libéra de son berceau de tourbe. De la terre et des morceaux d'humus en tombèrent lorsqu'il le souleva. Il le transporta dans ses bras jusqu'à l'emplacement de la future hutte, comme un enfant fragile, et le posa sur le sol à l'endroit désiré.

— Et voilà le début du premier mur, lança-t-il d'une voix forte.

Cette phrase, que tous attendaient d'entendre, provoqua la brusque apparition d'outils et de traîneaux chargés de blocs de tourbe, que certains, plus impatients que les autres, avaient déjà taillé en attendant Heckram. Ils furent rapidement déchargés et installés à la suite du premier. Au fur et à mesure, un cercle commença à se dessiner et à s'élever. Par sa forme et sa taille, la hutte ressemblerait à une tente, mais ses murs épais offriraient plus de résistance au vent et au mauvais temps.

Des perches solides furent installées pour encadrer l'entrée, puis d'autres allèrent former la charpente. La couverture elle-même, constituée de branches et d'écorce de bouleau, était colmatée par de la mousse. En revenant de leur seconde collecte de matériel pour le toit, les hommes découvrirent que quelqu'un avait accroché une peau dans l'embrasure de la porte. Ils ne firent aucun commentaire à ce propos, pas plus que lorsqu'ils découvrirent l'épaisse couche de rameaux de bouleau apparue à l'intérieur de la construction pendant qu'ils étaient partis chercher un autre chargement. Quand Heckram s'apprêta à grimper sur la toiture pour ajuster les dernières pièces d'écorce autour du trou d'évacuation de la fumée, Lasse l'arrêta d'un geste.

— Attends, avec ton poids, tu vas tout flanquer par terre.

Le jeune homme escalada la hutte avec une agilité d'écureuil et s'acquitta rapidement de la tâche.

Heckram fit le tour de l'édifice, à la recherche de fissures à boucher avec de la mousse ou d'endroits où les mottes de tourbe auraient été posées inégalement. Mais la construction était solide et bien calfeutrée, capable de supporter de nombreuses années de neige et de pluie. À son retour l'automne prochain, les murs auraient commencé à vivre leur propre existence. De petites plantes s'y seraient accrochées, et la mousse qui les colmatait aurait reverdi et repoussé. Il hocha la tête avec satisfaction, souleva la peau de la porte et entra en faisant craquer les rameaux de bouleau sous ses pas. Les autres s'attroupèrent sur le seuil, examinant l'intérieur.

— Pas de pierre pour le foyer ! s'exclama joyeusement Bror.

— Sans arran pour la réchauffer ou pour cuire les repas, cette hutte restera glaciale, renchérit Lasse, dont la voix claire vibra haut dans l'air froid.

Ses compagnons hochèrent la tête avec commisération, regardant Heckram. Ce dernier revint s'accroupir dans l'embrasure de la porte, qu'il remplissait malgré sa position tassée.

— Vous avez raison, dit-il. Mais aucun homme ne sait construire un foyer.

— C'est bien vrai ! caqueta Stina, qui adorait les cérémonies de fiançailles et était toujours la première à apostropher le prétendant. Mais voilà une femme qui va te montrer comment faire ! Je t'apporte une pierre pour ton foyer !

Elle trottina vers lui aussi vite que le lui permettaient ses jambes ankylosées et lui présenta un morceau de schiste friable pas plus gros que son poing. Mais Heckram l'accepta d'un air grave et l'inspecta ostensiblement.

— Il me semble que c'est une bonne pierre, déclara-t-il, déclenchant un concert de huées féminines. Mais elle n'est pas comme celle du foyer de ma mère. Je ne prendrai ni ta pierre d'arran ni toi dans ma tente, femme !

Stina accueillit sa décision avec une expression de profonde déception et regagna les rangs féminins. Ibba s'avança à son tour, pour lui proposer une pierre ronde aussi grosse que la tête. Un nouvel examen aussi attentif que le premier aboutit au même résultat. L'une après l'autre, les femmes vinrent lui offrir leur présent qu'il inspectait avant de le rejeter. Chaque proposition, encore plus inadéquate que la précédente, déclenchait des tempêtes de rires. À la fin, Tranta, une amie d'Ella, battit tous les records dans l'insulte en lui présentant une poignée de cailloux et des fragments d'écorce. Il refusa de nouveau.

— Il n'y a vraiment pas une femme qui soit capable de construire un foyer pour cette nouvelle hutte ? demanda-t-il d'une voix forte en prenant l'assemblée à témoin.

Le groupe s'écarta pour céder le passage à Ella. Ses yeux brillants éclairaient son visage aux joues rosies. Elle portait une nouvelle toque de laine rouge et lorsqu'ils s'en échappaient, ses cheveux noirs accrochaient la lumière. Au lieu de sa tunique en peau de renne, elle avait passé un manteau de renard blanc par-dessus une chemise tissée et une jupe de laine à l'ourlet bordé de franges. Un murmure d'approbation l'accompagna alors qu'elle se dirigeait vers la hutte à pas comptés. Dans ses deux mains, elle portait une belle pierre d'arran large et plate.

Heckram la reçut avec gravité, et leurs regards se rencontrèrent longuement pendant que le bloc passait de l'une à l'autre. Il tourna et retourna l'objet entre ses mains, prolongeant l'examen à plaisir, jusqu'à ce que des murmures commencent à se faire entendre. Quand il leva la tête, ce fut pour tomber sur les yeux noirs écarquillés d'Ella. Il tenta de masquer la malice dans les siens.

— Ça, une pierre pour le foyer ? commença-t-il d'un ton dubitatif.

Le concert de cris outragés qui s'éleva du côté des

femmes, le persuada instantanément que l'heure n'était plus à la plaisanterie et il s'empressa de redresser la barre.

— Elle fera la meilleure pierre d'arran devant laquelle un homme a jamais rêvé de se chauffer. Je la prends, et toi aussi.

D'un geste solennel, il la reposa entre les mains d'Ella, puis recula dans la hutte pour lui céder le passage. Au centre, sous le trou d'évacuation, un espace avait été laissé vierge. Ella y déposa la pierre, et la cala soigneusement dans le sol. Dans le silence, elle ressortit pour aller en chercher une autre, qu'elle installa à côté de la précédente. La procédure se poursuivit jusqu'à la construction complète de l'arran. Ella revint alors avec une torche allumée au foyer de sa mère, qui l'accompagnait d'ailleurs, avec Ristin, toutes deux chargées d'une provision de bois pour nourrir le nouveau feu. Le crépuscule tombait déjà et la flamme brillait haut dans la pénombre. Heckram souleva la couverture de peau pour permettre à Ella de passer. Cette fois, Missa et Ristin la suivirent à l'intérieur, et des visages curieux s'agglutinèrent à l'entrée pour l'observer pendant qu'elle préparait et embrasait le feu.

Quand il fut haut et clair, elle alla se poster près d'Heckram. Tous les deux se tournèrent vers ceux qui s'étaient rassemblés devant la porte.

— Pourquoi restez-vous dehors dans le froid de la nuit ? demanda Heckram. Venez donc vous réchauffer au beau feu que ma femme vient d'allumer.

— Ne restez pas sous le ciel. Venez donc vous réchauffer dans la hutte solide qu'a construite mon homme. Nous venons de nous unir et nous sommes de pauvres gens, mais nous allons partager ce que nous avons avec vous ! renchérit Ella.

Un brouhaha de vœux s'éleva. Tous admirèrent à haute voix les murs bien calfeutrés et le foyer. Puis, l'un après l'autre, ils commencèrent à trouver des défauts à l'installation.

— N'y a-t-il rien d'autre pour s'asseoir hormis les rameaux de bouleau ? demanda Kuoljok à haute voix. Bon, j'ai là une vieille peau de lièvre qui préservera leur peau des branches !

Il déroula une magnifique dépouille d'ours près du foyer.

— Ne vont-ils rien offrir à manger à leurs invités ? s'effara Stina. Bien, j'ai un petit pot de thé que je peux leur donner.

Avec un grognement d'effort, elle posa sur les pierres une grosse marmite pleine d'un ragoût qui mijotait encore.

— Et comment vont-ils le remuer ? intervint Ibba. Avec un bâton ou le doigt ?

Tout en parlant, elle plongea une jolie louche d'os sculptée de frais dans le savoureux bouillon.

— Elle sera une épouse paresseuse et ne pensera pas à faire une provision de fromage pour l'hiver, prédit Lasse.

Et il accrocha six gros fromages aux chevrons.

Ella et Heckram devaient se contenter de rester assis sur la peau d'ours, admettant leur dénuement et leur incompétence pendant que leurs parents et amis apportaient leur contribution. Demain, ils pourraient passer dans leur ancienne habitation pour y prendre leurs affaires, mais pour ce soir, ils dépendaient uniquement de la générosité des autres. Les yeux brillants, Ella caressait du bout des doigts la fourrure. Ristin installait des broches garnies de viande au-dessus des flammes, tout en expliquant à qui voulait l'entendre combien elle était ravie de se débarrasser de son bon à rien de fils. Missa, quant à elle, coupait des tranches de fromage et servait le ragoût en confiant d'une voix puissante que sa fille ignorait tout de l'art de garder une maison chaude et bien approvisionnée. Chaque remarque désobligeante était accueillie par une rafale de rires, et chaque invité renchérissait dans les prédictions d'infortunes et d'ennuis qui attendaient le jeune couple.

— Il sera un si mauvais chasseur qu'il nourrira sa femme de souris et de musaraignes !

— Les poils tomberont des peaux qu'elle aura tannées et ses tissages ne tiendront pas.

— Il fabriquera des flèches tordues qui iront se perdre dans les arbres ; quant à elle, ses fromages seront rances et moisis.

— Est-il trop tard pour offrir une pierre pour le foyer ?

Tous les regards se tournèrent vers l'entrée de la hutte et

la nouvelle arrivante. Dans l'embrasure de la porte, Kari réussissait le tour de force d'avoir l'air à la fois timide et arrogante. Aucun autre membre de la famille du maître des hardes ne s'était manifesté à la cérémonie. L'affront n'avait pas été commenté, il n'était pas pour autant passé inaperçu. Maintenant qu'on n'attendait plus personne, nul ne se leva pour accueillir la jeune fille. Ses joues virèrent au rouge foncé et ses yeux devinrent soudain trop brillants. Elle portait un morceau d'ambre gros comme le poing. Kuoljok laissa échapper un hoquet de surprise. Le silence avait envahi le lieu comme une neige épaisse tourbillonnant parmi les invités, qui avaient tous les yeux fixés sur l'objet trop précieux. Selon leurs traditions, c'était un présent maladroit. Le silence se prolongeait, augmentant l'embarras de Kari.

Finalement, Lasse trancha dans le vif.

— Je n'ai jamais vu une pierre pareille dans le foyer de ma mère ! s'exclama-t-il, déclenchant quelques rires nerveux.

— Je vais la poser près de l'arran, lança Kari d'une voix trop forte, où transparaissait sa nervosité.

Suivie par tous les regards, elle traversa la hutte et s'agenouilla pour placer le bloc jaune devant le couple. Stina regarda Lasse et s'éclaircit la gorge.

— Ne le mets pas par là ! Ella risquerait de confondre avec le petit bois et de le jeter au feu !

La saillie était suffisante pour des gens qui aspiraient à alléger la situation. Le moment d'embarras s'estompa, les rires et les plaisanteries s'élevèrent de nouveau dans la nuit. Kari adressa un sourire de gratitude à Lasse, qui en retour lui offrit un morceau de viande rôtie.

Lorsqu'on ouvrit un fût de juobmo et un de bière, les bavardages se firent encore plus bruyants. Quelqu'un apporta du boudin. On rechargea le feu et les flammes ronflèrent de plus belle. Ristin fit un autre voyage aux râteliers à viande. À l'intérieur de la hutte, l'atmosphère était chargée des odeurs corporelles, et de celles de la viande rôtie et des boissons. Des yeux sombres pétillaient, des joues larges se coloraient, les femmes célibataires flirtaient outrageusement avec les jeunes gens, et les couples plus anciens se souvenaient avec émotion de leurs propres fiançailles.

Maintenant, plusieurs fourrures parsemaient le sol, et de nombreux outils et ustensiles pendaient des râteliers. Un komse de cuir et de bois occupait discrètement un coin, dans l'espoir serein qu'Ella le remplirait avant la fin de l'année. Berceau d'un peuple nomade, l'objet était équipé de brides qui permettaient d'accrocher le bébé au chargement d'un renne ou à la fourche d'un arbre.

Le bourdonnement des voix, où fusaient de soudains éclats de rire, accompagnait les réjouissances.

— Il commence à se faire tard, tu ne trouves pas qu'ils devraient penser à rentrer chez eux ? murmura Ella, blottie contre Heckram.

— La nuit vient à peine de commencer.

Mais il baissa les yeux, remarqua l'impatience qui faisait briller le regard d'Ella et se sentit investi par le même empressement. Elle s'agenouilla sur la peau d'ours, amenant leurs visages au même niveau. Il fut soudain extrêmement sensible à la chaleur d'une cuisse contre la sienne. Avec un demi-sourire, Ella constata que l'intérêt grandissait dans le regard d'Heckram. Sans se préoccuper de la présence des autres, il se pencha soudain pour l'embrasser. Leurs bouches se mêlèrent, tièdes, humides, partageant le goût de la bière du sud.

— Bien, certains sont censés partir à la chasse demain. Et ceux-là ont intérêt à dormir cette nuit, dit Lasse en se levant après avoir poussé un gigantesque bâillement.

Heckram ne vit pas le grand sourire qui accompagnait cette déclaration, mais le discerna dans l'intonation de son ami.

— Kuoljok a relevé des traces de loup sur la crête sud, fit observer Ristin. J'irai chasser par là demain.

Lasse souleva la peau de l'entrée pour laisser passer Kari. Ibba et Bror la suivirent de près.

— Cette hutte n'est pas si mal que ça, après tout, commenta Kuoljok.

Missa hocha la tête, les yeux humides, puis quitta le foyer de sa fille.

— Et ce feu brûle bien, renchérit Ristin, avant de les rejoindre à l'extérieur.

Heckram et Ella restèrent immobiles, pendant que leurs invités s'esquivaient sur des remarques anodines. Stina traîna un peu plus longtemps que les autres, s'attardant à recharger le feu ou à éloigner un pot des pierres brûlantes. Elle fixa le couple pendant quelques secondes, fit mine de parler, mais s'abstint et se contenta d'un bref signe de la tête. Lorsque la couverture de peau retomba après son passage, seuls les craquements du feu dans le nouveau foyer brisaient le silence.

— Je devrais remettre du bois, s'exclama Ella, prise d'un soudain accès de timidité.

Heckram sentit le sang se ruer dans ses veines en la regardant se relever, car les franges de sa jupe dansaient au-dessus de ses genoux comme une invitation. Sans savoir comment, il se retrouva brusquement debout et l'attira contre lui, prenant la pleine conscience de la petite taille de sa compagne. Elle posa le visage contre sa large poitrine, et il sentit la chaleur de son souffle à travers sa chemise. En baissant la tête, il voyait la mince bande de peau qui séparait sa lisse chevelure noire en deux. Elle leva la tête, les yeux sombres et brillants. Le cœur d'Heckram bondit comme celui d'un starva sauvage en rut. Il se laissa tomber à genoux et enfouit son visage dans la chemise d'Ella, caressant ses seins à travers le tissu, pendant qu'il tentait fébrilement de défaire attaches et lacets. Les doigts de la jeune femme allèrent se perdre dans les cheveux fins pour attirer fermement la bouche d'Heckram contre sa poitrine. Il eut l'impression de goûter des framboises tiédies par le soleil de midi et de toucher de l'ivoire poli, au contact de ses cuisses lisses et fermes. La chaleur de leur nouveau foyer colorait leur peau nue, et les fourrures semblaient en soie.

Il était tard dans la nuit lorsqu'Ella se releva pour alimenter le feu. Dans la tiédeur de leur couche, il la regardait évoluer dans la hutte, dorée dans la lumière des flammes mourantes. La vague de ses épais cheveux noirs ondulait sur ses épaules au rythme de ses mouvements. Il était presque heureux. Soudain, elle poussa un cri de consternation et s'éloigna du foyer.

— Tu t'es brûlée ?

— Non, répondit-elle en tournant ves lui un regard inquiet. Une des pierres de notre arran est fendue.

Pour un couple plus établi que le leur, ce signe de mauvais augure se serait contenté d'indiquer une querelle à venir ou un jour de chasse décevant. Mais le foyer était aussi nouveau que leur union. Et Ella était parfaitement consciente qu'il n'y avait pas pire présage pour une nuit de fiançailles. De son côté, Heckram savait qu'elle s'attendait à une réprimande pour avoir mal choisi les pierres ou fait le premier feu trop chaud. Mais il se contenta d'ouvrir leur lit de fourrures et lui faire signe de le rejoindre.

Elle revint, d'abord hésitante, puis se blottit contre lui et lui caressa la poitrine. Plus tard, ils s'endormirent. Mais au réveil, Heckram se souvint d'avoir rêvé qu'il surveillait le départ de pulkors chargés pour les villages du Sud. Le matin était glacial, et le feu était éteint dans le foyer à la pierre fendue.

XII

— MAIS JE CROYAIS que nous allions voir nos bêtes dans le troupeau.

— C'est sur la route. Ça ne prendra pas très longtemps.

— Ça nous fait faire un détour, rectifia Ella avec un peu d'humeur. D'ailleurs, je ne vois pas de raison de se donner toute cette peine, ni pourquoi tu tiens à t'y rendre aujourd'hui.

Heckram fit glisser ses skis sur trois longues foulées avant de répondre.

— On va juste les saluer, dit-il en haussant ses larges épaules.

Il était content d'ouvrir la route. Ainsi, elle ne pouvait pas voir son visage et deviner qu'il lui cachait quelque chose, comme elle le soupçonnait.

C'était une de ces rares journées du milieu de l'hiver qui rappelaient que le printemps arriverait bientôt, que la vie de la forêt n'était qu'en sommeil dans le sol riche et sombre sous le froid manteau blanc. Le vert foncé des pins se détachait crûment contre le bleu profond et limpide du ciel. La neige projetait sa propre lumière, dont le scintillement obligeait Heckram à plisser ses yeux mouillés de larmes. La scène possédait une perfection qu'aucun objet fabriqué par l'homme ne pouvait approcher. Un ourlet brillant soulignait avec précision le contour des branches sombres et épineuses. Ils traversèrent une prairie de hautes herbes. Les tiges, ornées de glands, étaient enrobées d'une fine couche de cristaux qui en accentuait la découpe. L'air froid lui brûlait les joues, mais la beauté du paysage tempérait la douleur.

— Tout ça ne me dit pas pourquoi, insista Ella. Nous n'avons rien à demander à la guérisseuse. Et ce n'est pas vraiment le chemin. La harde est dans ces collines, beaucoup plus à l'ouest.

Il ne se retourna pas pour la voir montrer la direction avec son bâton. Il savait qu'elle faisait ce geste. Au bout d'un mois de vie commune, il la connaissait déjà trop bien. Si seulement elle pouvait se calmer, regarder la beauté du jour comme il le faisait, partager son admiration du givre sur les herbes, son plaisir de sentir la chaleur du soleil et le froid du vent d'hiver se mêler sur sa peau.

— Je veux voir le petit, dit Heckram, surpris par sa propre franchise. Il est trop solitaire.

— Il est avec sa mère. Si elle pense qu'il est trop seul, elle montera sa tente plus près du talvsit. Mais j'ai l'impression qu'elle le tient volontairement à l'écart.

— Peut-être.

Il avait répliqué d'une voix brève. Ses épaules travail laient plus que nécessaire pour se propulser.

— Tu sais bien comment il est. Je ne crois pas qu'il s'entendrait avec les autres enfants. Ils n'ont rien en commun. Alors, même si elle s'installait au beau milieu du camp, cela ne changerait rien. Il serait toujours aussi seul. Écoute, Heckram, j'ai une idée. Commençons par aller voir le troupeau, occupons-nous d'abord des rennes. Et si nous avons le temps au retour, nous nous arrêterons pour les voir.

— Leur tente est juste de l'autre côté de cette crête.

Heckram n'attendit pas de réponse et poussa de toutes ses forces sur ses bâtons pour escalader la colline. Ella s'essouffla à suivre son allure.

Autour de la tente, la neige était piétinée et des traces de skis prouvaient que plusieurs membres du clan avaient bénéficié des services de la guérisseuse. Tillu était occupée à fixer une peau de veau sur un chevalet pour l'étirer. Accroupie ainsi dans la neige, elle paraissait minuscule. Et très solitaire aussi, comme si son abri était le seul au monde. Kerleu était de l'autre côté. Un bâton à la main, il jouait à traquer une souche. Ses mouvements stylisés ressemblaient plus à une danse qu'à un jeu. Son corps se balançait avec une agilité qui contrastait fortement avec sa maladresse coutumière. Pour l'instant, penché en avant, il mimait une marche contre le vent et avançait vers la souche sur la pointe des pieds en la menaçant de sa javeline improvisée. Une saute de vent apporta son chant aux oreilles d'Heckram, qui n'avait jamais entendu pareil langage. Il resta quelques instants de plus au sommet de la colline, observant la scène.

— Tu vois ce que je veux dire, reprit Ella, qui venait d'arriver derrière lui. Quelle sorte de jeu est-ce là pour un enfant de son âge ? Pourquoi ne fait-il pas quelque chose d'utile pour aider sa mère ?

Son visage se ferma sur une expression de dégoût et de condamnation qui la fit paraître vieille et dure. Heckram détourna la tête.

— Ce n'est qu'un gamin, observa-t-il.

Il poussa sur ses bâtons pour aborder la descente. Un instant plus tard, il distinguait le crissement des skis d'Ella sur la neige.

Kerleu fut le premier à les remarquer et il s'élança vers eux en poussant un cri joyeux. Fonçant droit vers Heckram, il l'obligea à s'arrêter brusquement d'un mouvement de skis maladroit, qui l'envoya rouler dans la neige. Ella poussa une exclamation agacée et les contourna en imprimant une courbe gracieuse à sa trajectoire. Elle courut son erre et déboucha brusquement dans la clairière devant la tente. Tillu se leva avec maladresse et l'accueillit sans dissimuler sa surprise. Heckram se retrouva seul avec Kerleu.

Ils échangèrent un large sourire, se comprenant sans avoir besoin des mots. Kerleu attrapa des deux mains le poignet d'Heckram.

— Viens voir la peau de mon veau. Je l'ai dépouillé

moi-même. Si tu m'avais vu, je l'ai enlevée tout doucement, tout doucement, avec le couteau que tu m'as donné. Celui de Tillu n'est pas aussi bien.

— Hum, se contenta de répondre Heckram en enregistrant l'information. Alors, tu as bien chassé, petit homme ?

Kerleu haussa les épaules, comme un adulte qui ne veut pas se laisser envahir par la vanité.

— L'animal était petit, commenta-t-il avec détachement. Mais il nourrira ma mère jusqu'à ce que je puisse en chasser un autre. Aujourd'hui, je fais la danse du chasseur pour me porter chance... D'ailleurs, si on allait à la chasse ensemble demain, tu veux ?

Heckram fut touché par la supplique que dissimulait le détachement très élaboré du garçon.

— Peut-être, répondit-il en échafaudant déjà des plans.

Il regarda vers la tente et aperçut Ella, dont la posture dénonçait à la fois l'agacement et l'embarras. Tillu aussi était tournée vers eux. Il valait mieux descendre les rejoindre.

— Viens, dit-il au garçon. Mets-toi derrière moi. Pose tes pieds derrière les miens. Non, j'ai besoin des bâtons, accroche-toi à moi. Bien. Tu déplaceras tes pieds en même temps que les miens. D'abord, le gauche... maintenant, le droit. Prêt ? C'est parti !

Le trajet jusqu'à la clairière était très court, mais le garçon hurla de joie tout du long, fermement agrippé à la taille d'Heckram. La traversée du terrain plat fut la plus difficile, non pas à cause du poids de Kerleu, mais de l'expression sur les visages qui les attendaient. Tillu arborait un de ses sourires rares et circonspects, mais l'air réprobateur d'Ella était devenu trop familier à Heckram. Elle n'admettait pas qu'il perde du temps pour ce qu'elle considérait comme des choses futiles.

— Allez, saute, dit-il au garçon, lorsqu'ils furent arrivés devant les deux femmes.

Les bras de Kerleu s'attardèrent une seconde de plus autour de sa taille pour une étreinte convulsive où il exprimait toute sa gratitude. Son petit visage rayonnait de plaisir.

— Viens voir ma peau de renne, maintenant, et ensuite

nous prendrons le thé dans la tente de ma mère, commença-t-il avec excitation.

— J'ai bien peur que nous ne puissions pas rester aussi longtemps, intervint Ella d'un ton mielleux. Nous devons aller voir le troupeau et il nous reste encore du chemin. Et il nous faut arriver là-bas assez tôt pour rentrer au talvsit avant la nuit. (La joie déserta le visage de Kerleu et son expression s'assombrit comme le soleil disparaît derrière un nuage.) Je disais justement à Tillu que nous étions passés vous saluer sur le chemin. C'est une belle peau de renne, dommage qu'elle ait été tailladée pendant l'écorchage.

Heckram ébouriffa les cheveux de Kerleu en un geste presque possessif.

— Quelques déchirures, ça n'a rien de dramatique. Une femme habile saura les rattraper.

Cette fois, l'expression de gratitude de Tillu fut manifeste.

— Prenez le temps d'une tasse de thé pour vous réchauffer, dit-elle en regardant successivement Heckram puis son épouse. Avec le veau, j'ai du suif. Je peux faire le mélange, Ella. Pour ton épaule.

— Je n'ai rien à échanger aujourd'hui, répondit l'autre avec une courtoisie froide.

— C'est inutile, répondit Tillu avec embarras. Quand tu m'as donné cette boîte et les aiguilles, j'avais dit que je le préparerais dès que possible. Ça ne prendra qu'un instant.

Elle jeta un regard interrogateur à Heckram, cherchant à comprendre les raisons de la mauvaise humeur de la jeune femme. Puis son œil tomba sur Kerleu. Accroupi aux pieds d'Heckram, il suivait du doigt les motifs colorés qui ornaient le bâton de ski de son ami. Le visage de Tillu se ferma, l'animation le déserta, remplacée par une sorte de grisaille.

— Bien sûr, si vous êtes pressés, c'est différent. Revenez une autre fois. Quand ça vous conviendra. Kerleu. Kerleu ! Va me chercher l'autre racloir. Je crois qu'il est dans la boîte à herbes.

Le garçon obéit à regret. « Et voilà, se dit Heckram en gardant un sourire amical plaqué sur la figure. La renarde a décelé une menace pour son petit et le renvoie dans la tanière. » Était-ce pour cela qu'ils vivaient à part ? En réalité, Ella avait raison. Cette existence solitaire était un choix. Non pour priver Kerleu de compagnie, mais pour le garder du danger que représentaient les autres. Pour le protéger des regards durs, des moqueries et des coups sournois quand personne ne surveillait. Quelque chose se serra à l'intérieur de sa poitrine.

— J'aimerais que Kerleu nous accompagne, dit-il brusquement.

L'idée lui trottait dans la tête depuis le matin, mais à présent il lui semblait essentiel de la réaliser. Sa proposition sembla éveiller la méfiance de Tillu, alors qu'Ella poussa un cri étouffé, comme s'il venait de la doucher à l'eau froide.

— Mais comment ferons-nous, Heckram ? Nous sommes à skis, il ne tiendra jamais la distance.

— Il montera derrière moi ou je le porterai sur mes épaules. Il n'est pas si lourd, tu sais, répondit-il d'une voix lente et détachée.

— Mais il nous ralentira, objecta Ella, en plein désarroi. Et nous avons déjà perdu du temps en nous arrêtant ici. Oh, Heckram, nous ne pouvons vraiment pas faire ça aujourd'hui !

À la fin de sa tirade, sa voix était redevenue polie mais ferme. Quand Tillu intervint à son tour, elle adopta le même ton.

— Merci de la proposition, mais mon garçon a du travail.

Heckram aurait peut-être soutenu la discussion avec Ella, mais les paroles de Tillu ne laissaient pas de place à l'objection. Pendant un bref instant, il entrevit la profondeur de sa détermination : elle n'abandonnerait jamais son fils dans des circonstances où elle serait incapable de le protéger. Puis son visage prit une expression de vacuité courtoise et elle détourna les yeux.

— J'avais espéré pouvoir l'emmener à la chasse demain.

— Mais Heckram... l'interrompit Ella avec irritation.

— Ce n'est pas possible, intervint Tillu d'une voix neutre. J'aurai besoin de lui ici demain. Nous ne sommes que tous les deux et je dépends de lui pour bon nombre de choses. Je ne peux pas lui permettre de t'accompagner.

— Tillu !

Ce cri de désespoir sortait de la gorge de Kerleu, qui était arrivé sans bruit derrière sa mère. Il lâcha le racloir et se précipita vers Heckram. Elle le saisit au passage par le dos de sa tunique.

— Ils sont pressés, dit-elle avec fermeté.

Kerleu se débattait de toutes ses forces ; les jointures des mains de Tillu blanchissaient sous l'effort qu'elle devait produire pour le maîtriser.

— Ils doivent partir, Kerleu. Et toi, tu restes avec moi. N'es-tu pas l'homme de cette tente ? N'as-tu pas des tâches à accomplir ?

Kerleu jeta un coup d'œil à Ella et remarqua sa réprobation. Il tourna alors un regard brillant de désespoir vers Heckram, que celui-ci ne put se résoudre à croiser.

— Peut-être un autre jour ? marmonna-t-il en se baissant pour enlever une trace de neige imaginaire de son pantalon.

Kerleu cessa de se débattre d'un seul coup et se redressa. Il se tint immobile et quand Heckram osa de nouveau le regarder, il trouva son visage aussi fermé que celui de sa mère.

— Ou peut-être pas, déclara l'enfant. (Il hésita, mais ensuite sa voix se raffermit, et les mots tombèrent de plus en plus vite, se bousculant sur sa langue malhabile.) Je n'ai pas de temps à perdre. C'est bien de chasser, mais un chaman a beaucoup d'autres choses à faire. Il existe un monde invisible, dans lequel un chaman se déplace. Là-bas, je suis encore plus homme que tu ne peux l'imaginer. Oui, c'est de cet endroit que je protège ma mère et que je lui envoie du gibier. C'est là que je vais pour appeler Carp, qui viendra bientôt. Alors, je n'aurai plus le temps pour la chasse ni pour utiliser un arc. Aussi il est inutile que tu m'en fabriques un, parce que je ne m'en servirai jamais. Il resterait simplement dans un coin de la tente...

— Nous devons partir, dit Ella à voix basse, visiblement mal à l'aise.

Elle planta fermement ses bâtons et se lança en avant. Heckram se retrouva à la suivre sans avoir réfléchi, laissant les paroles de Kerleu se perdre dans la neige derrière lui. Il murmura des excuses, sachant que le garçon n'avait même pas entendu ses paroles. Toute son énergie était nécessaire pour ne pas se faire distancer par Ella. Il ne pouvait pas se retourner pour regarder l'endroit où Kerleu continuait son discours erratique, dont les mots volaient comme des armes inutiles contre son propre chagrin. Heckram avait l'impression que quelque chose s'était arraché en lui. Un lien s'était rompu, et l'emplacement de la déchirure à vif était plus douloureux qu'il n'aurait pu l'imaginer.

Arrivé sur la crête, il risqua un regard en arrière. Tillu s'était remise à son ouvrage, et agenouillée devant le châssis, travaillait la peau au racloir. Accroupi dans la neige, le visage enfoui dans les mains, Kerleu se balançait pour bercer sa souffrance, paraissant bien plus jeune que son âge. Son chagrin mordit Heckram au cœur.

— Mais qu'est-ce qu'elle attend pour aller le prendre dans ses bras ? fulmina-t-il.

— Qu'est-ce que tu dis ?

Il retourna son irritation contre Ella.

— Et toi, pourquoi t'es-tu comportée de cette manière ? Tu n'as donc pas remarqué que le gamin était triste ?

— Tout ce que j'ai vu, c'est un enfant mal élevé, rétorqua-t-elle, le visage glacial. Sa mère devrait lui apprendre les bonnes manières. Pas étonnant qu'ils doivent vivre à l'écart des gens. Qui tolérerait un phénomène pareil dans un village ?

— Moi, murmura-t-il.

L'expression d'Ella s'éclaira soudain. Elle se rapprocha de lui et posa sa main sur celle d'Heckram.

— Je le sais. Qui aurait pensé qu'un homme comme toi puisse s'enticher d'un tel gamin ? dit-elle en lui caressant le bras. Nous avons attendu trop longtemps tous les deux, mais ne sois pas trop impatient. Je suis certaine que l'année prochaine à cette époque, il y aura un petit dans le komse. Peut-être un garçon qui deviendra grand et fort, et qui te ressemblera. Un fils que tu pourras éduquer, emmener à la chasse, avec lequel tu pourras jouer. Tu partageras toutes ces choses avec lui, Heckram. Et il sera intelligent et bien élevé.

Il lut le désir de maternité sur le visage d'Ella. Elle ferait une bonne mère, au cœur plein de rêves et d'espoir pour ses enfants. Elle porterait des bébés sains et solides, qu'elle protégerait farouchement pendant leur plus jeune âge. Et quand ils auraient grandi, elle les lancerait dans la vie, armés de leur indépendance, comme des bateaux de feuilles livrés au courant d'un ruisseau. Heckram ne pouvait que saluer la justesse de ses attentes. Ils auraient une famille, un fils bien à lui qui n'aurait aucune des subtiles différences de Kerleu. Il serait un bon chasseur, fort et sain, tout ce que souhaite un père et le rend fier. Il ne connaîtrait ni les maladresses ni les difficultés de Kerleu. Ella et lui auraient des enfants qui grandiraient bien. Mais...

— Et Kerleu ?

Ella fronça les sourcils, puis atténua la rigueur de sa réaction avec un petit rire.

— Adorable idiot. Aurais-tu le cœur aussi sensible ? Il ne nous est rien. Sa mère est là pour s'occuper de lui. Tout ira bien pour lui. Tu dois les laisser se débrouiller. Si tu continues à interférer, ce ne sera que plus difficile pour le garçon. Il voudra des choses qui sont hors de sa portée. Ne t'immisce pas dans leur vie, Heckram. Toi et moi avons notre propre existence à remplir.

Elle attira la main d'Heckram contre ses seins. Son sourire était rempli d'une tendre promesse. Il réussit à le lui renvoyer avant de se dégager doucement. Elle poussa sur ses bâtons et commença à descendre silencieusement le flanc étincelant de la colline. Il la suivit. Mais une question ne le lâchait pas, aussi impitoyable qu'une meute de loups.

Et Kerleu ?

XIII

IL AURAIT DÛ RESTER avec Ella. Il le savait. C'était ce que les autres attendaient de lui et ils seraient choqués de le voir agir autrement. Mais il n'avait pas pu. Il lui fallait bouger, s'épuiser en lançant sa bête à un train d'enfer, faisant voler le pulkor sur la neige. Il trouvait une sorte de réconfort dans le battement de son cœur, la pompe de ses poumons, le passage fugitif des arbres sombres qui filaient dans le paysage brouillé par la vitesse, soulagé d'agir au lieu de rester là-bas, frappé de stupeur et d'horreur. Il gardait ainsi l'illusion d'avoir une forme de contrôle sur les événements. Il fuyait sa douleur et sa fureur. Et sa peur aussi. Oui, mais pas pour lui. Qu'une chose pareille advienne au sein du peuple des rennes le remplissait de terreur. Maintenant, n'importe quoi pouvait se passer. N'importe quoi. L'indignation qui frémissait en lui depuis la mutilation de Bruk bouillonnait si fort qu'elle menaçait de déborder et de brûler son âme.

Quelques heures auparavant, la nuit était encore confortable. Réunis autour du feu, les hommes jouaient au tablo pendant que les femmes bavardaient en filant. Ils passaient la soirée dans la hutte des parents d'Ella. La lumière jaune du feu de Missa touchait tous les visages, adoucissant les contours, réchauffant les couleurs. Kuoljok et lui avaient installé le plateau de jeu sur le vieux coffre de voyage. Le lourd meuble de bois portait autrefois des sculptures aux teintes vives, mais la patine du temps et les déplacements trop fréquents avaient assombri le motif et effacé les couleurs. Pourtant, dans la chaude lumière du foyer, ses cicatrices semblaient le rendre encore plus beau.

Il en allait de même du visage de leurs parents. Les cheveux noirs de Kuoljok, qui se raréfiaient, encadraient sa tête en un halo indiscipliné au-dessus des rides. Ses yeux noirs s'enfonçaient profondément dans les orbites et le blanc était strié de marron, comme des coulures de teinture. Sa peau cireuse rougie par le froid prenait des reflets ivoire à la lueur du feu. Dissimulant un sourire matois derrière une main tout en muscles et tendons, il réfléchissait à son prochain coup. Ristin se trouvait là aussi. Elle filait un galon prévu pour orner la tunique de mariage de son fils, s'interrompant de temps à autre pour comparer son travail à celui de Missa. La cérémonie du Cataclysme en été, solennelle, requérait des tenues élaborées. De nombreux peuples y participeraient, et les gens de Capiam seraient autant jugés au nombre de leurs rennes qu'à la richesse des vêtements du couple qui formalisait son engagement. C'était l'orgueil des mères de montrer leur talent pour pareille occasion.

Les deux femmes, assises sur des rameaux de bouleau doublés de peaux, se tenaient le dos droit, reliées au poteau central par leur métier à tisser. Leurs doigts s'affairaient lestement à mêler herbes, fibres, lanières de fourrure ou de cuir et fils de laine aux couleurs vives. De petits bols contenaient des perles d'os, de corne et d'ambre destinées à s'insérer dans les motifs. Elles riaient et bavardaient au-dessus de leur ouvrage, sans prêter attention aux dessins complexes qui fleurissaient entre leurs mains. Le feston que fabriquait Missa devait orner la tenue de renard blanc d'Ella. Assise un peu plus loin, tête baissée au-dessus d'un récipient, elle avait les doigts maculés de la teinture qu'elle était en train de préparer. La lumière dorée du feu rehaussait la scène.

— Tu auras trop chaud, fit remarquer Heckram. Le

mariage a lieu au milieu de l'été. Personne ne porte de fourrure à cette époque.

— On peut supporter un peu d'inconfort pour être belle, assura Missa d'un ton placide. Et Ella veut que la cérémonie se déroule dans la soirée, quand le vent frais souffle des glaciers.

Avec un grognement, Heckram admit sa défaite et retourna à sa partie. Les dés étaient fabriqués à partir de l'os d'un orteil de veau, alors que son pion, qui représentait le loup, était une jointure plus grosse peinte en noir. Kuoljok joua et sourit en se rapprochant du prédateur en fuite. Heckram prit les dés à son tour et les fit rouler dans sa main en méditant sur sa stratégie. Le parfum du bois fraîchement sculpté se mêlait aux odeurs domestiques de la hutte. Dans un coin, on voyait l'ébauche d'un coffre de voyage ; des copeaux de bois enroulés sur eux-mêmes et des éclats jonchaient le sol. Heckram le sculptait, sous l'œil vigilant de son beau-père, mais tous deux ayant décidé que leur ouvrage avait assez progressé pour la soirée, l'avaient abandonné pour entamer la partie.

Heckra avança sa pièce de mauvaise grâce. Le vieux Kuoljok ricana, joua son tour et déplaça rapidement ses pions.

— Si l'on travaille sur ce coffre demain, il sera terminé dans la soirée, suggéra-t-il.

Heckram secoua lentement la tête en caressant le dé.

— Je vais chasser avec Lasse.

— Encore ! s'exclama Ella. Tu ne peux donc pas rester à la maison deux jours d'affilée ?

Il ferma brièvement les yeux puis les ouvrit, mais garda le regard fixé sur le jeu.

— Pas si tu as toujours en tête de sacrifier deux bêtes pour notre fête de mariage. Si je ramène une paire de jeunes sarva, ils seront juste assez gras quand nous arriverons au Cataclysme.

— Tu fais comme si nous mourions de faim. Un de tes rennes, un des miens, ce n'est pas ça qui va nous ruiner. Nous pourrions même avoir de nouvelles naissances d'ici là. Nous repartirons avec autant de têtes de bétail qu'à notre arrivée.

— J'aimerais revenir avec plus.

— Mais il n'y a que nous deux à nourrir, répliqua Ella en haussant les épaules. Et pour ça, nous avons largement assez. Pourquoi pars-tu toujours chercher plus de bêtes ou plus de fourrures ? Nous avons tout ce qu'il nous faut.

Dans la main d'Heckram, les dés roulaient et grinçaient l'un contre l'autre.

— Je me souviens de mon père quand il mettait sa ceinture de comptes ; les lanières qui l'ornaient étaient aussi nombreuses que les feuilles sur une branche. Chaque année, il troquait des fourrures et de l'ambre avec les marchands des villages du Sud. Ses outils étaient en bronze, pas en os. Il avait toujours des histoires à raconter, de la nourriture à partager. Nous mangions bien tout le temps et nos tuniques étaient épaisses.

— Hum, dit Kuoljok à voix basse. C'était pareil pour tout le monde. Personne n'avait jamais vu une harde aussi importante. Les loups s'engraissaient à manger les plus faibles, mais les forts étaient si nombreux qu'ils couvraient le sol comme de l'eau. Les gens donnaient des fêtes sans raison, et les râteliers à viande étaient pleins. Ça a duré trois, quatre, peut-être cinq ans. De plus en plus de rennes, chaque année. Quand ils se déplaçaient, nous sentions le tonnerre ébranler la terre. C'était une époque d'abondance. Ensuite, bien sûr, il y a eu l'épidémie. Et le troupeau est devenu plus petit que je ne l'avais jamais vu. Les loups se mangeaient entre eux dans leur frénésie. Tu vois, Heckram, il y aura toujours de bonnes et de mauvaises années, mais je crois que ni toi ni moi ne reverrons jamais un temps comme celui qui a précédé le drame.

— Le peuple vivait dans la profusion, ajouta doucement Missa. Aucun homme ne peut chasser assez pour atteindre ce niveau de richesse à lui seul. Pas même le meilleur et le plus appliqué.

Heckram garda le silence, le regard fixé sur le jeu. Face à cette acceptation placide du sort, à la satisfaction que les siens tiraient de cette existence trop prévisible, il sentait une détermination féroce grandir dans sa poitrine, qui menaçait d'exploser en un rugissement de défi. N'avaient-ils donc aucun désir ? N'éprouvaient-ils nulle curiosité ? Il resta sourcils froncés et dents serrées. Missa et Ristin reprirent tranquillement leur bavardage.

— Vas-tu te décider à jeter ces dés, ou préfères-tu abandonner tout de suite la partie ? demanda Kuoljok d'un air malicieux.

— Je réfléchis, répondit Heckram en essayant de paraître décontracté.

— C'est ça, prends ton temps. Je comprends, personne n'a envie de se dépêcher de perdre, fit-il remarquer avec un rire caquetant, comme Heckram continuait à réchauffer les dés entre ses mains.

Il grogna de dépit, mais joua tout de même, sachant qu'il avait déjà perdu, et déplaça le loup juste pour gagner du temps. C'est ce qu'il lui semblait avoir toujours fait, temporiser.

— Voilà !

Ella se redressa en secouant les doigts. Heckram suivit ses mouvements d'un œil nonchalant. La lumière allumait des reflets bleutés dans ses cheveux d'un noir profond. Son ouvrage avait maculé ses mains et une trace de teinture marquait son visage, tout près du nez. Aucun homme ne pourrait prétendre que cette preuve de diligence la rendait moins séduisante. Son expression gardait des traces de l'application avec laquelle elle avait exécuté sa tâche. Au moment où elle se penchait pour prendre le seau d'eau et se laver les mains, elle croisa le regard d'Heckram. L'avoir surpris à l'observer fit naître un sourire presque timide sur ses lèvres. Une vraie tendresse le poussa à sourire à son tour, mais il ne put soutenir son regard. Son cœur lui semblait sur le point de se rompre, non parce qu'il l'aimait, mais parce qu'il ne l'aimait pas. Elle réchauffait son lit et cuisinait ses repas, lui massait les épaules quand il rentrait épuisé et transi de la chasse, lui caressait les cheveux quand il gisait hors d'haleine après leur union. Mais le sentiment qu'il espérait voir grandir en lui était plus absent que jamais. Il appréciait cette femme, tout en ayant, parfois envie de se dégager de ses étreintes, de ses caresses, et de s'en aller dans la nuit. Elle comprenait si peu la détermination qui l'animait, cherchant constamment à le détourner de ce qu'il savait devoir faire, essayant de lui faire apprécier la chaleur de son foyer par un jour de tempête. Il avait l'impression d'étouffer. Il lui arrivait aussi de rêver à un autre arran, avec un garçon assis devant le feu.

Depuis ce fameux jour, il n'était pas retourné à la tente de la guérisseuse. La honte le retenait, comme s'il avait commis là-bas la plus grande et la plus injustifiable des lâchetés. Il revoyait Kerleu, sanglotant, accroupi dans la neige, et soupirait. Mais il était vraiment trop occupé. Maintenant, il avait une compagne, une existence à lui.

Ella avait raison. Il n'avait aucun droit d'intervenir dans la vie du garçon ni de le faire aspirer à des choses qu'il ne pouvait pas obtenir. Il revint au jeu et au piège dans lequel Kuoljok l'avait attiré.

— Le seau est vide !

— Eh bien, va chercher de l'eau, répondit calmement Missa à sa fille, sans lever les yeux de son travail.

— Je vais y aller, proposa Heckram.

L'atmosphère de la hutte lui semblait soudain suffocante ; il s'y sentait prisonnier, comme si elle se refermait sur lui telle la porte d'un enclos de tri sur un troupeau de rennes. Comme eux, il ressentait le besoin de se jeter sauvagement contre les barrières, de chercher un moyen de s'évader. Mais au moment où il se leva, ayant déjà à l'esprit l'air froid et le ciel sombre, la main de Kuoljok se referma sur son poignet.

— Tu ne vas nulle part, Heckram ! Tu ne t'en tireras pas aussi facilement. Reste là et perds comme un homme !

— Finis ta partie, intervint Ella. Je n'en ai pas pour longtemps.

Elle ne prit même pas la peine d'enfiler son vêtement d'extérieur pour le court trajet jusqu'à la source. Seau en main, elle se glissa par le rabat de la porte et disparut dans la nuit.

— Un petit avertissement, jeune homme, confia Kuoljok dans un chuchotement qui résonna dans toute la hutte. N'accomplis jamais pour une femme ce qu'elle peut faire elle-même. Sinon, il n'y aura rapidement plus rien qu'elle assume seule !

Missa accueillit cette déclaration avec un hululement de dérision.

— Écoutez-moi ce vieux fou ! Comme si je lui avais jamais demandé quoi que ce soit ! Je fais mon ouvrage, et la moitié du sien ! Où étais-tu, il y a trois printemps, quand ta vaja et son veau se sont presque noyés en traversant une rivière ? C'était moi qui étais dans l'eau jusqu'aux épaules à essayer de rattraper le petit sans me faire blesser par la mère, qui croyait que je lui voulais du mal. Et vous savez ce qu'il m'a dit, tranquillement bien au sec sur la rive ? « Tu te débrouilles très bien, Missa. Je te laisse faire parce que je ne veux pas abîmer le pantalon neuf que tu viens de me finir. » Tu parles d'une aide !

Depuis trois printemps, l'anecdote faisait partie des traditions du talvsit, mais ils en rirent tous de bon cœur. Kuoljok s'esclaffait encore plus fort que les autres. Seul Heckram contemplait d'un air morose les dés, qui s'étaient arrêtés sur la plus mauvaise combinaison possible. Lentement, il fit glisser son loup traqué de l'apex d'un triangle à un autre. La partie était bel et bien perdue. Le vieil homme l'avait habilement manipulé, il le savait.

Kuoljok secoua férocement les dés, souriant devant la mine allongée de son gendre. Celui-ci fit mine de s'intéresser aux motifs fanés du coffre qu'il suivait du bout des doigts, mais en réalité, il remâchait des pensées maussades. Se marier avec Ella équivalait à épouser Lasse. Il avait un bon et joyeux compagnon, honnête, compétent, habile et attentif. Que demander de plus à une épouse ? Il n'avait pas de réponse. Un éclair de colère et de panique le traversa soudain en songeant à la vie qui l'attendait. Instinctivement, il tendit la main et rafla le loup juste avant que la main noueuse de Kuoljok ne le capture.

— Hé ! protesta le vieil homme.

— Bon d'accord, tu m'as eu.

Avec un rictus figé, Heckram lâcha le pion dans la paume ouverte de son adversaire. Kuoljok lui adressa un large sourire en rangeant les éléments du jeu dans une bourse de cuir. Heckram se leva et s'étira, effleurant les chevrons du bout des doigts.

— Ça fait un moment qu'Ella est partie, non ? Je croyais qu'elle allait juste à la source.

Tout en parlant, il se tacha les doigts de bleu en

effleurant distraitement les longues fibres de racines écrasées qu'elle avait suspendues pour les faire sécher.

— Ne touche pas ça, le réprimanda Ristin. Tu vas gâcher tout son travail. Ella a sans doute rencontré quelqu'un et s'est arrêtée pour bavarder. Ne t'inquiète donc pas. Vous êtes fiancés, maintenant ! J'imagine que vous devez pouvoir rester séparés pendant quelques instants.

— J'ai seulement dit qu'elle était partie depuis longtemps.

— Tu as raison, intervint Missa. Va donc la chercher, si ça peut te tranquilliser.

Heckram nota le regard de conspirateur qu'échangeaient les deux mères. Comme si elles n'avaient jamais été des jeunes femmes cherchant une excuse pour se retrouver seules avec un séduisant jeune homme dans l'air froid et piquant d'une nuit d'hiver...

— Profitez-en pour passer aux râteliers à viande et rapportez-nous un peu de boudin. Ça complètera agréablement la soirée, ajouta Missa.

— Prends garde à ne pas l'embrasser, Heckram. Tu ferais exactement son jeu.

L'air goguenard et le sourire narquois de Kuoljok sous-entendaient que les femmes n'étaient pas les seules à jouer au dit jeu.

Quant à Heckram, il émit un grognement difficile à interpréter et haussa les épaules. Depuis ses fiançailles, tout le monde le traitait plus comme un enfant que comme un homme. Alors qu'il s'était engagé bien plus tard que la plupart de ses compagnons du talvsit, on s'adressait à lui comme à un jeune légèrement faible d'esprit. Encore une chose qui lui resterait en travers de la gorge. Une provocation de plus à laquelle il ne répondrait pas.

Il repoussa le pan de cuir et sortit dans la nuit. Le camp était calme. Après l'achèvement des tâches du soir, les villageois étaient rentrés chez eux. Les chiens dormaient à l'entrée de la hutte de leur maître, profitant de l'air tiède qui s'en échappait. Heckram s'étira longuement dans la nuit glacée, inspirant une bonne bouffée d'air froid. La lune trônait dans le ciel, presque pleine. La neige reflétait sa lumière bleuâtre, qui peignait le monde en noir, gris et argent. Les hautes bottes du chasseur faisaient crisser la neige tassée du sentier qui serpentait entre les habitations trapues. De la lumière filtrait par certains rabats, accompagnée de voix qui réchauffaient la nuit. Un chien s'étira et se leva, intrigué par le passage d'Heckram. Un mot apaisant et une caresse rapide lui rendirent la tranquillité. Enfin Heckram passa devant sa propre hutte, silencieuse et obscure.

La source était au bout du sita, au milieu d'un enchevêtrement de saules. Personne n'avait construit à proximité car au printemps, le sol se couvrait d'une couche de boue détrempée, colonisée par une forêt de roseaux et de hautes herbes. Seules les fortes gelées de l'hiver parvenaient à dompter et réduire son flux. L'eau noire et glacée surgissait du sol pour s'épandre en une flaque tranquille large de deux pas, puis elle s'organisait pour devenir un ruisseau, dissimulé, à cette époque de l'année, par une couche de glace et de neige molle. Les gens du village entretenaient une ouverture circulaire assez large pour y remplir leurs seaux.

Agenouillée près du ruisseau, Ella était presque dissimulée par l'ombre des saules. Son contenant vide était renversé non loin de là, et elle fixait le cercle sombre. Que pouvait-elle trouver d'aussi fascinant dans l'eau pour rester ainsi dans la neige, si légèrement vêtue ?

— Ella ? appela doucement Heckram pour ne pas la surprendre.

Elle émit un son guttural et tourna lentement la tête pour lui faire face.

— Ella !

La nuit renvoya son cri d'horreur. La lumière de la lune modelait d'ombres douces les traits de la jeune femme, mais révélait également les ravages qu'avait subis son visage. La mâchoire inférieure pendait de travers et quelque chose de sombre gouttait de sa bouche ouverte pour aller tacher le devant de sa chemise. Elle tendit le bras vers Heckram. Le clair de lune révéla un bref instant la blancheur des os de ses doigts. Puis la main retomba dans la neige blanche, qui se teinta à son contact.

Ella gémit quand Heckram la souleva et les mouvements spasmodiques de ses jambes lui communiquèrent toute l'étendue de sa souffrance. Il n'y avait aucun moyen d'être plus doux. Impossible de courir de peur d'éprouver encore plus la blessée, mais le cœur d'Heckram filait devant lui, entre les longues rangées de huttes. Malgré son envie d'appeler à l'aide, d'alerter tout le monde, il avait la voix coincée dans sa gorge. Personne ne s'attendait à le voir faire irruption dans la tente en ouvrant le rabat d'un coup de pied, et s'agenouiller devant les parents pour leur offrir le corps brisé de leur fille. Pendant un long moment, le temps parut suspendu.

Une fois le choc passé, tout se précipita comme le vent déboule en rugissant dans une vallée étroite, comme l'eau se rue irrésistiblement dans un torrent au printemps.

— Que s'est-il passé ?

— Allonge-la par ici ! Doucement, doucement ! Oh, sa main !

— De l'eau froide. Des bandages propres. Elle tremble, couvre-la. Ella, Ella. Ne bouge pas, ma petite, reste tranquille. Tu es en sécurité, maintenant. Donne-moi de l'eau froide !

— J'ai laissé le seau à la source, dit Heckram d'un ton hébété.

Il ne quittait pas Ella des yeux. Une avalanche qui l'aurait emportée à travers les arbres aurait pu la laisser dans un état pareil. Si elle avait été charriée par le dégel soudain d'un torrent et projetée contre les rochers et les débris, il se serait attendu à la voir ainsi. Mais Ella était simplement partie puiser de l'eau à la source du talvsit.

Quelque chose l'avait frappée sur le côté de la tête. Le coup avait déboîté la mâchoire inférieure, qui pendait, lui donnant l'air de béer stupidement. Un lambeau de chair s'était détaché entre la joue et la commissure de la lèvre. Le sang avait teinté la figure de rouge et dégouliné sur la tunique. Heckram dut combattre l'impulsion qui lui dictait de refermer cette bouche ouverte, de remettre ce visage en place. À chaque expiration, un petit son atroce en sortait. Un petit gémissement inutile et sans espoir. Un des bras d'Ella pendait de son épaule flasque selon un angle peu naturel. La main de l'autre ne ressemblait plus guère à rien.

— Heckram !

La voix de sa mère le tira de sa stupeur. Elle lui prit la tête entre ses deux mains et le secoua.

— Tu ne peux pas rester planté là. Va réveiller Lasse et envoie-le chercher la guérisseuse. Ensuite, va trouver Capiam et dis-lui ce qui s'est passé. Ce n'est pas un ours qui a fait ça. C'est l'œuvre malfaisante d'un homme. Dépêche-toi !

Il se sentit poussé dans la nuit sombre et sanglante. Pendant un instant, il se contenta de rester immobile, clignant des yeux. Comme dans un rêve, il voyait Kuoljok remonter de la source, chargé d'un seau qui débordait au rythme de sa démarche claudicante.

— Ella ! Ella ! répétait-il d'une voix hachée, à bout de souffle.

Cette vision galvanisa Heckram. Il se mit à courir dans l'obscurité, prenant la fuite avant que Kuoljok ne lui adresse la parole.

Son pulkor. Le harke de Ristin, Bristi, une jeune bête robuste pas encore tout à fait dressée, mais agile et endurante. Contrairement à son habitude, Heckram ne chercha pas à gagner sa collaboration par la douceur, quand il esquissa une esquive capricieuse, mais le saisit fermement par la mâchoire inférieure. Le renne tenta de se cabrer pour fouetter l'air de ses sabots antérieurs, mais Heckram l'empêcha de se dresser.

Le harnachement fut rapide. Une lanière de cuir fut lancée par-dessus l'encolure, dont les deux extrémités croisaient sur le poitrail, entre les pattes avant. Heckram les relia ensuite aux rênes, qui passaient entre les pattes arrière avant d'arriver jusqu'au pulkor. Bristi dansait sur place. Heckram sauta dans le traîneau et le renne démarra, fonçant à moitié terrifié à travers la nuit enneigée. Le pulkor tangua, Heckram le stabilisa en poussant des cris d'encouragement.

Le traîneau, bien équilibré, glissa avec aisance sur la piste qui traversait le village. Il ralentit légèrement quand Bristi aborda la neige plus profonde en dehors du talvsit.

L'obscurité de la forêt se referma autour de l'équipage à mesure qu'il s'éloignait de l'espace habité. Heckram essaya d'emprunter les flancs de colline les mieux protégés, évitant les accumulations de neige molle qui auraient obligé le renne à prendre le pas.

La nuit n'était troublée que par leur passage. Heckram collait à la trace vague laissée par les skis à l'occasion de la dernière visite à la guérisseuse. L'image d'Ella en train de replacer quelques mèches rebelles sous son bonnet lui traversa l'esprit. Il secoua la tête pour s'en débarrasser. Il se laissait emporter par son imagination ; il ne s'agissait sans doute pas de leurs traces. Lasse avait déjà emprunté ce chemin deux fois pour aller voir Tillu, d'abord pour un remède contre la grippe, puis pour rapporter un tonique à sa grand-mère. La surface du sol était assez tassée pour supporter le poids de Bristi, dans le sillage duquel le pulkor glissait souplement et silencieusement.

La forêt qui s'étendait alentour semblait sans fin, faite de nuit, emplie de terreur. Un sentiment de culpabilité inconnu, aussi intangible et pénétrant que le brouillard, envahissait Heckram.

Au fond des vallées, l'équipage filait à travers les saules et les aulnes, qui tendaient leurs doigts décharnés pour le saisir. L'extrémité givrée des branches scintillait sous la lune avec des pâleurs d'os. Puis lorsqu'il s'engageait à flanc de colline, il glissait au cœur des strates de bouleaux que leur nudité rendait fantomatiques, et sous les branches basses des pins sombres et inhospitaliers. Le trajet semblait interminable ; Heckram insultait Bristi en tirant sur les rênes chaque fois que la bête s'écartait de la piste ou trébuchait. Enfin, l'attelage entama la longue descente d'une colline en pente douce, et la faible clarté qui filtrait de la tente usée de Tillu matérialisa une lueur d'espoir.

— Tillu ! Guérisseuse ! cria Heckram dans la nuit froide.

Le sommeil avait commencé à descendre sur Tillu comme une couverture confortable lorsqu'elle entendit un rugissement angoissé à l'extérieur de son abri. Elle quitta sa couche en toute hâte, repoussa ses cheveux en arrière et noua plus étroitement sa chemise autour de sa taille avant de sortir.

La scène qu'elle avait sous les yeux semblait sortir tout droit d'une légende. Un renne dévalait le flanc de la colline et, derrière lui, un homme glissait sur un tronc. Elle reconnut la voix d'Heckram et saisit l'essentiel de ses paroles à mesure qu'il se rapprochait.

— Ella... blessée... faut venir !

Elle se rua à l'intérieur et commençait à enfiler ses vêtements lorsqu'il fit irruption sans cesser de hurler. Il lui prit le bras, échevelé, le regard fou. Elle lui saisit les mains entre les siennes et lui parla d'un ton mesuré.

— Je dois prendre mon sac et réveiller Kerleu. Calme-toi. Qu'est-il arrivé ?

Il la lâcha et continua à parler, mais les mots se bousculaient si rapidement dans sa bouche que son accent empêchait Tillu de comprendre ses paroles. Toute trace de la retenue habituelle d'Heckram avait disparu. Ses cris avaient tiré Kerleu du sommeil. Il s'assit sur sa couche et les fixa, ébahi. Tillu passa devant lui pour prendre son sac à remèdes et vérifia rapidement le niveau de ses provisions d'herbe. Mais lorsqu'elle ouvrit une petite boîte pour les compléter, Heckram la lui prit des mains, la referma d'un coup sec et fourra le coffret sous son bras. Il lui saisit le bras et l'entraîna vers la porte.

— Il est venu me chercher pour la chasse ? demanda Kerleu, plein d'espoir mais encore somnolent.

— Non, répondit Tillu en enfilant son capuchon. Quelqu'un du village a été blessé. Je crois que c'est Ella. Je dois aller la soigner.

— Je viens aussi, dit Kerleu en repoussant ses couvertures du pied, cherchant des yeux son pantalon.

Pour la première fois, Heckram prit conscience de l'agitation qu'il créait. Il relâcha le bras de Tillu et se passa la main sur les yeux. Il se tut, puis regarda alternativement la mère et le fils avec une expression soucieuse. Après avoir pris une profonde inspiration, il s'efforça de contrôler sa voix, mais les mots sortirent de façon hachée.

— Kerleu, tu dois rester ici. Pas assez de place dans le

pulkor. Tu veux bien être un bon garçon ? demanda-t-il avec espoir.

— Sois sage, Kerleu, lui dit sa mère d'un ton ferme. Je ne serai pas longue. Rendors-toi, quand tu te réveilleras, je serai de retour. Tu es assez grand pour rester seul. Tu le fais toute la journée.

— Mais la nuit, ce n'est pas pareil. Et si un ours arrive ? Et si l'esprit de la chouette vient me voler ? gémit-il d'une voix mal assurée.

— Ne sois pas stupide, lui intima Tillu. Ce ne sont que de vieilles légendes. Va te coucher, je serai là demain matin.

— Très bien ! répliqua violemment l'enfant.

Il referma la bouche avec un petit claquement, mais ses lèvres continuaient de trembler.

— Il faut faire vite. Ella a grand besoin de la guérisseuse. Kerleu sera courageux. J'envoie Lasse pour te tenir compagnie. Tu lui montreras les cuillères, d'accord ?

Tout en parlant, Heckram entraînait Tillu vers l'extérieur. Mais le garçon se détourna.

— Ça ira pour Kerleu ? s'inquiéta Heckram en laissant retomber le rabat.

— Je pense, répondit Tillu en jetant un regard soucieux par-dessus son épaule.

Pourvu qu'il ne fasse rien de stupide pendant son absence. Quand il était mécontent, il lui arrivait d'agir de façon étrange. Mais le temps manquait pour s'inquiéter. Les yeux ronds, elle contemplait le renne attaché à cette sorte de bateau. La bête se dressa sur ses postérieurs et les menaça de ses sabots avant.

Heckram semblait ne rien trouver d'étrange à tout cela. Avec une habilité née de la pratique, il saisit la mâchoire inférieure de Bristi et le força à se calmer.

— Monte ! hurla-t-il à Tillu en indiquant l'embarcation.

Elle s'avança et en examina l'intérieur avec méfiance. Il était garni d'un nid de fourrures ; elle remarqua également les longues lanières qui couraient jusqu'à l'encolure de l'animal. Oui, c'était bien un bateau, fait de planches de bois courbées et fixées ensemble.

— Grimpe ! hurla de nouveau Heckram.

Elle obéit. Elle était à peine installée qu'il saisit le harnais du renne et l'équipage s'ébranla pendant qu'il suivait en courant à côté. La tête de Tillu fut brutalement rejetée en arrière et elle agrippa les côtés de l'esquif. Heckram l'avait appelé pulkor. Dans l'obscurité, les arbres, la neige, tout filait autour d'elle à une vitesse que la souplesse du déplacement rendait encore plus effrayante. Les pattes arrière de la bête battaient le sol à quelques centimètres d'elle, projetant de petits amas de neige qui brûlaient en la touchant. Sous le couvercle de la nuit sombre, il y avait le glissement et la course du pulkor, le craquement des pas de l'homme et du renne sur la piste. La guérisseuse frissonnait sous les fourrures.

XIV

TILLU CROYAIT ÊTRE IMMUNISÉE contre les manifestations de la douleur. Elle avait entendu tant de cris différents : les hurlements d'une femme à son premier accouchement, si facilement oubliés dès que le bébé rejoignait les bras de sa mère ; les cris plus inspirés par la peur que par la souffrance du petit dont il fallait soigner la lèvre vilainement coupée ; l'exclamation involontaire que ne pouvait retenir un homme courageux au moment où les deux extrémités brisées d'un membre fracturé se rejoignaient. Mais tout cela n'était rien en comparaison du pitoyable miaulement qui s'échappait de la bouche mutilée d'Ella à chaque expiration. Les paroles fébriles d'Heckram n'avaient pas préparé Tillu à ça.

Elle avait frissonné d'appréhension et de froid quand il l'avait poussée devant lui dans la hutte. Sa foi en elle lui parut presque pathétique quand il la conduisit près de la blessée. Son visage ensanglanté laissait paraître son épuisement, sa poitrine se soulevait spasmodiquement. Mais c'était la confiance qui brûlait dans ses yeux sombres qui inquiétait le plus Tillu. « La guérisseuse est là, tout ira bien, maintenant », semblait-il dire. Elle espérait que ce serait le cas.

Les deux femmes âgées qui se pressaient autour d'Ella

s'écartèrent, remettant ainsi son sort entre ses mains. En essayant d'oublier l'espoir que trahissait leur expression attentive, Tillu fit de son mieux pour paraître calme et assurée en s'agenouillant près d'Ella. Elle laissa glisser son sac sur le sol. Heckram se pencha pour poser le coffret aux herbes et chancela en se relevant. Tillu avait l'impression que le regard des deux femmes pénétrait sous sa peau telles les vrilles des plantes estivales. Avec effort, elle se concentra sur sa tâche.

Difficile de reconnaître, dans ce corps dévasté, la personne assurée et compétente qui avait fait du troc avec elle. Quel impitoyable instinct la maintenait consciente ? Celui qui lui avait fait ça n'y était pas allé de main morte. Tillu commença par un examen visuel pour cataloguer les blessures sur lesquelles elle saurait intervenir et déterminer l'ordre des soins. Pour la mâchoire cassée et la joue lacérée, il n'y avait pas grand-chose à faire, hormis remettre le tout en place et espérer que l'organisme prendrait le dessus. Mais pour l'instant, Tillu était incapable de prédire si Ella parlerait de nouveau normalement. La position du bras démontrait qu'il était déboîté de l'articulation de l'épaule. En revanche, les blessures de l'autre main restaient un mystère ; elle semblait à la fois entaillée et fracturée. Plus tard, quand on retrouverait près de la source les morceaux du couteau brisé d'Ella, Tillu comprendrait qu'elles avaient été causées par la lutte vaine et désespérée de la jeune femme pour garder son arme.

Les vêtements déchirés dissimulaient parfois d'autres dommages, du genre de ceux que Tillu redoutait particulièrement. Le sang répandu et les os brisés étaient un spectacle difficile à supporter, mais les guérisseurs avaient appris à craindre les maux secrets, ceux qui endommageaient les endroits inaccessibles du corps et mettaient les soins en échec. Là où les yeux ne pouvaient voir ni les doigts palper. Mais avant d'exprimer ses craintes, Tillu voulait être certaine de l'existence de ce danger. Elle ne s'était pas souvent trouvée confrontée à ce type de cas. Une fois, elle avait eu affaire à un enfant qui avait dégringolé un flanc de colline et s'était cogné la tête contre une pierre. Une autre fois, il s'agissait d'un homme frappé par la massue d'un adversaire. Elle n'aimait pas s'en souvenir. Leur agonie avait été longue. D'abord, les yeux avaient commencé à saillir légèrement, un signe qu'elle avait cru reconnaître chez Ella. Ensuite, la pression augmentait à l'intérieur du crâne et faisait gonfler le visage. Aucun guérisseur n'était capable de soigner ces malades, elle-même avait échoué. Les compresses froides, les saignées et les cataplasmes chauds appliqués sur la blessure n'y faisaient rien. C'était une chose mortelle, mystérieusement causée par un coup sur la tête. Une lésion invisible, incurable.

Heckram se laissa lentement tomber, s'agenouillant près d'elle, épaule contre épaule. Son grand corps faisait écran à la lumière, son souffle court la rendait nerveuse et l'empêchait de se concentrer. Au moment où elle tendit la main vers Ella, Tillu entendit Heckram bloquer sa respiration avec un bref halètement, anticipant la douleur de sa compagne. Tillu se tourna vers lui et le prit par l'épaule.

— Tu me gênes, Heckram, dit-elle avec douceur et fermeté.

Il ne l'entendit pas. Elle se tourna vers les deux femmes, contente d'avoir trouvé un moyen de les distraire.

— Emmenez-le. De la soupe. Du sommeil. Ou il sera malade. Celui-ci aussi, continua-t-elle en avisant un vieil homme qui se balançait en silence, tassé dans un coin de la hutte, le regard perdu dans le vague. Il faut le faire sortir d'ici. Ça m'aidera beaucoup.

Les hommes furent conduits hors de la hutte avec une telle vivacité que Tillu comprit à quel point les femmes se sentaient, jusqu'alors, impuissantes, et combien elles souhaitaient se rendre utiles. Dès que le rabat retomba derrière eux, Tillu se tourna vers Ella. Il lui fallait agir rapidement et profiter de ce moment de solitude pour administrer les soins les plus douloureux.

— Ella ? Ella ?

Aucune réaction de sa part ne lui permit de croire qu'elle était consciente de sa présence. On n'entendait que le bruit de sa souffrance. Fallait-il ou non lui donner un soporifique avant de commencer ? Avec réticence, Tillu résolut de n'en rien faire. Il y avait peu de chances que la blessée, à demi consciente, réussisse à avaler la potion sans s'étouffer.

La mâchoire était fracturée en plusieurs endroits. Les doigts exercés de Tillu manipulèrent la chair boursouflée, essayant d'aligner des fragments d'os qu'elle ne pouvait voir. Puis elle remit tant bien que mal l'articulation à sa place et réunit les lambeaux de chair déchirée. Quelqu'un avait eu l'esprit de laisser de l'eau à chauffer près du feu et de la neige à fondre près de la porte. Tillu choisit d'utiliser l'eau chaude pour ses premiers soins. Elle lava soigneusement la blessure, ignorant les gémissements de sa patiente, et effectua un bandage pour maintenir chair blessée et os fracturés. Voilà. Elle semblait aller mieux maintenant, mais en regardant ses yeux, Tillu sut que le sort d'Ella était scellé. Elle allait mourir.

En soignant la main, la guérisseuse se demandait pourquoi elle prenait toute cette peine. Pourquoi panser les pauvres doigts tordus, passer de l'onguent apaisant sur la chair abîmée, bander les parties fracturées et sanglantes ? Tillu redressait les doigts et le surcroît de souffrance changea la cadence et la tonalité des plaintes d'Ella. À un moment particulièrement délicat, elle poussa un hoquet de douleur, ses talons battirent les couvertures de fourrure, puis elle se détendit brusquement, enfin inconsciente.

Tillu ne laissa pas passer l'occasion. Ella ne sentirait rien pendant son évanouissement. Un bon moment pour s'attaquer aux soins les plus douloureux. D'abord, elle replaça l'épaule luxée, puis se mit à la recherche d'un meilleur couteau que le sien, qu'elle utilisa pour découper sans pitié le cuir, la laine et les jolis motifs tissés des vêtements d'Ella. En ouvrant la tunique, elle découvrit des meurtrissures sombres sur la partie gauche de la cage thoracique. Après une délicate exploration, elle conclut qu'il n'y avait pas de côtes fracturées. Sourcils froncés, elle se demanda brièvement pourquoi la jeune femme avait subi pareil traitement et qui en était responsable. Apparemment, elle n'avait pas été violée, simplement rouée de coups et abandonnée, presque morte. Avait-elle transgressé une des règles de la tribu ?

Tillu secoua la tête, comme pour dissiper sa propre

curiosité. Ce n'était pas le genre de questions que devaient se poser les guérisseurs. Elle avait déjà rencontré des victimes aussi abîmées, parfois par un violeur, parfois par un compagnon ou un père. L'étrange prédiction de Kerleu lui revint en mémoire. Était-ce Heckram le responsable ? Possible. Elle avait déjà vu des coupables aussi repentants et accablés qu'il semblait l'être. Cela avait pu arriver. De toute façon, cela ne la regardait pas. Seuls les soins comptaient. Elle recouvrit doucement le corps brisé, puis ausculta le crâne du bout des doigts à travers l'épaisse chevelure sombre. Comme elle s'y attendait, elle trouva l'endroit et son estomac chavira en le touchant. Il n'y avait pas de sang. Tout le dommage était à l'intérieur.

Tillu tourna le dos à Ella et se rapprocha du feu. Elle se sentait faible et avait froid, plus que son sommeil interrompu et la longue course dans la nuit glacée ne pouvaient l'expliquer. C'était les gestes qu'elle pratiquait qui étaient responsables de son état, parce qu'ils ressemblaient plus à la préparation d'un enterrement que la première étape vers la guérison. Les rares occasions où elle avait dû travailler dans ces conditions avaient été suivies d'une grave remise en question de ses talents. Cette Ella allait mourir. Elle aurait pu survivre à toutes ses autres blessures, mais Tillu devait admettre la réalité des signaux. Cependant, elle n'appela pas tout suite Heckram et les siens. Leur veillée serait suffisamment longue. Ella avait été une femme robuste, son agonie durerait des jours et des nuits. Autant qu'ils se reposent pour l'instant.

Elle déroula une pièce de peau bien grattée et décolorée. Elle y tria des paquets et des fagots d'herbes, jetant les fragments inutilisables dans le feu, en empilant d'autres en deux petits tas. Ses doigts et son nez reconnaissaient chaque feuille sèche, chaque copeau d'écorce. Il y avait l'achillée mille-feuille, au parfum puissant, qui faisait couler le sang d'une femme ou soignait les blessures, et les longues langues-de-cerf, qui servaient d'émétique. Là, c'était l'écorce enroulée du buisson de raisin-d'ours, bon pour les désordres urinaires, et la racine de pissenlit tonique ou légèrement laxative. Tillu avait appris les vertus de certaines de ces herbes pendant son enfance ou chez les tribus qu'elle avait croisées. Leur nom variait d'un peuple à l'autre, pas leurs propriétés. Elle choisit avec soin. La première pile réunissait ce qui servait à nettoyer les blessures et apaiser les douleurs dues aux coupures ou aux éraflures. La seconde contenait ce qui agissait contre la douleur en général et facilitait le sommeil.

Elle se tourna vers le coffret qu'avait transporté Heckram. Après l'avoir ouvert, elle commença à rassembler ses outils. Son pilon et son mortier étaient constitués des deux parties de l'articulation d'un genou de veau. Elle transféra le contenu du premier tas dans le récipient et réduisit les divers ingrédients en une poudre homogène, qu'elle mélangea ensuite à de l'eau tiède. Elle trempa un bandage propre dans la potion, puis en entoura les doigts bandés. En essuyant le sang qui maculait la joue d'Ella, elle se rendit compte que l'écoulement s'était arrêté et tenta d'ignorer le gonflement des yeux fermés.

Au moment de composer le second mélange, elle hésita. La sévérité des blessures nécessitait une mixture assez puissante pour avoir un effet quelconque, mais la faiblesse de sa patiente recommandait la prudence. Une dose trop forte... Ce serait peut-être faire preuve de compassion. Mais Tillu repoussa cette idée. Les vrais guérisseurs s'interdisaient de telles décisions. Elle avait pour métier de réparer les corps et guérir les maladies. Il revenait à d'autres de décider qui se trouvait au-delà de son aide. Pour exercer sa vocation, elle devait toujours être convaincue de la survie de ses patients. Sa main plana un instant au-dessus des herbes proprement alignées de sa réserve. Après une longue hésitation, elle prit deux baies-de-nuit et les ajouta à la petite pile située devant elle. Le peuple de Bénu les appelait graines-de-mort, d'autres les avaient nommées sommeil-amer. Elle voulait fabriquer une potion calmante pour Ella, mais qui lui permettrait tout de même de dire adieu à sa famille. Si jamais ses yeux enflés s'ouvraient de nouveau.

Tillu broya les baies avec quelques herbes en un mélange grossier auquel elle ajouta de l'eau. Puis elle posa le récipient contenant la mixture plus près du feu. La préparation serait peut-être inutile, mais si Ella se réveillait, Tillu ne souhaitait pas attendre pour lui apporter un soulagement.

Elle posa ses paumes à plat par terre et poussa pour se relever. Pendant un instant, les murs de la hutte semblèrent osciller ; elle était manifestement trop fatiguée pour se redresser aussi vite. Tout en frottant ses yeux irrités, elle retourna s'asseoir près d'Ella d'un pas mal assuré.

— Repose-toi, maintenant, dit-elle en remontant les couvertures sur sa patiente. Repose-toi.

Puis avec un profond soupir, elle s'appuya contre le mur de tourbe frais.

Un bruit rompit le silence et elle tourna la tête. Une des femmes revenait dans la hutte. Elle avait quelque chose de familier… Un souvenir passa fugacement dans l'esprit de Tillu, qui réalisa que les traits d'Ella se retrouvaient subtilement dans le visage âgé de l'inconnue. Une parente. La suivaient quelques hommes que Tillu ne reconnut pas. Celle qui l'avait accueillie à son arrivée entra à son tour, Heckram sur ses talons. Tillu soupira silencieusement. Il devrait dormir, en ce moment. Il semblait épuisé sous sa chevelure embroussaillée, mais aussi en colère. C'était la première fois qu'elle remarquait les traces de gris dans le bronze foncé de ses cheveux, qui évoquaient une peau de loup. De nouvelles rides avaient creusé son visage en une nuit. Comment avait-elle pu le prendre pour un jeune homme ? Il était plus âgé qu'elle.

Les nouveaux venus entrèrent sans un mot, mais leur silence recelait la tension d'une précédente dispute. Manifestement, ils ignoraient tout des blessures. Leur expression refléta des émotions diverses et en dissimula. Tillu n'eut besoin d'aucune indication pour reconnaître le chef du village. Malgré ses cheveux en désordre, qui témoignaient de la hâte qu'il avait mise à sortir du lit et à s'habiller, il avait pris le temps de passer un collier de perles d'ambre autour de son cou. Ses vêtements, luxueux, s'ornaient de fourrures douces et épaisses ; la bande tissée qui les ourlait était large et vivement colorée. Le garnement osseux qui se tenait près de lui devait être son fils. Il déplut immédiatement à la guérisseuse. Son attitude ne trahissait pas l'inquiétude pour Ella qu'on lisait sur le visage de son père, mais uniquement la cupidité de ceux qui sont fascinés par la souffrance et le sang. De petits muscles tressaillaient autour de ses yeux, fixés sur la blessée.

Le troisième homme avait le poitrail puissant d'un ours. Si Tillu n'avait jamais vu Heckram, elle aurait pu penser que son physique faisait de lui une exception parmi ceux de son peuple. Mais cet inconnu était aussi un sang-mêlé. Il dépassait Heckram d'une demi-tête, et ses cheveux étaient brun clair, avec des mèches dorées. Son visage aurait pu être agréable, mais il avait gâché sa beauté. Ses traits s'étaient figés en une expression distante au regard mi-clos. Un homme dissimulé, qui savait attendre. Les motifs simples aux couleurs sobres de son galon traduisaient plus l'aisance que ceux, tape-à-l'œil, arborés par le fils du chef. Mais ce qui frappait par-dessus tout, c'est qu'il se comportait comme aurait dû le faire l'héritier. Lui non plus ne parvenait pas à détacher son regard d'Ella. Il laissa échapper un profond soupir qui résonna comme un sifflement grave et croisa les bras sur sa large poitrine. Il fut le premier à rompre le silence d'une voix sévère :

— Si elle avait accepté ma proposition, je ne l'aurais pas laissée se rendre seule à la source après la tombée de la nuit, à la merci de n'importe quelle bête. On se demande pourquoi certains réclament ce qu'ils sont incapables d'assumer ! Tout ça, c'est de ta faute, Heckram. Je comprends pourquoi tu n'es pas venu trouver Capiam tout de suite. Aucun homme avec un tant soit peu de fierté ne voudrait admettre une chose...

— Joboam.

La voix du chef le fit taire. De son côté, la femme saisit Heckram par le bras, l'empêchant de lancer un coup de poing à Joboam. Accroupie près de sa patiente, Tillu se fit plus petite, observant le drame avec consternation. Ce genre de tension n'avait jamais été positive pour un blessé. Si les perturbations devaient continuer...

Heckram se libéra d'une secousse et s'écarta. S'était-il rendu compte que sa nouvelle position le plaçait entre Joboam et Ella ?

— Ce n'est pas un animal qui a fait ça, dit-il d'une voix grondante. Et si je suis d'abord allé chercher la guérisseuse, c'est parce que je savais exactement quelle aurait été ta réaction. Rester planté devant Ella à balancer des remarques inutiles en essayant de rejeter la faute sur quelqu'un plutôt que de chercher le vrai responsable.

— C'était peut-être un démon, chuchota le fils de Capiam, le regard brillant à cette perspective.

Personne ne lui prêta attention. La tension faisait vibrer l'atmosphère entre Joboam et Heckram, qui auraient tout aussi bien pu se retrouver seuls dans la hutte.

La femme qui avait pris Heckram par le bras intervint, détournant par ses paroles le regard de tous.

— Capiam, es-tu, ou non, le maître des hardes ? Diriges-tu ce sita ? Parce qu'il y a dans notre village quelqu'un qui a fait cette chose. Si tu nous guides, c'est à toi de répondre de la présence d'une personne aussi dangereuse parmi nous. Pas à mon fils.

L'extrême douceur de la voix ne faisait que renforcer l'âpreté de l'accusation. Le fils du chef retint son souffle. L'autre femme resta un instant bouche bée. Puis elle referma les mâchoires d'un coup sec et son regard se durcit.

— Ristin a raison, commença-t-elle d'une voix mal assurée. Elle a raison ! Jamais l'une d'entre nous n'a eu peur d'aller à la source seule ! Ni n'a été mutilée ainsi, aux limites du talvsit ! Qu'allons-nous devenir si quelqu'un capable d'une telle sauvagerie vit parmi nous ? Où nous conduis-tu, Capiam ?

Sa voix était devenue de plus en plus aiguë à mesure qu'elle parlait et son discours s'acheva sur un sanglot. Les bras serrés autour du corps, elle se laissa lentement glisser au sol, le visage sillonné de larmes, crispé par le chagrin.

— Qui es-tu pour t'adresser ainsi au maître des hardes, vieille femme ? gronda Joboam avec fureur.

Heckram pivota vers lui, les tendons du cou bandés comme la corde d'un arc. Le fils du chef recula précipitamment. Dans sa hâte, il trébucha contre la potion que Tillu avait préparée, et manqua de renverser le bol. Heckram fit un pas en avant et se retrouva soudain face à face avec la guérisseuse.

— Silence ! Silence ! chuchota-t-elle d'une voix sifflante.

Encore quelques instants et ils allaient se battre ; elle aurait alors d'autres têtes à bander et des mains à panser. Hors de question. Pas ce soir. Mais les hommes ne semblaient pas décidés à obtempérer.

— Dehors ! Sortez ! Ella a besoin de repos. Ella a besoin de tranquillité. La guérisseuse dit : Heckram reste ici, il l'aide à soigner. Les autres, dehors, ajouta-t-elle avec fermeté, songeant astucieusement qu'il serait bon de séparer les adversaires. Toi, le chef (si Capiam n'avait pas reconnu le mot, il n'y avait pas à se tromper sur l'index qui le désignait), emmène les hommes, pas de bagarre ici. Vous parlerez au matin, pas maintenant. Pas maintenant ! Dehors ! Silence !

Cette dernière injonction était destinée au fils du chef, qui s'apprêtait à ouvrir la bouche. Pendant un long moment, tout parut figé. Puis Capiam propulsa son héritier hors de la tente d'une bourrade à l'épaule.

— Joboam ? dit-il ensuite, d'un ton où se mêlaient question et menace.

Celui-ci ferma un poing et s'assura qu'Heckram n'avait pas manqué le léger mouvement. Puis il recula lentement sans le quitter des yeux jusqu'à ce qu'il soit sorti de la hutte. Heckram le suivait du regard, avec une mine de chien hargneux.

Tillu céda enfin à ses genoux qui se dérobaient sous son poids et s'agenouilla près de la mère d'Ella, en pleurs. Elle passa les bras autour de son corps et la berça en silence, la laissant exprimer sa peine. Elle-même trouvait un peu de réconfort dans leur mouvement rythmique. Un jour, elle ferait trop confiance à son statut de guérisseuse. Elle avait misé sur la possibilité dont elle disposait d'ordonner à un chef de quitter une hutte sans être battue. Pari gagné, mais elle tremblait rétrospectivement en songeant aux conséquences de son geste si elle s'était trompée.

L'autre femme vint la relayer, et mêla ses larmes et ses gémissements sourds à ceux de son amie. Tillu les laissa seules. Elle n'avait pas de temps pour le chagrin. Elle alla plutôt ouvrir son coffret et en sortit de la camomille et du doux-sommeil, de la racine de bilin et des copeaux d'écorce de saule. Pendant qu'elle mesurait et mêlait l'ensemble, de l'eau chauffait jusqu'à ébullition. Elle y ajouta alors le mélange et mit le pot de côté pour laisser infuser. La tisane favorisait le sommeil et soulageait les maux de tête causés par un trop-plein de larmes. Tous en auraient besoin cette nuit.

Elle leva la tête de son ouvrage et découvrit qu'Heckram avait, lui aussi, suivi ses instructions. Assis sur le sol près de sa compagne, il tenait sa main inerte dans la sienne et dévorait du regard son visage, qui ressemblait de moins en moins à elle-même. Le cœur serré, Tillu se demanda combien de temps elle mettrait à mourir. Maintenant, il n'y avait aucun doute sur le fait que la pression augmentait à l'intérieur du crâne – aussi sûrement que le pus se trouve à l'intérieur d'une coupure fermée. Elle ne guérissait pas ce genre de blessure. On ne pouvait pas la percer comme une infection ou un furoncle, ou la soulager avec un cataplasme comme une articulation enflée. Il n'y avait rien d'autre à faire que d'assister à l'agonie d'Ella.

L'infusion avait pris une couleur de miel sombre. Sur les râteliers d'ustensiles, Tillu choisit une louche au hasard et chercha un peu pour trouver les bols de bois sculptés. Les femmes avaient cessé de pleurer. Appuyées l'une contre l'autre, elles la regardaient leur apporter la boisson d'un air passif.

— Vous devriez vous reposer, leur dit-elle.

Elles hochèrent la tête, chacune étant persuadée qu'elle s'était adressée à l'autre.

Tillu les laissa se soutenir mutuellement et porta une troisième tasse à Heckram. D'abord, il ne remarqua pas le récipient tendu. Quand elle le toucha pour attirer son attention, il sursauta comme s'il venait de recevoir un coup de poignard. Puis il posa délicatement la main d'Ella et la glissa sous la couverture, et prit enfin la tasse que Tillu lui avait préparée.

Pendant un long moment, il se contenta de la tenir en continuant à fixer Ella. Finalement, il tourna la tête vers Tillu. L'effort que lui avait coûté son geste transparaissait et Tillu regretta de lui avoir demandé de l'aider.

— Elle va mourir.

Elle lut la phrase sur ses lèvres plus qu'elle ne l'entendit vraiment. Il ne s'agissait pas d'une question, il ne lui demandait pas un mensonge destiné à le rassurer, il lui faisait savoir qu'il avait compris. Il lui passait cette information. Elle inclina la tête en signe d'assentiment. Mais les paroles suivantes n'eurent aucun sens pour elle.

— Je ne l'aimais pas assez, chuchota-t-il encore.

Il leva la tasse, la vida de son contenu brûlant et la lui rendit, puis il s'allongea lentement sur les peaux au sol. Sa main tendue touchait la lisière de la fourrure qui couvrait Ella. Tillu l'entendit déglutir avec effort et se détourna pour les laisser tranquilles. Les deux femmes échangeaient de lents murmures, de plus en plus espacés. Les pleurs et les lamentations avaient cessé, le chagrin s'était dissipé pour l'instant. Elles s'endormiraient bientôt.

Tillu s'apprêtait à les imiter. À peu de distance du foyer, elle se ménagea une place, découvrant le sol tapissé de rameaux de bouleau en prenant une des peaux pour se recouvrir. Elle fixa les braises quelques instants, puis ferma les yeux et laissa son esprit glisser à la frontière du sommeil, l'ouïe en alerte, à l'affût du moindre frémissement d'Ella.

La lueur du feu s'estompait. Dans la hutte, les ombres s'adoucissaient, le son calme des respirations apaisait la nuit. Heckram était allongé en silence, les yeux ouverts, l'oreille tendue. Le breuvage de la guérisseuse ne l'avait pas endormi. Une partie de son esprit se demandait s'il en restait dans le pot, car une seconde tasse l'aiderait peut-être à sombrer dans l'oubli. Mais l'autre partie était bien trop occupée pour songer à se lever.

Il essayait de se rappeler la première fois où il avait posé la main sur Ella comme un homme touche une femme. En vain. C'était arrivé à une période qui ne correspondait pas au schéma général de sa vie. Sa virilité s'était manifestée plus tard que celle de la plupart des autres garçons et il avait été la proie de cet éveil pendant un laps de temps plus court. Il tenta de se souvenir de celui qu'il était alors : un mâle au sang bouillant, tel un sarva bondissant et grognant à son premier rut. Comme lui, il était passé d'une partenaire consentante à une autre, ne partageant qu'un bref moment avec chacune, prenant son plaisir les yeux fermés, uniquement sensible à la course rugissante du sang dans ses oreilles. Il n'évoquait jamais cette époque sans remords.

Aucun membre du clan ne l'avait condamné. N'avaient-ils pas tous, hommes et femmes, connu cette fièvre de la découverte qui les avait transformés en adultes ? Les plus vieux ne s'attachaient pas aux excès de la jeunesse, faisant confiance au temps pour régler ces relations qui disparaissaient ou muaient en attachement plus profond. L'enfance d'Heckram avait été celle d'un garçon calme et sobre, il était désormais un adulte responsable. Mais une période de folie séparait ces deux existences. Il se battait aussi comme un sarva, se sentant insulté par la plus innocente des plaisanteries, il affrontait n'importe qui, ceux de son âge et les grands. Il n'avait pas gagné toutes ses bagarres, n'avait pas couché avec toutes les femmes courtisées. Mais bien qu'il ne puisse se rappeler clairement ses défaites, il découvrit que ses victoires se perdaient dans le même flou.

Ella avait fait partie de ses conquêtes, mais il ne savait plus dans quelles circonstances. Comme lui, elle avait été touchée par le premier souffle de la fertilité, mais elle était beaucoup plus jeune. Il essaya de susciter une image, un mot dans la pénombre, le contact d'une peau, la forme d'un sein nu et juvénile. Rien ne venait. Pour lui, elle n'avait été qu'une parmi tant d'autres. Et ce qui rendait les choses encore plus terribles, c'était de savoir que parmi tous, il avait été l'élu.

Son sang avait mis quelques saisons à refroidir, mais lorsqu'il dépassa ce stade, il jugea sa conduite précédente avec une extrême sévérité. Peu importe que nul ne le blâme pour son comportement. Sa plus grande honte était que la fièvre de son corps n'avait jamais atteint son cœur. Ella, simple et confiante, avait trouvé le moyen de lui faire savoir qu'elle était prête à répondre à son appel. Elle avait voulu attendre qu'il soit prêt à s'engager, sans jamais douter qu'il voudrait d'elle le moment venu. Maintenant, il regrettait de n'avoir pas eu le courage de la repousser, de n'avoir pas su lui dire gentiment de trouver un meilleur compagnon. Aujourd'hui, elle aurait pu être une épouse et une mère. À cause de lui, elle avait tout perdu.

Il espérait les larmes, mais ses yeux restaient secs, et quand il les fermait, l'intérieur de ses paupières semblait abrasif. Il soupira, puis se figea en entendant Ella lui répondre de la même façon. En un instant, il était agenouillé, penché sur elle.

— Ella ? Ella ?

Cette fois, elle émit un long gémissement, immédiatement suivi d'une autre plainte. Il prit sa main. Les doigts tressaillirent légèrement contre sa paume rugueuse. Il la referma avec délicatesse, espérant que cela suffirait pour qu'Ella le sache près d'elle.

Précédée d'un froissement de vêtements, la guérisseuse s'agenouilla près d'eux et se pencha sur Ella. À travers les mèches folles qui lui retombaient sur le visage, il distinguait son regard sans espoir. En se redressant, elle rencontra ses yeux. Elle secoua la tête.

— Ne te tourmente pas, dit-elle doucement. Il n'y a rien à espérer.

— Elle souffre.

Sans ajouter un mot, Tillu repartit près du feu. De son coffret, elle sortit une louche, teintée de sombre à l'extrémité qui trempait dans le liquide. Elle s'en servit pour recueillir une petite mesure dans le pot qu'elle avait laissé mijoter près du foyer. Elle lui fit signe de soulever Ella pour l'aider à boire. La tête bandée pesait lourd contre son épaule. Tillu monta la louche à ses lèvres gonflées, mais se contenta de lui humecter les lèvres. Il fronça les sourcils devant tant de parcimonie.

— Ce sont des baies-de-nuit, expliqua-t-elle. Trop la tuerait. Un peu lui donne un bon sommeil.

Il reposa Ella sur le sol, mais resta assis près d'elle. Pendant de longues minutes, elle continua à gémir au rythme de sa respiration, de plus en plus faiblement, jusqu'à ce que seul le bruit de son souffle se fasse entendre.

— Elle dort, lui dit Tillu. Heckram, va dormir aussi, maintenant.

— Non.

Il s'allongea de nouveau près d'Ella. Il rêvait de la prendre dans la courbe de son corps et de la serrer contre lui. Il voulait agir pour la protéger, garder la mort à distance avec la chaleur de sa propre vie. Mais il savait que leur étreinte serait plus source de douleur que de réconfort. Aussi se contenta-t-il de lui reprendre la main. Il caressa les petits doigts, y posa ses lèvres. Quand il ferma les yeux, il garda la même position et la suivit dans les ténèbres du sommeil profond.

Le matin arriva : une bête grise dont le nez glacé tira Heckram des profondeurs confortables de l'oubli. Il garda les yeux fermés, résistant à la conscience. Mais son corps se plaignait du froid et de la trop longue immobilité. Il grogna et commença à bouger pour trouver une meilleure position, mais fut soudain conscient de la présence d'une main froide dans la sienne. Sans pitié, le souvenir des événements de la veille le fit émerger brutalement dans la réalité. Se redressant d'un bond, il s'agenouilla pour regarder Ella en silence.

Elle était morte. Ses doigts lui avaient transmis son dernier frisson et il l'avait su dans son sommeil. Il avait rêvé de sa mort, l'avait regardée partir à travers la neige vers Saivo. Arc à l'épaule, sa gibecière brodée sautillant sur la hanche, elle s'éloignait d'un pas léger qui la conduisait sur le sommet gelé des congères. Elle avait retiré son bonnet rouge, exposant au soleil printanier sa chevelure dénouée qui scintillait encore plus que la neige. Elle était si belle. Il l'avait laissée s'éloigner en souriant. Il ne l'avait pas rappelée.

Ce matin, elle n'était plus aussi belle. Il se détourna du visage remodelé par la mort pour éviter d'en inscrire les couleurs dans sa mémoire. D'un geste délicat, il remonta la fourrure pour le dérober à la lumière du matin, qui s'insinuait par le trou d'évacuation de la hutte. Un objet, jusqu'alors posé sur les couvertures tomba. Il rebondit souplement sur les peaux du sol, et roula en arc de cercle pour s'arrêter contre le genou d'Heckram. Il baissa les yeux. Dans sa poignée sans grâce et son fond teinté de noir, il y avait quelque chose de sinistre.

Heckram se tourna vers le foyer, dont les braises presque éteintes luisaient faiblement sur les pierres plates. Le récipient qui avait contenu la potion était renversé sur le côté. Son esprit tourbillonna follement, mais il refusa les conclusions auxquelles l'entraîna son raisonnement. Il n'irait pas vérifier ce qui restait dans le pot, n'essaierait pas de se rappeler si Tillu y avait ou non remis la louche la nuit précédente. Quand elle lui avait révélé qu'une trop forte dose pouvait tuer, était-ce une manière de lui poser la question ? Avait-elle cru lire une réponse tacite sur son visage ? Soudain l'image de Bruk gisant dans la neige lui revint. Sa main l'avait apaisé avant l'intrusion du couteau. Il gémit sourdement.

Soulevant la louche par le manche, il la replaça près du pot et la laissa tomber. Elle claqua une fois sur les pierres du foyer. Personne ne broncha. Ristin et Missa dormaient côte à côte, s'étreignant dans leur chagrin. Ella était la dernière enfant vivante de Kuoljok et Missa. Avec elle, leur lignée disparaissait. Aujourd'hui était le jour de leur fin. Il pensa au pauvre vieux Kuoljok, qui allait bientôt se réveiller seul et désorienté dans la hutte d'Ella et Heckram. Son esprit semblait confus la nuit dernière. Il ne cessait de répéter « Qu'est-ce qui s'est passé ? » bien après qu'Heckram se fut lassé de lui répondre qu'il n'en savait rien. Cette simple question avait été plus pénible à supporter que les accusations ineptes de Joboam.

Et la guérisseuse ? Il se tourna lentement et la trouva endormie dans un coin sombre de la tente. Inexplicablement, Kerleu était blotti contre elle, souriant dans son sommeil.

XV

DES PAQUETS DE NEIGE molle et humide tombaient des arbres avec un son étouffé. C'était un bruit erratique et furtif, qui évoquait les déplacements d'une bête rôdant dans les bois. Ce n'était pas le seul signe de changement. L'écorce parcheminée des bouleaux prenait une teinte rosée, et l'extrémité des saules se détachait en rouge contre la neige. Mais la disparition du manteau blanc des arbres était le symptôme le plus remarquable. Une fois débarrassées de leur fardeau, les branches se redressaient comme un ressort, leur mouvement secouait la ramée et provoquait de nouvelles chutes. Même la petite épinette noire avait ôté ses bonnets clairs pour saluer l'arrivée du printemps.

Plus tôt dans la journée, un de ces blocs de neige avait atterri sur le dos d'Heckram à hauteur des épaules, dont une infime partie s'était insinuée par le col de sa tunique, traçant son sillon glacé jusqu'à sa poitrine. Il en était toujours humide et frigorifié. Les premiers jours du printemps étaient rarement agréables. Il essayait de se réchauffer le dos au maigre soleil, dont la lumière l'éblouissait en se reflétant avec force sur les congères prêtes à fondre. Par ailleurs, la neige avait imprégné ses bottes et son pantalon, alourdissant chaque foulée. Le changement de saison, qui d'habitude lui allégeait le cœur, ne lui apportait, cette année, qu'une forme de lassitude irritée. Pour l'heure, debout au sommet de la colline, il observait les rennes avec une expression soucieuse.

Les bêtes se déplaçaient à grand-peine sur le sol lourd, se faisant parfois piéger par la masse collante d'un amoncellement plus profond que les autres, dont ils surgissaient à grands bonds éperdus. Ils piétinaient à la recherche de lichen, baissant la tête dans les trous pour grignoter ce qui dépassait de la terre gelée. Et chaque nuit, l'hiver revenait, et travaillait la neige molle pour en faire une épaisse croûte durcie susceptible d'irriter et d'entailler les pattes des rennes, au moment où ils s'efforçaient de la briser. Une fois qu'ils avaient brisé la savve, la couche supérieure, ils trouvaient du flen, le tendre lichen blanc, ou cladonie. Mais, affamés, ils écrasaient le flen et avalaient des morceaux gelés, ce qui finissait par les rendre léthargiques, voire malades. Le bétail d'Heckram allait plutôt bien, mais celui des parents d'Ella commençait à paraître un peu trop maigre. Il faudrait intervenir.

— Heckram !

Surpris, il se retourna, déjà agacé par celui qui venait briser sa solitude. Ces dernières semaines, il y avait eu assez de discours pour remplir une vie entière. Tout d'abord, il n'avait pensé qu'à dormir, fuir dans l'inconscience le tourbillon des pensées qui l'obsédaient. La lassitude disparue, il s'était réveillé en colère. Contre l'avis de sa mère et des parents d'Ella, il était allé trouver Capiam. Il avait exprimé hardiment ses soupçons devant le maître des hardes et les plus âgés de ses conseillers. Et il avait reçu une réprimande. Son estomac se contracta à ce souvenir encore trop présent.

Le regard de Capiam luisait de colère comme des gemmes noires. Sa poitrine frémissait de rage, mais il avait parlé avec calme. « Sur quoi te fondes-tu pour accuser Joboam d'un acte aussi vil ? »

Heckram grimaça en pensant à ses vains efforts pour formuler son malaise. Il leur avait dit comment Joboam avait tenté de s'imposer à Ella, qu'il se faufilait entre les huttes la nuit, et que même après leurs fiançailles, elle se plaignait qu'il la suive à la chasse. Mais ses paroles ressemblaient aux accusations d'un enfant mesquin et imaginatif, y compris à ses propres oreilles. Les anciens échangeaient de regards pendant son exposé. Puis Capiam donna sa décision dans les termes les plus humiliants : « Ne peux-tu pas abandonner, Heckram ? Joboam souffre assez d'avoir vu la femme qu'il désirait te choisir à sa place. Il vit aussi la douleur de la savoir morte. Je ne l'accuserai pas d'avoir commis cet acte. Je sais qu'il jouait au tablo avec Rolke quand nous avons appris le malheur d'Ella. Nous savons aussi tous que tu l'as suivie dans la nuit, Heckram. Pourtant, aucun d'entre nous n'a murmuré contre toi à partir d'un indice aussi léger. Tu ferais bien de prendre exemple sur nous. Oublie cette jalousie stupide et puérile. Pleure Ella comme il convient de le faire. Mais ne cherche pas à rejeter la responsabilité de sa mort sur un homme qui ne lui a montré qu'intérêt et affection. J'avais confiance en ton père, sa sagesse m'a été d'un grand secours. J'aurais souhaité qu'un peu de son discernement soit passé en toi. Va-t'en, maintenant. Ne parle plus de cette histoire. La bête ou le démon qui a tué Ella nous a échappé. C'est absurde d'insister. »

Il avait donc quitté la hutte du maître des hardes, et enterré l'histoire. Mais il fut bientôt évident que ses accusations avaient fait le tour du sita. Nombreux étaient ceux qui jugeaient son attitude indigne d'un homme des hardes.

Il ne parvenait pourtant pas à oublier, pas plus qu'il ne n'arrivait à se perdre à nouveau dans le sommeil. Ses pensées faisaient la ronde dans son esprit, l'empêchant de manger, de dormir. Il sentait l'attention de sa mère et de Missa, avait été agacé par les efforts répétés de Lasse, qui n'avait de cesse de l'emmener chasser. De temps à autre, il songeait à la guérisseuse et à son fils, mais n'avait aucun désir d'affronter le garçon, qu'il avait délaissé depuis trop longtemps, et encore moins la femme, qui avait appliqué ses soins mortels à Ella. Il avait la sensation d'être encerclé par ses réflexions tel un vieux sarva par une meute de loups. Puis un beau jour, il s'était levé et s'en était allé seul dans le silence du troupeau. Il s'était abîmé dans le travail, si profondément qu'il ne pouvait pas penser au-delà de l'instant présent. Sauf quand une espèce d'idiot venait le déranger.

Lasse escaladait la colline, s'enfonçant dans la neige profonde à chaque pas. Heckram le fixa, l'œil critique. Il était mince, et ses cheveux brillaient au soleil, témoignant de sa bonne santé. Il avait tendance à garder son bras blessé, guéri depuis longtemps, contre sa poitrine. Heckram l'aimait beaucoup mais ne souhaitait pas sa présence. S'il lui parlait rarement d'Ella, ses silences étaient parfois pires que les paroles de consolation des autres. Aussi préféra-t-il le héler de loin, avant de se retrouver sous son regard compatissant.

— Lasse ! Éloigne les rennes. Je vais abattre un arbre.

Il tâtonna autour de sa taille pour trouver sa hachette. Le manche courbé était un bois de renne ; la tête, une pierre polie et affûtée.

— Attends ! répondit Lasse.

Heckram remarqua la grande hache que le garçon agitait dans sa direction et remit son outil dans sa gaine.

— Je me suis dit que tu aurais besoin de ça, dit Lasse d'une voix haletante. Et je voulais t'annoncer que j'ai vu les godde partir vers les hautes collines. Qu'est-ce que tu en penses ?

— Je n'ai pas songé aux troupeaux sauvages depuis des jours. Je n'ai plus le temps de chasser. J'ai mes bêtes à surveiller, plus celles de ma mère, et de Kuoljok et Missa.

Il ne parla pas du bétail d'Ella, dont la propriété était revenue à ses parents, bien que Missa ait tenté de le laisser à Heckram. Elle avait longuement insisté et le souvenir de leur douloureuse discussion lui était encore pénible.

— Je ne pensais pas à la chasse. Je crois que nous devrions les suivre, emmener nos bêtes vers de meilleurs pâturages jusqu'à ce que le printemps soit plus installé. Le flen est tellement dur qu'on peut à peine le briser à coups de lance. Je sais, j'ai essayé.

— C'est exactement pour cela que je veux abattre un arbre. Tiens les rennes à l'écart, s'il te plaît.

Heckram prit la hache et remercia Lasse d'un simple hochement de tête. Il sélectionna un arbre aux branches festonnées de mousse et d'usnée qui penchait déjà selon un angle prononcé. Les premiers coups provoquèrent la dégringolade de plusieurs gros paquets de neige molle dont il évitait la chute en sautillant çà et là. Quand l'essentiel de la charge fut tombée, Heckram avança, se campa fermement sur ses jambes et commença à frapper de bon cœur. L'instrument mordit dans le bois, faisant voler des éclats d'écorce, bientôt suivis de copeaux blancs. Lasse pataugeait, s'efforçant courageusement de tenir les animaux les plus âgés à l'écart, car ils savaient associer le bruit à la nourriture. Quand le bois se mit à crisser, Heckram poussa un cri d'avertissement. Le jeune homme bondit de côté et les rennes se ruèrent en avant. L'arbre s'abattit dans un grand craquement, ses branches giflèrent au passage les épaules et les museaux des plus hardis du troupeau. Ils reculèrent sous le choc, mais repartirent aussitôt à l'assaut et, en un clin d'œil, assiégèrent l'endroit.

Profitant que le bétail soit occupé, Heckram et Lasse abattirent rapidement deux autres arbres en se relayant à la hache. Les bêtes de Lasse, entendant tomber les géants, arrivèrent de leur pâturage plus bas sur la colline pour jouir aussi de l'aubaine. Hors d'haleine, les deux hommes s'installèrent sur une souche et les regardèrent festoyer.

— Tu as raison, il faudrait les déplacer, dit Heckram, comme s'ils n'avaient pas interrompu leur conversation. Les godde savent où se trouve la meilleure nourriture. Un éleveur sage veille à ce que son troupeau les suive.

— D'accord. Ce soir ?

Heckram réfléchit avant de donner sa réponse. En cette saison, le moment le plus propice pour voyager était effectivement la nuit. La température plus froide provoquait la formation d'une croûte assez dure à la surface pour supporter hommes et bêtes. Avec Lasse, il allait emmener les rennes plus haut dans les collines, là où le dégel printanier n'avait pas encore gâché les pâtures. Puis lorsque la belle saison atteindrait cette altitude, il serait temps de redescendre et de commencer la longue migration vers les terres d'été par l'étendue plate de la toundra.

— D'accord pour cette nuit. Ta grand-mère nous accompagne ?

— Non, pas cette fois, répondit Lasse en détournant les

yeux, vers l'éclat aveuglant de la neige au flanc de la colline.

Heckram savait que c'était mauvais signe. Quand les plus âgés commençaient à se trouver trop vieux pour quitter le talvsit pour les campements provisoires du début de printemps, on devinait qu'ils se lassaient de la vie.

— Je ne crois pas que ma mère viendra non plus cette année. Ni les parents d'Ella.

Lasse pesa l'information d'un air grave. Mais il se contenta de dire :

— Ça te fera beaucoup de bêtes à guider.

— Il paraît que nos pères en menaient encore plus, et toutes leur appartenaient. Nous sommes loin d'atteindre la richesse qu'ils possédaient.

— C'est si important que ça ?

— Pas pour toi ? demanda Heckram avec un regard intrigué. Qu'est-ce que nous avons de si bien ? À l'automne, ça ne te plairait pas de sacrifier un harke gras et fort pour sa viande, au lieu de choisir le plus malade, celui qui ne passera peut-être pas l'hiver ? Et cet hiver, tu n'apprécierais pas d'avoir des peaux bien épaisses sur le sol du kator, au lieu de devoir te débrouiller avec les vieilles, toutes dépenaillées ? Tu n'aimerais pas charger des pulkors et des harkar avec ton surplus de viande, de peaux et de fourrures, pour aller faire du troc dans le Sud ? Ou avoir des outils de bronze au lieu de la pierre et de l'os ? Des chemises en laine tissées et pas en cuir cousu ?

— Trouves-tu notre existence si misérable ? demanda Lasse à voix basse.

Sa question réduisit Heckram au silence pendant quelques instants.

— Non, mais elle n'est pas riche non plus.

Lasse gardait les yeux fixés sur l'étendue de neige et Heckram se demanda s'il s'adressait à lui ou exprimait simplement ses pensées à haute voix.

— Tu sais, il y a pauvre et pauvre. Tiens, prenons Joboam, dont le troupeau est deux fois plus grand que le tien. Il possède les plus belles fourrures, ses vaja ont le poil lisse et brillant, il a tout. Eh bien, Ella n'en a pas voulu malgré ça. Et te voilà, avec juste ce qu'il te faut pour t'en sortir, et encore, si tu te montres économe et prudent. Pourtant, c'est toi qu'elle a choisi. À mes yeux, vous étiez plus riches que Joboam ou que le maître des hardes lui-même. Dis-moi, tu n'as jamais regretté d'avoir attendu ?

Heckram posa sur Lasse un regard nouveau. Sa grand-mère avait remplacé le galon de son vieux bonnet, ce qui lui donnait plus d'éclat. Lasse n'était pas assis comme un enfant, attendant une réponse, mais avait adopté l'attitude d'un homme, discutant avec un autre de la vie et du troupeau. Heckram se demanda distraitement qui était la fille, et si Lasse parviendrait à dompter les impulsions de son cœur. Mais au moment de répondre, il adopta un ton froid et détaché.

— Non. Je n'ai jamais regretté d'avoir attendu.

Mais la longue patience d'Ella, oui. Il avait juste murmuré ces mots, Lasse n'avait pas pu entendre, se rassura-t-il. S'il les avait saisis, du moins n'en laissa-t-il rien paraître. Au lieu de cela, il changea brutalement de sujet.

— Capiam envisage de demander à Tillu de nous accompagner aux pâturages d'été.

— Pourquoi ? demanda Heckram, un peu tendu.

— Pourquoi ? répéta Lasse, incrédule. Comme guérisseuse, bien sûr. Depuis combien de temps n'avons-nous personne pour nous soigner ? Les anciennes font de leur mieux, mais elle ne savent que ce que leurs mères leur ont appris. Ce ne sont pas de véritables guérisseuses. Et même si elle n'a pas pu sauver Ella, Tillu connaît son art. Regarde comme elle a bien soigné mon bras.

« Après t'avoir tiré dessus, songea Heckram. Et tu ne sauras jamais à quel point ses soins ont été efficaces pour Ella, mon ami. »

— Lanya lui a amené son fils, continuait Lasse. Tu sais, pour ces rougeurs qu'il a toujours eues. Tillu a d'abord posé beaucoup de questions et ensuite, elle a dit au garçon « plus de lait de renne, plus de fromage ». Et maintenant, les traces ont presque disparu. Elle a aussi fait un onguent pour l'épaule de ma grand-mère, et elle n'a plus mal, même quand il fait froid.

— Dans ce cas, j'espère qu'elle viendra avec nous, conclut Heckram.

Il n'avait pas parlé à Tillu depuis la mort d'Ella. Son manque d'émotion à son égard ne cessait de l'étonner. De deux choses l'une : soit il devait lui être reconnaissant d'avoir abrégé les souffrances d'Ella, soit il devait la haïr pour avoir mis fin à sa vie. Mais cette absence de sentiment lui paraissait inappropriée. Il avait l'impression de retrouver l'état d'esprit qui avait précédé le moment de prendre Ella pour compagne. La guérisseuse lui semblait-elle tout aussi inévitable ? Machinalement, il dégagea son couteau de sa ceinture, préleva un rameau sur un jeune arbre proche et commença à le tailler, écoutant d'une oreille distraite le bavardage de Lasse.

— Je parie qu'elle viendra si Capiam le lui demande. Remarque, tout le monde n'est pas d'accord. Joboam ne peut pas supporter son fils à moitié débile. Il prétend que le gamin a des yeux de loup. Et quelques autres sont d'accord avec lui. Kerleu ne me donne pas l'impression d'être si bizarre que ça...

— Il n'est pas débile !

Surpris par l'intensité de sa propre réaction, Heckram fit un faux mouvement et entama trop profondément l'écorce.

— Tu dois avoir raison. Je veux dire qu'il ne se balade pas en bavant ou un truc du même genre. Mais Missa a essayé de l'envoyer chercher de l'eau un matin, et il se conduisait comme s'il ne comprenait pas ce qu'elle demandait. Elle a fini par lui mettre le seau en main et lui montrer la source. En arrivant là-bas, il a retourné le contenant et s'est assis dessus. Ça n'a pas été plus loin. Il a contemplé l'eau, avec cet air bizarre qu'il a parfois. Au bout d'un moment, il s'est agenouillé pour toucher la neige tachée de sang...

La voix de Lasse s'éteignit brusquement et il s'éclaircit la gorge, puis continua son récit après avoir décidé de passer sur la fin de l'épisode.

— Deux des garçons de Kerl ont essayé de lui parler, mais comme ils n'ont pas reçu de réponse, ils lui ont envoyé des boules de neige, histoire de le faire réagir. Tu sais comment sont les gamins. Et Kerleu, qui a deux fois leur âge, s'est réfugié en hurlant dans les jupes de sa mère. Et il n'a pas voulu repartir à la source, ni pour rapporter de l'eau ni pour aller chercher le seau. Tu ne peux pas dire que sa conduite n'est pas étrange.

— Le plus étrange, dans toute cette histoire, est que Kerl laisse ses enfants traiter un étranger de cette manière.

Un nouveau morceau d'écorce voltigea.

— Mais ce n'était que des taquineries ! objecta Lasse en se penchant pour enlever la neige qui s'accrochait à son pantalon.

— Ça l'était sans doute pour les fils de Kerl. Mais comment l'a pris Kerleu ? Et l'on ne peut pas juger de sa valeur sur un incident aussi mince. Tiens, il est arrivé jusqu'au talvsit tout seul, cette nuit-là. Je n'arrive toujours pas à croire qu'il a suivi les traces du pulkor depuis sa tente jusqu'au camp. Tout seul, dans l'obscurité.

— Mais ça n'a rien à voir. Pourquoi n'est-il pas resté là-bas comme on le lui avait demandé ?

— Je lui avais promis de t'envoyer lui tenir compagnie. Mais avec cette histoire, j'ai complètement oublié.

— Ce n'est pas une très bonne raison pour faire tout ce chemin dans le noir et le froid, fit remarquer Lasse.

— Sans doute pas pour nous. Mais Kerleu est un garçon qui se montre parfois buté.

— Toi, tu dis buté, les autres disent obtus. Pour moi, ça ne fait aucune différence. Tolérer Kerleu ne me paraît pas être un prix excessif à payer pour avoir une guérisseuse avec nous.

Heckram garda le silence pendant de longues minutes. Puis il poussa un rire bref et rauque qui fit sursauter Lasse. Il regarda la tige de flèche tordue qu'il venait de tailler et la jeta dans la neige.

— Je me demande si quelqu'un s'est jamais interrogé sur le prix que devra payer Kerleu pour que Tillu devienne notre guérisseuse.

— Quel prix ?

Tillu se détourna lentement du feu. Elle venait de remplir d'eau un petit bac de bois.

— Ce que tu voudras donner.

Joboam interpréta ces mots comme une question. Il était assis torse nu sur la couche, serrant son avant-bras contre lui. Un cataplasme fabriqué à partir de morceaux de l'écorce bouillie et broyée d'un épicéa couvrait une plaie vilainement infectée. La coupure n'était pas plus longue qu'un doigt d'homme, mais l'enflure avait gagné jusqu'au coude, à l'autre extrémité, et les doigts gonflés ressemblaient à des saucisses. Malgré sa souffrance, Joboam marchandait.

— Deux peaux de loup, sans la queue. Ou un boudin et deux fromages ?

— Ce que tu voudras. Depuis combien de temps dure la douleur ?

Joboam baissa les yeux sur sa blessure et fronça les sourcils, comme si la regarder augmentait son inconfort. Il prit son temps pour répondre.

— Il y a longtemps. Très très longtemps. Je sculptais et je me suis entaillé la main. Pas beaucoup. Peu de sang. Pendant un moment, ça guérit. Puis gonfle, suppure. Alors je prends mon couteau, j'ouvre, je lave. Ça commence à guérir. Et puis ça enfle encore, ça empire. Je coupe. Je crois que c'est guéri. Et puis, un matin, j'ai encore mal, c'est gonflé. Cette fois est la pire.

Joboam s'exprimait lentement en choisissant ses mots, imitant la manière de parler de Tillu, qui n'avait pas pris la peine de lui expliquer qu'elle comprenait leur langage. Si certains termes lui échappaient encore, elle saisissait le sens général et s'était accoutumée à leur étrange inflexion. Par ailleurs, elle avait aussi la possibilité de parler plus couramment qu'elle ne le faisait. Cependant, elle trouvait plus simple de continuer à formuler des phrases brèves. Peut-être pour éviter d'autres sujets de conversation que ce qui concernait les soins. Pour garder une sorte de distance.

— Beaucoup de chance. C'est beaucoup de chance que tu vives toujours, sans avoir été empoisonné. C'est une mauvaise blessure. Peut-être y a-t-il quelque chose dedans. Si c'est ça, il faudra le trouver et le faire sortir. Tu vas souffrir. Mais sinon, tu vas mourir.

Tout en parlant, elle ouvrit une petite sacoche en cuir et en fit couler un tas de sel. Elle se mordit la lèvre inférieure et ajouta quelques cristaux scintillants. Le sel était précieux, pas seulement pour l'assaisonnement, mais aussi pour ses vertus de drainage quand il était utilisé dans les bains ou les cataplasmes. À en juger par l'aspect du bras de Joboam, Tillu devrait utiliser l'essentiel de ses réserves pour le soigner. Elle se demanda pourquoi les plus riches se montraient toujours plus avares que les autres au moment de payer.

— Baisse les yeux, gamin ! gronda soudain Joboam.

Tillu leva la tête. Joboam était arrivé très tôt, au moment où elle préparait le repas qu'elle allait partager avec Kerleu. Elle s'était interrompue en voyant l'état de l'avant-bras du visiteur. Le garçon attendait, assis sur les peaux près du foyer. Il ne répondit pas à Joboam, mais baissa la tête. Il jouait distraitement avec ses cuillères. Tillu s'adressa à lui d'une voix douce.

— Kerleu, tu vas sortir et me ramasser du bois pour le feu.

— J'ai faim !

— Eh bien, prends de la saucisse et du fromage.

— Je veux manger chaud.

— Dehors, sale gosse ! gronda Joboam.

Kerleu détourna le regard, seul signe qu'il l'avait entendu. Il mordilla sa lèvre inférieure en fixant sa mère. Tillu serra les mâchoires, mais s'efforça de conserver un ton calme.

— Alors, va chercher du bois. Prends de la saucisse et un morceau de fromage pour l'instant, et rassemble du bois. Ensuite, je cuisinerai un peu de la viande de renne que nous a apportée Lanya. Allez, vas-y. Comme ça, je pourrai travailler plus vite. File !

Pendant qu'elle chassait son fils de la tente, elle ne leva pas les yeux une seule fois sur son patient. Il y avait toujours eu des hommes comme Joboam, et il y en aurait toujours. Ceux-là avaient l'impression de pouvoir prendre le contrôle des choses hors de la présence d'un autre mâle pour s'opposer à eux, ne supportaient pas de croiser le regard singulier de Kerleu, et se sentaient offensés par son parler lent et ses étranges manières. Ils risquaient à tout moment de les battre s'il s'approchait trop près à leur gré ou les fixait trop longtemps. Ils le craignaient, comme ils redoutaient le contact de la folie ou de la maladie.

Pendant que Tillu s'affairait à dissoudre le sel dans l'eau bouillante et à préparer des tampons de mousse propre, elle tâcha de se rappeler que Joboam souffrait. Le trajet jusqu'à sa hutte l'avait sans doute fatigué et il se sentait peut-être mal à l'aise dans cet environnement inconnu. Elle devait faire preuve de patience et ne pas oublier qu'elle était guérisseuse. « Une guérisseuse », se répéta-t-elle. Au bout de quelques instants, elle libéra la tension de ses épaules d'un soupir. Elle serait capable de traiter Joboam comme n'importe qui. Et il s'en irait très vite.

— L'eau est chaude. Attention. Doucement, avertit-elle en posant le bac devant lui.

Le récipient était juste assez grand pour contenir entièrement l'avant-bras blessé. Tillu ôta le cataplasme et indiqua l'eau d'un signe de tête. Joboam tressaillit lorsque son coude toucha le liquide brûlant. Mâchoires serrées, yeux étrécis, il y introduisit lentement le reste du bras. Une pellicule de sueur lui couvrit le torse et le front, mais il ne manifesta pas sa douleur. Instinctivement, Tillu se détourna, peu désireuse d'admirer la maîtrise dont il faisait preuve.

— Pourquoi n'es-tu pas venu plus tôt ? demanda-t-elle en nettoyant les paquets de mousse des brindilles et de la terre, qu'elle jetait au feu.

— Je pensais que ça guérirait tout seul, expliqua Joboam d'une voix tendue. Combien de temps faut-il garder le bras ainsi ?

— L'eau permet à la blessure de s'ouvrir et la draine. Après, je nettoierai le pus. Ensuite, je chercherai à l'intérieur. Il faut fouiller pour trouver la chose qui envenime ton membre.

— Oh.

Joboam avait répondu à voix basse. En regardant par-dessus son épaule, Tillu remarqua qu'une expression soucieuse creusait de nouvelles rides sur son visage. Elle s'apprêtait à continuer sa description, mais soudain, honteuse de son comportement, se mordit la lèvre pour s'intimer le silence. Elle était guérisseuse et n'avait pas droit à la mesquinerie. Briser le contrôle de Joboam, le faire crier ou pleurer ne lui gagnerait pas son respect. En revanche, elle était certaine d'y perdre celui qu'elle avait pour elle-même.

Elle se rapprocha de lui, plongea les mains dans l'eau et effleura la surface de la blessure. Elle s'ouvrit presque immédiatement, libérant son immonde contenu. Joboam salua d'un soupir le soulagement de la pression à l'intérieur de son bras.

— Reste tranquille. Ne bouge pas, dit-elle doucement, les yeux fixés sur la partie infectée, les narines pleines de l'odeur de Joboam : sueur, peur et virilité mêlées.

S'aidant des tampons de mousse pour nettoyer le pus, Tillu travaillait avec adresse. Elle fit signe à son patient de retirer son bras de l'eau. La blessure béait, rougeâtre au milieu de la chair tuméfiée.

— Il y a quelque chose à l'intérieur, déclara-t-elle d'un ton assuré. Il faut le trouver et l'enlever.

Elle emporta le récipient à l'extérieur pour jeter l'eau souillée. Kerleu se tenait près de la tente.

— J'ai froid, se plaignit-il.

— Non. Ce n'est pas vrai, rétorqua Tillu d'un ton qui n'admettait pas la discussion. Il fait plus chaud aujourd'hui que depuis des jours. Travaille, ça te réchauffera. Rapporte plus de bois.

— C'est bientôt fini ?

— Presque, répondit Tillu, le prenant en pitié. Je travaille aussi vite que je peux. Si je le soigne bien, nous aurons des peaux de loup. Un nouveau pantalon pour toi, peut-être ?

— Personne n'a besoin d'un nouveau pantalon au printemps, fit remarquer le garçon, qui semblait malgré tout ravi.

— Encore du bois, lui rappela-t-elle, au moment où la voix grondante de Joboam se faisait entendre.

— Guérisseuse ! Guérisseuse, qu'est-ce qui te retient ?

Tillu ne se donna pas la peine de répondre et rentra dans la tente. Elle essuya le bac avec de la mousse et le posa de côté après y avoir versé une nouvelle mesure de sel. Avant de retourner près de Joboam, elle mit de l'eau à chauffer. Agenouillée près de lui, elle examina soigneusement la blessure. Le problème était évident. La chair essayait de se refermer sur un objet et cédait chaque fois que Joboam essayait d'utiliser son bras. La chose avait pénétré en profondeur. Au début, c'était sans doute une blessure bénigne. Juste une petite coupure, assez profonde, cependant.

— Ça va faire mal. Il faut ouvrir et sortir ce qui est dedans. Je te prépare un remède contre la douleur.

Joboam hésita, puis hocha la tête. C'était sage. Elle se leva, estima sa taille et son poids, puis prit ses herbes médicinales. La potion devrait être fortement dosée. Elle s'agenouilla près du foyer pour mesurer et préparer le mélange. Dans un petit pot, elle mit des feuilles et de l'écorce de saule à tremper avec de la racine de framboisier. Posée sur une blessure, la mixture contrôlait les hémorragies. Elle espérait ne pas en avoir besoin.

— Où est ton homme ? demanda-t-il soudain dans son dos.

— Parti, répondit-elle sans même se retourner.

— Qu'est-il arrivé ? Il est mort ou il t'a simplement quittée ?

— Parti, répéta-t-elle platement en continuant son travail.

— Le garçon, hein ? dit-il d'un ton entendu. J'imagine que cela ne devait pas être facile à vivre. Tu n'as personne d'autre ?

— Partis, dit Tillu qui avait fini par lui faire face, le regard neutre, les lèvres réduites à une ligne mince.

— Tu es toute seule, alors, commenta Joboam, qui ne fléchissait pas. Ça doit être dur. Veux-tu te joindre à notre peuple ? Nous accompagner ?

Il y avait une tonalité singulière dans sa voix, celle d'un marchand présentant sa meilleure offre.

— Vous vous en allez ?

Tillu était doublement surprise. Elle tenait le talvsit pour un village permanent, mais voilà que cet homme parlait comme si lui et les siens étaient des chasseurs nomades. Partir ? Avec un sentiment de déchirement, elle comprit à quel point elle s'était habituée à l'idée de vivre seule, mais à portée d'autres hommes. Une place comme guérisseuse, mais aussi l'intimité nécessaire à la sécurité de Kerleu. Elle avait cru...

— Oui, nous partons, répondit Joboam, à qui son trouble avait échappé. Capiam a dit que tu pourrais nous accompagner aux pâturages d'été pour être notre guérisseuse. Ta vie sera meilleure. Tu auras de la nourriture, des peaux et de l'aide pour déplacer ta tente, même si personne n'a besoin de soins. On te donnera peut-être même quelques rennes. Peut-être. Qu'en penses-tu ?

C'était trop à la fois, toutes ces propositions tombaient trop vite. L'esprit de Tillu jonglait entre la notion de tous ces gens installés qui envisageaient de s'en aller, et celle de se voir attribuer des bêtes. Depuis la nuit où elle avait été transportée dans le pulkor d'Heckram, elle avait accepté l'idée que ce peuple ait domestiqué ces animaux. Mais s'imaginer propriétaire de l'un d'eux lui semblait étrange. Ce serait comme posséder un arbre ou une source. Et elle n'envisageait pas de bon cœur d'abandonner ses rêves d'installation et de champs cultivés.

— Le départ est pour bientôt ?

— Oui. Nous n'attendrons plus très longtemps. Nous irons dans la toundra. Nous quitterons le talvsit. Si tu ne nous suis pas, tu resteras seule tout l'été. Complètement seule.

Ses paroles comportaient une raillerie subtile. Une menace voilée, peut-être ? Pourquoi ? Dans quel but ?

— Je ne suis pas seule, corrigea-t-elle d'un ton calme. Kerleu est avec moi.

Joboam eut un haussement d'épaules méprisant. Tillu en vint presque à regretter d'avoir préparé la potion calmante qui mijotait sur le feu. Elle aurait dû lui ouvrir le bras sur-le-champ. Elle maîtrisa bientôt son irritation et se retourna pour remuer la mixture. Impossible de dire pourquoi elle trouvait cet homme aussi agaçant. Plus tôt elle l'aurait pansé, plus tôt il pourrait partir.

Elle éprouva la résistance de la masse détrempée au fond du pot. Ça irait. Elle y ajouta lentement de l'eau chaude, mélangea le tout et prit dans une louche une mesure du liquide sombre qui s'était formé. Quand elle approcha de Joboam, il fronça les narines.

— C'est amer, lui dit-elle en s'efforçant de ne pas trahir sa satisfaction. Il faut tout boire. Tu seras endormi et tu ne souffriras pas trop.

Joboam prit la louche avec précaution et jeta un regard méfiant à son contenu.

— Je n'en ai peut-être pas besoin ? suggéra-t-il.

— Tu vas avoir mal, précisa Tillu en haussant les épaules. Décide. Mais tu ne devras pas bouger pendant que j'interviendrai. Je vais demander à Kerleu de tenir ton bras pour moi.

Joboam but en jetant des regards noirs par-dessus le bord de la louche. Un frisson le secoua et il déglutit avec effort.

— De l'eau ?

— Non. Ça te ferait vomir. Pas d'eau. Allonge-toi. Attends.

Il n'aimait pas ça, mais peu importait. Elle l'aida tout de même à s'allonger. Il avala sa salive avec bruit et leva vers elle un regard brumeux. Elle resta près de lui, attendant que le remède fasse effet. Elle observait le mouvement régulier de sa large poitrine. Quand il avait enlevé sa tunique, elle avait été surprise. Il était plus velu que les hommes de la tribu de Bénu. Des poils sombres formaient un triangle sur son torse, s'effilant en une ligne qui fuyait vers le bas-ventre. Les muscles de l'abdomen étaient soulignés. Il semblait aussi plus propre que ceux qu'elle avait eu l'occasion de traiter. Elle se demanda si tous les hommes de ce peuple étaient faits sur le même modèle. Le visage aux joues mangées de barbe d'Heckram lui vint à l'esprit. À quoi ressemblait son torse ?

Secouant la tête en signe de mépris pour elle-même, elle se détourna. Joboam allait s'inquiéter, transpirer et résister à la potion. Il faudrait un long moment avant qu'elle puisse se mettre au travail. Entre-temps, elle préparerait quelque chose pour Kerleu et le lui porterait. Elle n'était pas une jeune fille en fleur, pour passer son temps à contempler la poitrine d'un homme avec un sourire en coin. Elle était une femme chargée d'un enfant dont il fallait s'occuper, et d'un blessé à soigner. Prêtant l'oreille à la respiration de son patient qui s'apaisait, elle découpa une grosse tranche dans le morceau de viande accroché au support de la tente. Elle n'avait pas vraiment de quoi se montrer aussi généreuse, mais avec la température plus chaude, les aliments ne se conservaient plus. Il fallait les consommer ou les faire sécher. C'était la seule chose qui lui faisait regretter l'arrivée du printemps. Impossible de congeler quoi que ce soit comme en plein hiver. Conserver les proies demandait plus de travail, et il fallait les défendre contre la vermine.

Tillu embrocha la viande, puis la disposa au-dessus du foyer pour la rôtir. Des gouttes de sang grésillaient dans les flammes, emplissant la tente d'une odeur appétissante, qui lui rappela qu'elle avait l'estomac vide. Mais elle pouvait attendre. Depuis longtemps, elle avait appris à maîtriser son appétit. Elle tourna la broche à plusieurs reprises, prenant soin de griller toutes les faces, puis laissa cuire pendant qu'elle vérifiait rapidement l'état de Joboam.

Étendu sur le dos, il serrait son membre blessé contre sa poitrine. S'il avait les yeux mi-clos, il n'était pas endormi, et se trouvait dans cet état intermédiaire avant le sommeil, au moment où la conscience se dissolvait. Elle souleva le bras en le prenant par le poignet et le coude pour l'écarter du corps, puis le posa à plat, paume en bas, sur une peau grattée. Les yeux fixés sur le sommet de la tente, Joboam rêvassait. Tillu disposa de la mousse propre, un paquet humide des herbes qui arrêtaient le sang, et finalement son couteau. Elle l'aurait voulu aiguisé. Voilà ce qu'elle aurait dû demander à Joboam en échange de ses soins. À son réveil, il serait peut-être d'accord pour accepter le marché ? Kerleu ne quittait pas celui qui lui avait été offert par Heckram. Et il restait intraitable, refusant qu'elle l'utilise, ou même qu'elle le touche. Le manche du couteau de Joboam, qui dépassait de sa ceinture, attira l'attention de Tillu. Pourquoi pas ? Il ne broncha pas lorsqu'elle dégagea l'arme pour l'examiner.

Elle découvrit avec surprise que de la poignée en os sortait une lame de bronze. Ravie, elle l'examina de plus près. Le métal était froid et tranchant. Inconsciemment, elle affermit sa prise sur l'objet. Oui, elle l'utiliserait, se dit-elle en le posant près de son couteau. Penchée de nouveau au-dessus de Joboam, elle lui toucha la joue. Pas de réaction. Elle le pinça, d'abord légèrement, puis plus fort. Il grogna mais ne dirigea pas son regard vers elle. En revanche, au bout de quelques secondes, il inclina la tête sur le côté. Il était prêt.

— Mère ?

— Il y a de la viande sur la broche au-dessus du feu, dit Tillu en se retournant. Prends-la et va dehors. Fais attention à ne pas te brûler.

— Bien !

Kerleu bondit à l'intérieur. L'air avait rougi son nez et ses joues, mais il avait repoussé son capuchon, preuve qu'il n'avait pas aussi froid qu'il le prétendait. Il s'agenouilla près du foyer, saisit une extrémité de la broche dans chaque main et emporta sa prise. Avant même d'atteindre la porte, il essaya de mordre dans la pièce de viande et poussa une exclamation étouffée en se brûlant les lèvres, ce qui ne l'empêcha pas de poursuivre ses efforts. Tillu ne dit rien. Il devait apprendre. Elle ajouta quelques brindilles sèches au feu pour améliorer la lumière, puis sortit une lampe. Il y restait peu de graisse, mais elle n'en aurait pas besoin longtemps. Elle s'agenouilla près de son patient, et au moment où elle s'apprêtait à lever un genou pour le poser sur le poignet de ce dernier, entendit des éclats de voix à l'extérieur.

— Rends-moi ça !

Kerleu semblait indigné, furieux et déjà au bord des larmes.

— Tout à l'heure. Tu lui as dit que j'étais là ?

Le ton était dédaigneux et railleur.

— Dis-le-lui toi-même. J'ai faim. Rends-moi ça ou je te tue !

Tillu soupira. Kerleu en était déjà aux menaces sauvages.

— Je tremble devant un guerrier aussi redoutable. Je crois que je vais manger un morceau pendant que tu vas prévenir ta mère que je suis là... Ça suffit !

Tillu s'était levée aux premiers mots, mais la bagarre avait commencé avant qu'elle ne sorte de la tente. Un adolescent tenait la broche hors de portée de Kerleu. De l'autre main, il agrippait les cheveux du garçon et le tenait à distance malgré ses ruades. À la lisière de la clairière, un renne encore harnaché à un pulkor assistait à la scène, son œil marron écarquillé.

— Laisse-le tranquille !

Aucun des deux adversaires n'entendit Tillu. Elle marcha résolument sur eux et saisit le poignet de l'étranger. Ses doigts compétents trouvèrent l'endroit sensible entre la main et l'os du poignet.

— Laisse-le tranquille ! répéta-t-elle.

L'autre obéit immédiatement. Tillu reconnut alors le jeune homme qui soutenait hardiment son regard. Le fils de Capiam. Elle se souvenait de son expression à la fois renfrognée et avide. Comme la première fois, il portait une tunique et un chapeau surchargés d'ornements et de perles. L'accumulation de décorations avait quelque chose de vulgaire, produisant l'effet inverse de celui recherché.

— Te voilà, guérisseuse. J'ai demandé à ton fils de te dire que j'attendais.

— Rends-lui la viande, demanda Tillu, déterminée à ne pas se laisser impressionner. Tout de suite.

— Je n'en veux pas, dit-il, refusant de se laisser intimider. Je la lui aurais donnée dès qu'il serait allé te prévenir. Voilà, mon vieux, reprends-la et cesse de pleurnicher.

Tout en parlant, il lança la broche vers Kerleu, sans se soucier de savoir si celui-ci allait la rattraper. Effectivement Kerleu n'y parvint pas, et la pièce de viande s'enfonça en grésillant dans la neige puis disparut. Le garçon hurla comme s'il venait d'être frappé et se précipita à sa recherche, fouillant le sol tel un chiot maladroit.

L'autre contemplait la scène avec un sourire sardonique. Il se dégagea de la poigne de Tillu et rajusta sa tunique.

— Je suis Rolke, et je t'apporte un message de mon père, Capiam, seigneur du peuple des rennes, commença-t-il d'un air solennel.

En fait, il s'adressait au dos de Tillu. Kerleu avait déjà récupéré son butin et en ôtait les particules glacées en sanglotant. Tillu s'arrêta près de lui et se pencha pour lui parler. Elle ne voulait pas augmenter son humiliation en le prenant dans ses bras devant un étranger, même si elle en mourait d'envie. D'ailleurs, elle savait d'expérience que

Kerleu réagirait en la repoussant. En réalité, c'était elle qui aurait eu besoin de réconfort. Lui ne songeait qu'à la viande, et la voulait comme avant : chaude et pleine de jus. Elle lui prodigua quelques conseils à voix basse.

— Rapporte-la à l'intérieur et pose-la sur le feu. Dans une minute ou deux, elle sera aussi bonne que tout à l'heure. File ! ajouta-t-elle plus fermement en s'interposant entre Rolke et Kerleu. Je m'occupe de lui.

Le garçon disparut sous la tente et Tillu se tourna vers Rolke. Elle se redressa de toute sa taille, ce qui n'était pas suffisant pour lui permettre de le regarder de haut. Et même si c'était le cas, il n'en aurait probablement pas été plus affecté. Il ne devait pas respecter grand-chose. Mais elle pourrait peut-être remédier à cette situation.

— Veux-tu ou non recevoir le message du maître des hardes ?

— Je ne veux rien entendre de toi.

Tillu serra les mâchoires, espérant que cela ne concernait pas un malade. Dans ce cas, on aurait choisi un messager moins impudent.

Estomaqué, Rolke resta bouche bée. Tillu se retourna et souleva le rabat de la tente. Rolke suffoqua en reprenant son souffle et cela sembla l'irriter encore plus.

— Eh bien, je ne te transmettrai rien. Je dirai à mon père que ton sale gamin et toi n'avez pas voulu m'obéir ! De toute façon, tu n'as pas ta place parmi nous. Mais mon père sera fâché que tu n'aies pas écouté mes paroles. Très fâché. Tu vas le regretter, quand il enverra Joboam te parler.

— Pourquoi m'enverrait-il quelqu'un qui est déjà là ? demanda Tillu de sa voix la plus innocente. (Elle se détourna du visage rouge de rage de l'adolescent.) Si le maître des hardes souhaite m'envoyer un message, qu'il le fasse parvenir par quelqu'un de plus courtois, conclut-elle en rentrant dans sa tente.

Elle s'arrêta juste après le rabat, laissant ses yeux s'accoutumer à la pénombre après le vif éclat de la neige. Peu de temps après, elle entendit Rolke houspiller sa pauvre bête et plaignit tous les animaux qui appartenaient à un tel maître. Quelque chose lui disait que l'adolescent ne s'améliorerait pas avec l'âge.

Les mains recroquevillées sur la poitrine, Kerleu était accroupi près du feu comme un petit animal battu. Il fixait la viande, que de longues flammes commençaient à carboniser.

Tillu poussa un petit soupir mais ne s'autorisa aucune remarque. N'importe quel enfant de son âge aurait su quoi faire. Elle avança, prit la broche et la lui tendit. Il l'empoigna tel un écureuil et fixa sa mère, l'air suppliant.

— D'accord, dit-elle à voix basse. Tu peux manger ici. Mais ne fais pas de bruit, et ne reste pas sur mon chemin. Ne viens pas me poser des questions en plein milieu de mon travail. Tu as compris ?

Il hocha silencieusement la tête, déjà occupé à se nourrir. Mais Tillu était intriguée par autre chose.

— Quand Rolke est arrivé, pourquoi n'es-tu pas venu me dire que quelqu'un voulait me voir ?

— Je suis venu, répondit Kerleu, le front plissé par la concentration. Mais tu m'as ordonné de prendre la viande et d'aller dehors. Alors j'ai obéi.

— Faut-il toujours qu'une pensée chasse l'autre dans ta caboche ? La prochaine fois, donne-moi le message d'abord. Ce sera comme ça à partir de maintenant.

— Je ne savais pas, se plaignit-il. Ce n'est pas ma faute. Tu ne me l'avais jamais expliqué.

Elle lui lança un regard d'avertissement et retourna près de Joboam. À l'instant où elle s'agenouillait pour lui bloquer le bras, il battit des paupières.

— C'est fait ? demanda-t-il d'une voix pâteuse en tournant la tête vers elle.

— Presque, prétendit-elle.

L'interruption s'était produire au pire moment. Joboam sortait déjà de la stupeur induite par la médication, et elle n'osait pas lui en administrer une nouvelle dose. Après avoir rapproché la lampe à huile et mouché la mèche pour disposer d'une flamme plus haute, elle plaça un de ses genoux sur le poignet de Joboam et l'autre au creux du coude. L'essentiel de son poids reposait sur ses fesses et ses talons, mais elle était prête à se pencher en avant et à immobiliser le bras s'il se débattait. Elle prit le couteau de bronze et l'inséra jusqu'au fond de la blessure. Quelque chose s'y était planté, et installé. De la pointe de la lame, elle sonda la chair avec délicatesse, puis n'ayant rien trouvé, insista un peu plus. Joboam grogna, mais ne broncha pas. Plus profond. Le métal toucha un corps dur, qui bougeait. Le blessé leva la tête en poussant un gémissement. Tillu bascula en avant pour maintenir l'avant-bras immobile.

— Du calme, lui dit-elle. Reste couché.

Elle posa de nouveau la pointe du couteau contre l'élément étranger. Joboam serra brusquement le poing et sa respiration s'accéléra. Elle glissa le pouce le long de la lame. Du sang vif surgit de la blessure, elle ne distingua plus ses doigts, mais continua en se fiant à son toucher. Son ongle rencontra l'objet et le plaqua contre la surface plane. En tirant, elle rencontra une résistance : la chose était à moitié incrustée dans le muscle. Joboam haletait et sa sueur révélait sa souffrance. Vite. Elle assura sa prise et délogea l'intrus.

Il émergea de la chair, arrachant à Joboam un cri étouffé. Le sang inonda la plaie. Tillu referma la blessure d'une main que le liquide visqueux rendait glissante.

— Il est sorti ! Il est sorti ! Le pire est passé, continua-t-elle en pesant de tout son poids sur le bras.

Instinctivement, l'homme l'avait saisi au-dessus du coude comme pour le dégager de la pression des genoux de Tillu.

— C'est bien, tiens-le fort. Tiens-le aussi fort que tu peux.

Elle le libéra et s'empara du cataplasme qu'elle avait préparé. Légèrement redressé sur le côté, Joboam contemplait le sang qui s'écoulait de la plaie. Elle installa l'emplâtre, pressant délicatement le tampon contre les chairs déchirées. Le souffle de Joboam se fit plus aigu, mais il ne bougea pas. L'hémorragie se calmait rapidement. Joboam était fort et jouissait d'une bonne santé. Il guérirait sans problème.

— Continue à le tenir serré, l'encouragea-t-elle en commençant à bander le bras.

Elle avait les doigts maculés de sang et les bandages

étaient tachés avant même qu'ils ne soient en place. Mais elle continuait avec ténacité, s'assurant que la blessure resterait bien fermée.

— Cette fois, ça guérira pour de bon, promit Tillu.

Elle se leva pour se rincer les mains. En passant près du bac, elle jeta un coup d'œil au sel qu'elle y avait déposé, heureuse de ne pas avoir dû faire tremper le bras une seconde fois. Puis elle revint au chevet de son patient.

— Ça va mieux ?

— Je ne sais pas. Je me sens faible. Brumeux...

Sa voix s'éteignit. Il avait les yeux brillants, la respiration courte. Tillu l'aida à se remettre à plat, installa le membre blessé sur sa poitrine et le couvrit chaudement.

— Repose-toi, ajouta-t-elle sans nécessité.

Il avait déjà les yeux fermés. Elle tira une nouvelle peau sur lui et l'emmitoufla étroitement. La douleur, qui avait été bien plus grande qu'elle ne l'avait prévu, handicapait parfois plus un homme que le mal lui-même. Le repos était l'unique remède.

Elle se frotta le visage, avec soudain l'impression d'être très fatiguée. Et affamée. Mais ses habitudes étaient les plus fortes. Elle essuya le couteau et le posa de côté. Herbes médicinales et sel furent soigneusement stockés, la lampe éteinte et rangée. En ramassant la peau sur laquelle elle avait opéré, elle fit tomber un objet sur le sol. Elle se pencha pour le ramasser et le fit tourner dans sa main. C'était ce qu'elle avait ôté de la plaie. Elle l'essuya avec le morceau de peau et l'examina avec curiosité.

— Je sais ce que c'est, murmura-t-elle. Je n'arrive simplement pas à m'en souvenir.

C'était un fragment d'os taillé, marqué d'un trait plus sombre qui représentait peut-être une décoration. Un éclat qui provenait de la sculpture à laquelle travaillait Joboam ?

Tillun le posa près du couteau et se releva avec un soupir. Maintenant, elle pouvait se restaurer.

Kerleu

LA NUIT

IL S'ÉVEILLA. Comme souvent après une période de veille. Inutile d'ouvrir les yeux, c'était déjà fait. En réalité, il ne les avait pas fermés depuis qu'il s'était étendu sur les fourrures. Il fixait le sommet de la tente, le trou d'évacuation et les quelques étoiles visibles.

Il était revenu à la conscience de son être et de son environnement. Un frisson lui parcourut le corps. Qu'est-ce qui avait bien pu le ramener ? Narines dilatées, il huma les odeurs de la tente. Là. Joboam. Ses lèvres se retroussèrent dans l'obscurité.

Le plus doucement possible, il se retourna sur sa couche, ce qui n'empêcha pas les rameaux de bouleau de craquer. Ça n'avait aucune importance. L'homme dormait profondément. Kerleu eut un mince sourire en se rappelant sa douleur quand Tillu lui soignait le bras. D'abord, il n'avait pas frémi, n'avait rien dit, même quand le sang avait afflué. Mais plus tard, quand la fièvre l'avait envahi, il avait juré et rugi en agitant la tête dans tous les sens. Ses paroles étaient indéchiffrables, mais exprimaient clairement la fureur. Kerleu avait gloussé en l'entendant, et Tillu s'était mise en colère et l'avait envoyé au lit. Il avait obéi, mais avait continué à se réjouir des souffrances de Joboam. Ses ricanements étouffés n'avaient cessé que lorsque sa mère avait menacé de le frapper. Alors, il lui en avait voulu, et s'en était allé avec la fumée. Maintenant, il était de retour. Et Joboam était encore là.

Le jour, Kerleu avait peur de l'homme et de ses mains féroces. Il avait reconnu ce regard dur et méchant. Il était de ceux que son existence mettait en colère, de ceux qui ne détournaient pas les yeux et faisaient pleuvoir les coups. Le garçon savait qu'il devait se tenir hors de sa portée. Mais dans l'obscurité claire de la nuit du chaman, Kerleu n'éprouvait que de la haine pour Joboam. La peur avait disparu. Il quitta silencieusement sa couche.

C'était un moment de grand pouvoir. Carp lui avait parlé avec délice des instants où, parfois, la nuit s'ouvrait aux chamans, où l'esprit du monde s'unissait au premier jour. Une sensation inédite pour Kerleu. Il ne pouvait plus mettre en doute les récits de Carp. La nuit l'environnait et intensifiait tous ses sens. L'obscurité l'imprégnait, comme pour l'immuniser contre le monde de la lumière du jour. Le froid ne touchait plus sa peau et son corps était débarrassé de tout appétit. Un autre frisson le parcourut et fit se dresser chacun de ses poils. Cette nuit, quelque chose l'appelait.

Pendant un long moment, il resta debout, l'oreille tendue. Puis il revint vers son lit et s'agenouilla. Repoussant sans bruit les rameaux qui isolaient les fourrures du sol froid, il dévoila une petite cavité creusée dans la terre. Elle contenait sa bourse de chaman. Il la sortit avec précaution, y colla l'oreille et écouta. Le couteau. Le couteau l'appelait.

Avec révérence, il dénoua les liens du sac et y introduisit la main à l'aveuglette. Le couteau lui toucha les doigts. Il le sortit lentement puis remit le tout à sa place, avant de se relever.

— Couteau ? demanda-t-il dans un souffle.

Il le tint à deux mains, pointe tendue vers les braises moribondes. Il resta longtemps dans la même position, jusqu'à ce qu'il sente le poids de l'objet augmenter. Le couteau était prêt. Il le sortit de sa gaine avec précaution.

L'os pâle étincela même à la faible lueur du feu mourant. Il le guiderait. Kerleu avait déjà suivi le couteau. Mais cette première fois, il trébuchait, transi et terrifié par l'obscurité des bois. L'Esprit de la chouette l'espionnait de chaque branche, tapi dans la moindre zone d'ombre. Alors, le couteau avait entendu ses prières et ses supplications, et l'avait guidé jusqu'au talvsit, devant la hutte où dormait sa mère.

Une seule personne était réveillée. Dans la pénombre, il s'était avancé vers elle. Celle qui avait façonné le couteau était couchée là et sa douleur faisait vibrer silencieusement son souffle. Elle ne délirait pas, ne criait pas comme l'avait fait Joboam. Scellée en elle, sa souffrance ne faisait pas de bruit. Heckram lui tenait la main. Kerleu frissonna en évoquant la scène. Elle était immobile, yeux fermés, mais le mal émanait d'elle, telles les ondes concentriques sur la surface lisse d'un étang, et arrivait jusqu'à Heckram dont le visage était crispé. Dans sa main, le couteau avait frémi au contact de cette douleur. Il savait qu'elle voulait le repos.

Kerleu connaissait la louche teintée de sombre de la potion du sommeil. S'aidant du dos du couteau pour garder la bouche de celle qui souffrait ouverte, il y versa la tisane. Un dernier mot bouillonna à travers le liquide et s'écrasa sur le dos de la lame. Un secret venait, peut-être, d'être transmis par celle qui l'avait façonné au couteau. La lame avait tremblé en le recevant, puis Kerleu avait senti toute la souffrance refluer.

Et maintenant, le couteau l'avait réveillé. Ce n'était pas sans raison, et il saurait bientôt pourquoi. Il le tenait à bout de bras devant lui. Maintenir sa stabilité faisait trembler ses muscles, mais il finit par sentir le tiraillement de la lame. Elle le conduisait en avant et vers le bas. Il suivit.

Le couteau avançait sans hésiter, sans se préoccuper du pas hésitant de Kerleu, l'entraînant à travers le feu. Le garçon sentit le bref contact d'une chaleur insupportable sur ses jambes nues, la morsure de petites braises sur son talon calleux. Il s'écorcha les tibias contre le coffret aux herbes médicinales de sa mère. En dépit du bruit, personne ne bougea. Lui seul ressentait le pouvoir de sa nuit et pouvait s'y mouvoir.

Deux pas de plus et il arriva au-dessus de Joboam. Le couteau s'arrêta et s'inclina, entraînant les bras de Kerleu.

La posture entièrement relâchée de l'homme, allongé sur le dos et immergé dans la torpeur, le faisait paraître encore plus grand, plus lourd. Un de ses bras était étendu loin de son corps, le dos du poignet reposait sur le sol, par-dessus le bord de la couche. Le sommeil s'était refermé autour de lui comme un épais brouillard. Kerleu le sentait. Une brume faite de la puanteur du sang et de la sueur, de l'odeur de son repas du matin, qui sortait, avec son souffle, par sa bouche ouverte. Ses cheveux étaient collés en boucles épaisses à son front et ses joues. Dévoré par la fièvre qui l'enflammait, il avait repoussé les fourrures censées le réchauffer. Son torse large luisait, son membre bandé était blotti contre lui.

L'obscurité dansait doucement autour de Kerleu, qui se tenait debout au-dessus de l'homme. Le manche du couteau était à la fois rugueux et glissant entre ses mains. La lame pivota légèrement et accrocha la faible lueur qui tombait par le trou d'évacuation. La lumière créait des formes changeantes, mouvantes, qui lui rappelaient des taches sombres sur la neige propre. Le couteau s'imprégnait d'ombre et de lumière, accumulait le pouvoir avec joie.

Puis il plongea d'un mouvement souple, entraînant Kerleu, qui se meurtrit les genoux en tombant, déséquilibré par la vitesse de la descente. La lame frôla la poitrine de Joboam et se planta dans le sol jusqu'à la garde, à quelques millimètres du bras étendu.

Kerleu se redressa. Personne n'avait bougé. Son cœur cognait contre sa cage thoracique, bondissant comme un animal prisonnier. Il passa ses mains trempées de sueur sur son visage et baissa les yeux. Le manche du couteau saillait du sol glacé, mais un morceau de la lame gisait à côté. Le couteau était brisé.

Abasourdi, Kerley s'assit, puis se rapprocha d'un mouvement vif et fixa avec tristesse le fragment d'os à terre. Le désespoir, aux mâchoires de loup, lui broyait le cœur. Il recueillit la fraction de lame pour l'examiner de plus près. Même dans la clarté diffuse des étoiles et l'éclat rouille des braises mourantes, on distinguait la moitié d'une spirale et un sabot en suspension. Kerley leva la parcelle d'os gravé et la tint contre sa joue en un geste de deuil. Elle était froide. Froide, cassée, et en colère contre lui. Aussi fâchée que Carp et la pierre de sang. Dans sa précipitation, il avait encore échoué. Les larmes lui montèrent aux yeux.

D'une main tremblante, il saisit le manche et retira le couteau du sol. En le regardant, il manqua de le lâcher. La lame était intacte.

Il la rapprocha de ses yeux profondément enfoncés dans les orbites et la détailla. Intacte. Pas une ébréchure. Un des rennes galopait toujours, tandis que le second paissait avec son petit. Les motifs continuaient à tourbillonner comme des étoiles. Le regard de Kerley passa lentement du couteau au fragment d'os. Graduellement, il les rapprocha. Pendant de longues minutes, il les étudia côte à côte, établissant des comparaisons. Ici, il y avait le sabot du renne qui galopait ; là, le sabot seul. Ici, les spirales sinuaient sur la lame ; là il n'y en avait qu'une et le début d'une deuxième. Ici...

Kerleu s'arrêta net. Son esprit venait de comprendre. Ce couteau était celui de la femme qui les façonnait. Et le morceau sortait du bras de Joboam. Kerleu sourit. Il s'agenouilla avec précaution près du blessé et se pencha au-dessus de lui. Il tint la particule d'os devant les yeux fermés avec un large sourire. Un frisson le parcourut. La lame brisée se chargeait d'un pouvoir extraordinaire. Oui elle était froide et en colère. Mais pas contre Kerleu. Non, contre Joboam. Et sa colère offrait beaucoup de pouvoir à Kerleu. Beaucoup.

Serrant le poing autour de son propre couteau blotti contre sa poitrine, il s'approcha encore du blessé, vérifiant qu'il était bien endormi. Son souffle passait contre son visage, chaud et fétide. Kerleu leva lentement l'éclat d'os et en effleura le front de Joboam, puis chacune de ses paupières closes. De la pointe de la lame brisée, il souligna le contour de ses lèvres. Joboam tressaillit et ferma la bouche.

Kerleu éleva côte à côte le fragment et le couteau. Il les fit lentement tourner, les laissa saisir la lumière et reprendre la couleur du sang séché dans l'ombre. Yeux écarquillés, il guetta le moindre signe d'éveil chez Joboam, pendant que le couteau et la lame dessinaient un motif paresseux sur la peau nue de son torse. Il sentait le fragment s'imprégner du pouvoir de l'homme. Les forces qui murmuraient dans l'extrême clarté de cette nuit lui donnaient presque le vertige.

Il leur prêta sa voix.

— Joboam.

Il prononça le nom très doucement, dans un souffle. Hormis un esprit, nul ne pouvait répondre à un tel appel. Celui de Joboam entendrait les paroles de Kerleu.

— Joboam. Il a trempé dans ton sang. Tu ne peux rien y changer. Il connaît l'intérieur de ta chair. Il a goûté ta vie, et il est impatient de connaître la saveur de ta mort. Ceci est le couteau qui a échoué, Joboam. (Il fit naviguer le fragment sur la poitrine de l'homme.) Le couteau a horreur de perdre, Joboam. Il veut être vrai. Alors, il a appelé son frère. Et son frère m'a appelé. Je lui ai fait la promesse de lui donner ce qu'il veut.

Encore plus près du visage. La peau se plissa entre les sourcils et la respiration se fit irrégulière. L'esprit de Joboam était mal à l'aise. Ses grands yeux rivés sur les paupières closes, Kerleu s'adressa à lui dans un souffle.

— Tu sais ce que veut le couteau, Joboam.

L'homme ouvrit brusquement les yeux.

XVI

— Loup ! Loup !

Le cri rauque retentit aux oreilles de Tillu et la réveilla brutalement. C'était à l'intérieur de la tente. Elle entendit un froissement de fourrure, un bruit furtif, une respiration haletante. Elle roula de sa couche, se reçut sur les genoux et se releva, une courte lance à la main. Elle brandit son arme en explorant d'un regard encore brouillé par le sommeil la semi-obscurité du lieu. Ne décelant aucun mouvement, elle s'attacha aux recoins sombres. Tout paraissait calme. Kerleu dormait en boule dans son lit. En le voyant s'enfoncer encore plus profondément sous les peaux, elle devina qu'il était réveillé. Il se cachait à cause des loups. Elle avança jusqu'à la porte en soupirant et jeta un coup d'œil à l'extérieur. Rien, hormis le froid, l'obscurité vide du sous-bois et le ciel piqueté d'étoiles qui annonçait l'aube prochaine. Elle se tourna vers Joboam. Il s'était redressé sur un coude. Ses yeux ressemblaient à deux étangs noirs, luisant sous la lune.

— Qu'as-tu vu ?

— Je... des yeux jaunes. Qui me regardaient.

Il avait le souffle haché. Tillu posa la lance et se dirigea vers la réserve de bois empilée près de l'entrée. Après avoir jeté quelques rameaux secs dans le feu, qui s'enflammèrent au contact des braises, elle alla s'agenouiller à côté de Joboam. Elle toucha son cou, puis vérifia le pansement de son bras de quelques gestes prestes et adroits. Les traits de Joboam portaient encore la marque du sommeil et des soins douloureux. Il semblait à la fois épuisé et désorienté, regardait autour de lui d'un air égaré.

— Ta fièvre est tombée. Voilà tout. Parfois quand on passe du sommeil de la fièvre aux rêves, il arrive qu'ils soient presque comme la réalité. Il n'y a rien ici. Rendors-toi.

— Je... Qu'est-ce que je fais ici ?

Tillu s'accroupit sur ses talons. La terre était froide sous ses pieds glacés.

— Tu est venu me voir pour que je te soigne, tu t'en souviens ? Je t'ai donné une tisane pour te détendre et j'ai sorti un morceau d'os de ton bras. Ensuite, je l'ai bandé. Ta blessure a beaucoup saigné, la potion t'a donné envie de dormir, et le drainage de ton membre enflé a provoqué la fièvre. Ça arrive parfois. Chez les guérisseurs, on dit que le corps brûle ce qui l'empoisonne. J'ai donc laissé faire, mais pas trop. Maintenant tu vas mieux. Tu t'es réveillé deux fois et je t'ai donné de l'eau. Tu te rappelles ?

Elle employait le même ton que si elle avait dû rassurer un enfant effrayé. Au bout d'un moment, Joboam se détendit.

— Oui. Oui, je m'en souviens, maintenant. Tu m'as dit de boire et de me reposer. Mais le loup... J'ai senti son souffle chaud sur mon visage. Il se moquait de moi, avec ses yeux jaunes...

— Ce n'était qu'un rêve. (Tillu repoussa les mèches trempées de sueur collées sur le front de Joboam, et vérifia sa température une fois de plus. L'aigre odeur de la peur émanait de son corps.) Tu as transpiré les poisons. C'est bien. Dors, et demain matin, tu seras prêt à rentrer chez toi.

— Oui. Je vais dormir.

Sa voix commençait à s'épaissir, mais il se redressa brusquement sur le coude, sourcils froncés.

— Un fragment d'os ? Tiré de mon bras ?

— Pas de ton os. Un morceau travaillé.

— Où se trouve-t-il ? Laisse-moi le voir. Je le veux.
— Il est par ici. Attends un peu, dit Tillu d'une voix apaisante.
Il ne faisait pas très clair dans la tente. Elle était fatiguée, ensommeillée, et commençait à être agacée par les pulsions et les rêves de son patient. Elle explorait le sol du bout des doigts et rencontra d'abord le couteau, puis un fragment d'écorce et quelques brins de la mousse qu'elle avait utilisée pour nettoyer la plaie. Ses orteils menaçaient de s'engourdir, et elle finit par renoncer.
— Je le trouverai demain.
Tout en se demandant pourquoi Joboam était tellement anxieux de récupérer cet éclat, elle lui tendit son arme, manche en avant.
— J'ai emprunté ton couteau pour t'ouvrir le bras. Le mien est vieux et émoussé, une lame affûtée était nécessaire pour ce travail.
Il le prit sans un mot, le regarda avec étonnement et ouvrit les doigts pour le laisser retomber sur le sol. Puis il roula sur le dos et fixa le plafond.
— Le loup. C'était le loup, et il m'a montré deux couteaux. L'un était entier, et l'autre... l'autre était brisé. Il me les a montrés et il a ri. Il a dit... il a ri. C'est tout.
— Ce n'était qu'un rêve dû à la fièvre.
Elle ne souhaitait qu'une chose : qu'il se rendorme. Elle avait froid, accroupie ainsi, seulement vêtue de sa longue chemise. La main valide de Joboam se détendit soudain et s'enfonça dans la chair sensible de son bras, la prenant totalement au dépourvu.
— Ne le dis à personne, ordonna-t-il avec fébrilité. Si tu racontes à quelqu'un que tu m'as soigné, je te tue.
Doucement, elle essaya de détacher sa prise, mais il serra plus fort.
— Tu rêves encore. Lâche-moi. Tu me fais mal. Lâche-moi !
— Ne le dis à personne, répéta-t-il avec un regard dur.
— Je n'en parlerai pas. D'ailleurs, qui veux-tu que ça intéresse ? Lâche-moi.
— Bien. N'en parle pas.
Il la regarda fixement et sa poigne se détendit, mais il ne

la libéra pas. Au contraire, il la tira vers lui, jusqu'à ce qu'elle soit presque allongée sur la couche. Après avoir jeté un rapide coup d'œil aux ombres derrière elle, il posa de nouveau les yeux sur elle, remontant lentement le long de son corps.

— Je ne voulais pas te faire de mal. Je suis désolé.

— Lâche-moi.

— Ne te fâche pas. J'étais... C'est ce rêve. Je ne voulais pas te faire mal, répéta-t-il d'une voix basse, douce.

— Je le sais, et je ne suis pas en colère. Je veux simplement que tu me laisses tranquille.

— Pourquoi ?

Le regard de Joboam brûlait toujours autant, mais d'un feu différent. Avec un léger tressaillement, il avança son autre main pour lui toucher le visage.

— Je t'ai vue me regarder, reprit-il. Avant que tu ne soignes mon bras.

Elle se cabra sous la caresse.

— Laisse-moi tranquille ou je te fais mal, dit-elle d'un ton calme.

— Toi ? Tu es à peine plus grande qu'un enfant !

Il sourit avec indulgence. Sa main descendit et s'attarda sur un des seins, puis pinça le téton à travers le cuir léger de la chemise. Elle s'arrêta net quand celle de Tillu retomba sur l'avant-bras blessé et se referma autour du bandage.

— Je ne plaisante pas. Lâche-moi ou je te fais souffrir.

Il ouvrit immédiatement la main et la libéra. Elle bondit en arrière.

— Tu quitteras ma tente demain matin, jeta-t-elle à voix basse, sachant que Kerleu ne perdait pas une miette de leur échange. Tu partiras dès qu'il fera jour. Ne reviens pas.

Joboam s'allongea sur la couche. Il se contenta de la regarder avec des yeux ronds.

— Sauvage comme une femelle glouton, dit-il avec un demi-sourire, visiblement encouragé par sa rebuffade. Je ne voulais pas te faire de mal, Tillu. Et tu ne devrais pas chercher à m'en faire. Allons, viens par ici.

Elle le fixa avec incrédulité. Il avait vraiment cru qu'elle éprouvait du désir pour lui. Et il le pensait encore, persuadé que sa réticence n'était qu'un jeu de séduction. Désirait-elle cet homme ? Elle se retourna et regagna silencieusement sa couche. Elle ne pouvait pas échapper à son regard ; il la suivit des yeux pendant qu'elle s'allongeait et se couvrait. Son cœur battait un peu plus vite, et dans cette position, elle se sentait vulnérable. Il était grand et fort. Elle tâtonna le sol près de sa couche du bout des doigts pour trouver la lance courte. Yeux fermés, elle guettait le moindre déplacement. La nuit était terminée pour elle. Elle ouvrit légèrement les paupières et regarda le feu, qui se résumait à des braises. À travers ses cils, elle jeta un coup d'œil à Joboam. Son visage était tourné vers elle, il la surveillait. Avec le sourire.

Elle se détourna. Avait-elle désiré cet homme ? Non. Un homme, oui. Son corps en avait envie. Comme toutes les femmes, elle avait des besoins. Le désir montait et refluait en elle au rythme de son cycle lunaire. Certaines nuits, son esprit se remplissait d'images masculines, ses cuisses et ses seins durcissaient. Mais elle ne voulait pas de celui-là. Cela faisait longtemps, mais il lui faudrait encore plus de temps avant d'avoir envie de quelqu'un comme Joboam. Même s'il n'avait pas été aussi arrogant et grossier, elle l'aurait repoussé. Il était trop grand, trop intimidant, lui donnerait l'impression d'être une enfant sans défense entre ses bras. Elle éprouva de nouveau le poids suffocant d'un corps d'homme qui la clouait au sol, sentit l'odeur d'un village en flammes.

Toute sensation de désir s'évanouit. Elle secoua la tête, chassant les vieux souvenirs. Plus jamais. Elle ne voulait rien recevoir de partenaires trop imposants physiquement, qui dominaient, qui broyaient.

Dans le peuple de Bénu, il y avait eu Raduni, un petit homme vif au sourire presque plus large que son visage. Pendant les premiers jours de son séjour parmi eux, il lui souriait souvent. Elle admirait sa prestesse. Elle s'émerveillait devant la rapidité de ses gestes quand, étendu sur le ventre, il saisissait des truites scintillantes dans le ruisseau. Il lui en avait offert sans qu'elle le sollicite. Elle attendait qu'il l'approche, quand il finit par remarquer Kerleu.

Kerleu et ses bizarreries. Son étrangeté avait suffi à le faire hésiter, puis à renoncer. Kerleu était un fardeau. Elle se demanda ce qui poussait les hommes à agir ainsi. Raduni n'était pas le premier. Pensaient-ils que tous ses enfants seraient comme Kerleu ? Le croyait-elle, elle-même ? Elle n'en était pas sûre. Mais elle était certaine du résultat. La dérobade de Raduni l'avait laissée face aux attentions de Carp, un autre dont elle ne voulait pas.

Elle soupira et s'agita sur sa couche en songeant à l'offre de Rolke. Serait-elle renouvelée ? Et si c'était le cas ? Pourquoi abandonnerait-elle son existence indépendante pour une place au sein du peuple des rennes ? Avec des êtres comme Joboam, tout prêts à prendre le contrôle de son foyer ? Ou comme Heckram, si rapide à trancher entre la vie et la mort.

Quelque chose qui ressemblait à un sentiment de trahison envahit son cœur. Son esprit revenait à cette fameuse nuit. Elle avait averti Heckram qu'une dose trop forte de la médication pouvait provoquer la mort. Pourquoi l'avait-il donnée à Ella ? Parce qu'il ne supportait pas de la voir souffrir ? Parce qu'il tenait à elle ? Ou le calcul avait-il été bien plus cynique ? Était-ce le sort des femmes du peuple des rennes quand elle étaient défigurées ou inutiles ?

Aucune de ces théories ne lui semblait satisfaisante. Elle revoyait l'expression d'Heckram quand Lasse avait été blessé. Il n'avait pas essayé de cacher sa compassion et son inquiétude. Elle avait senti l'amitié qu'il éprouvait pour l'adolescent. Et avec Ella ? Avec Ella, c'était pareil. Une profonde affection, une loyauté réciproque. Pas le genre de relation qui présume un pouvoir sur la vie ou la mort de l'autre. Aussi était-elle persuadée que la mise à mort n'avait pas été une manière désinvolte de se débarrasser d'une personne devenue superflue.

Depuis peu, Tillu commençait à comprendre l'étrange statut des femmes du peuple des rennes. Dans aucune autre tribu elle n'en avait rencontré qui non seulement possédaient des biens, mais en gardaient la stricte propriété après le mariage. La viande que Lenya lui avait donnée en paiement venait d'un animal qui lui avait appartenu. Les femmes passaient des marchés, chassaient avec leur compagnon ou seules. Leurs tissages et leurs ouvrages de couture avaient la même valeur que les sculptures et les constructions des hommes. Dans une société de ce type, elles avaient conscience de leur valeur. Pour la première fois de sa vie, Tillu en avait rencontré qui tiraient fierté de leur indépendance. Elle les enviait.

Ses pensées la ramenaient constamment vers Ella et Heckram. Personne d'autre que lui n'aurait pu donner la mort. Les deux femmes présentes dans la tente ne connaissaient pas le breuvage et ne l'auraient pas administré à Ella sans se renseigner. Et il y avait aussi la manière dont il s'était détourné d'elle le matin suivant, le regard vide et le visage contraint. La culpabilité. Tillu ne cessait de se répéter que cela n'avait pas d'importance, qu'Ella serait morte malgré tout. Parfois, elle tentait de se convaincre que celle-ci était tout simplement partie, qu'elle avait lâché prise au lieu de continuer à souffrir. Elle aurait aimé croire à cette version, mais c'était impossible. Plus que tout, elle aurait voulu connaître les raisons qui avaient poussé Heckram à prendre cette décision, et pourquoi il s'en sentait coupable. Alors peut-être comprendrait-elle pourquoi elle pensait moins à lui depuis ces événements, et pourquoi cela la rendait triste de ne plus croiser son regard.

À quoi bon se tourmenter ? Elle soupira dans son for intérieur. Elle s'assura que Joboam s'était effectivement rendormi. Bon. Il serait bientôt parti, et peu de temps après, tout le peuple des rennes. Sortis de sa vie en la laissant à son indépendance, de nouveau seule. Elle se souvint de sa terreur des premiers jours après avoir quitté la tribu de Bénu. Mais elle l'avait surmontée. Une brève bouffée de fierté l'envahit. Elle était capable de subvenir à ses besoins et à ceux de son fils. Chasser, coudre. Et refuser les avances de quelqu'un comme Joboam. Et Kerleu évoluait beaucoup ces temps-ci... D'une certaine manière, elle s'en attribuait le mérite. Il sculptait et avait même essayé de chasser, bien que jusqu'à présent, il n'ait guère eu de succès dans ses expéditions solitaires. Il se souvenait aussi de certaines choses sans qu'elle ait à les lui rappeler :

ramasser le bois, surveiller le feu. C'était une bonne chose qu'il ne se soit pas trop attaché à Heckram et qu'il progresse seul. Tôt ou tard, il prendrait des décisions et son indépendance vis-à-vis d'elle. Elle attendait, l'observant en silence, consciente des changements qui intervenaient en lui. Elle sourit pour elle-même, se rendant compte qu'elle n'éprouvait pas de regret. Que le peuple des rennes s'en aille.

Au matin, elle n'était pas en grande forme à cause du manque de sommeil. Ses yeux rougis la démangeaient pendant qu'elle faisait tremper l'écorce interne d'un aulne pour préparer une tisane rougeâtre. La décoction était un tonique puissant pour les convalescents. Ou après une nuit blanche, se dit-elle en s'en servant une tasse.

Elle but debout en examinant l'intérieur de la tente. Ce n'était plus l'endroit chichement aménagé du milieu de l'hiver. Partout où se posait son regard, elle voyait des signes des marchés conclus avec les gens des hardes. Leur marque sur son existence était indéniable. Elle coupa le dernier morceau de la viande donné par Lanya, et le laissa tomber dans la très vieille marmite de bronze donnée par Bror et Ibba pour avoir débarrassé leur meilleur harke de ses parasites, et préparé une lotion d'herbes contre les poux. Elle remua la viande grésillante avec une louche en bouleau noueux au manche gravé de motifs aux couleurs éclatantes. Même si le peuple des rennes s'en allait, ces objets lui appartenaient. Elle n'avait pas besoin de l'accompagner ; l'été était proche, le temps de l'abondance.

Elle réveilla Kerleu et il déjeuna de bon cœur. Comme d'habitude quand ils étaient seuls, les échanges furent rares. Peu de mots étaient nécessaires. Elle attendit qu'il ait terminé son repas pour lui parler. Assis sur ses talons, il faisait courir son doigt à l'intérieur du bol, puis le léchait. Tillu aurait pu passer là-dessus. Mais Kerleu avait choisi de se percher à l'extrémité de la couche où Joboam dormait encore. Il l'observait. Lorsqu'il réalisa que Tillu avait remarqué son manège, il eut un petit rire cristallin.

Refusant de mordre à l'appât, elle le regarda d'un air grave. Il gloussa de nouveau.

— Laisse-le tranquille, ordonna-t-elle d'un ton froid.

— Loup ! éructa-t-il avant d'éclater d'un rire irrépressible.

Les paupières de Joboam frémirent. Kerleu se pencha en avant, sans se soucier de la réaction de l'homme.

— Le loup t'a vraiment visité cette nuit ? demanda-t-il joyeusement, avec un regard pétillant.

— Kerleu ! s'exclama Tillu avec irritation.

— Enlève-moi ce sale gamin ! gronda Joboam au même instant.

— Dehors, fils. Au bois !

— Mais j'en ai déjà rapporté hier.

— Va en chercher d'autre. Ce sera toujours utile.

— Pas si nous partons. Le maître des hardes vient te demander d'être leur guérisseuse.

— Dehors ! répéta Tillu, sévère. Prends les bols, et va les nettoyer avec de la mousse et de la neige. Dépêche-toi !

Kerleu tourna le dos à Joboam, qui agrippait les couvertures comme si le gamin était de la vermine dont il fallait se garder. Il ramassa le bol de Tillu en silence et souleva le rabat, laissant entrer la lumière grise du petit matin. Des cris indistincts se firent entendre dans le lointain.

— Capiam, dit Joboam dans un souffle.

Il tourna brusquement la tête vers Kerleu, avec un regard où la méfiance le disputait à la peur. Un instant plus tard, il avait rejeté les fourrures du lit et s'efforçait de se redresser.

— Je dois partir, dit-il à Tillu d'une voix tendue. (Il acheva de se débarrasser des couvertures d'un coup de pied, avant de tâtonner fébrilement à la recherche de ses bottes.) Tu ne lui diras pas que j'étais là. C'est entendu ?

Elle ne comprenait pas pourquoi il ne voulait pas que Capiam apprenne qu'il était venu dans sa tente. De toute façon, cela n'avait aucun sens.

— Capiam sait déjà que tu es ici. Hier son fils est venu. Il sait que tu es ici.

Joboam laissa tomber la botte qu'il s'apprêtait à enfiler.

— Rolke ? Rolke est venu hier ? Que lui as-tu dit ?

— Je lui ait dit que Capiam ne pouvait pas m'envoyer quelqu'un qui était déjà là.

— C'est tout ? Tu n'as pas dit que tu me soignais le bras ?

Tillu repensa au jour précédent, essayant de retrouver ses paroles exactes.

— Non, seulement qu'il ne pouvait pas m'envoyer quelqu'un qui se trouvait déjà avec moi.

Joboam jouait avec sa botte d'un air pensif. Des émotions indéchiffrables passaient sur son visage pendant qu'il réfléchissait. Maintenant, Tillu entendait les craquements et les crissements de la neige qui cédait sous les sabots des rennes et les traîneaux. À sa grande surprise, Joboam s'allongea, ramena les fourrures sur lui et s'étira.

— Dehors, lui dit-il avec un geste plein d'autorité. Sors et va le recevoir. Ne parle pas de moi, à moins qu'il ne te pose des questions. Alors, tu pourras lui dire que je suis là. Allez, vas-y ! File !

— C'est ma tente ! répliqua Tillu à travers ses dents serrées.

— Dépêche-toi !

Elle se dirigea lentement vers l'entrée, en se lissant les cheveux pour dégager son visage. En sortant, elle lui jeta un coup d'œil. Il la regardait partir, avec une étrange expression faite à la fois de tension et de satisfaction. Elle ne parvenait pas à le comprendre, ne voulait même pas essayer.

Deux pulkors étaient arrêtés devant sa tente. Rolke était là, encore plus maussade que d'habitude. Son père se tenait près de lui. Son visage affichait une expression sévère. Ses yeux noirs fixés sur la guérisseuse, il avait adopté une attitude solennelle. Bien qu'il soit de petite taille et trapu comme la plupart des hommes de son peuple, sa posture et sa tenue conspiraient pour donner l'impression qu'il était grand. Ses vêtements étaient à la fois opulents et sévères. Bonnet de laine noire tricotée, pantalon et manteau de loup noir. Ce dernier était ourlé d'une série de queues de belette à l'extrémité noire. Le galon qui décorait ses poignets arborait un sobre motif noir et blanc. Le manteau, étroitement serré autour de la taille, était retenu par une ceinture fermée par une grosse boucle de bronze. Une masse ouvragée du même métal était suspendue à un lien de cuir passé autour du cou. Si Capiam avait eu l'intention d'impressionner Tillu, il avait réussi.

Elle essaya de ne pas penser à l'image qu'elle offrait, avec sa tunique et son pantalon de cuir usé. Elle se redressa et lui rendit son regard, attentive à ne pas prêter attention aux idioties de son fils. Kerleu s'était accroupi derrière un arbre qui ne le cachait qu'à moitié et observait la scène, sans faire mine de venir saluer les nouveaux venus. Tillu serra les lèvres, prit une inspiration et avança à leur rencontre. Elle ne sourit pas en parlant, mais prit soin de garder un ton et une expression calmes.

— Capiam. Rolke. Je suis honorée de votre visite.

Capiam ne répondit pas et Rolke n'ouvrit pas la bouche, jusqu'à ce que son père lui inflige une violente bourrade dans le dos. Il avança alors d'un pas et se mit à parler. Son regard étincelait de colère, mais ses paroles étaient courtoises.

— Je te souhaite le bonjour, guérisseuse Tillu. Je suis porteur d'un message de mon père, Capiam, le maître des hardes du peuple des rennes. Puis-je te parler ?

Il referma la bouche avec un léger claquement. Elle pouvait presque entendre ses dents grincer.

— Certainement, répondit-elle d'une voix sereine. Je suis toujours heureuse de recevoir un message délivré avec courtoisie.

Il tressaillit, et elle sut qu'elle avait touché le point sensible. Capiam était venu s'assurer que sa proposition était transmise dans les formes requises.

— Le maître des hardes, Capiam…

Rolke jeta un regard de côté et surprit le large sourire de Kerleu. Il prit une brève inspiration pour tenter d'oublier sa frustration et revint à Tillu.

— Le maître des hardes, Capiam, t'invite à partager notre migration de printemps. Nous sommes restés longtemps sans un guérisseur exercé. L'année dernière, les humains et les rennes ont souffert de blessures que quelqu'un comme lui aurait pu soulager. Un enfant a mangé de la viande gâtée et en est mort. La jambe cassée d'une femme s'est mal guérie, et maintenant elle boite. Le maître des hardes, Capiam, est un homme qui veut le bien-être de son peuple. Il ne souhaite pas voir les siens infirmes ou défigurés, faute d'avoir un bon guérisseur pour les soigner. J'ai donc été envoyé pour te proposer les choses suivantes, si tu nous accompagnes.

Il reprit son souffle avant de commencer l'énumération.

— Des peaux pour une nouvelle tente, et l'usage d'un harke pour transporter tes possessions. De la viande selon tes besoins, et de la toile tissée qui te permettra de faire des vêtements pour ton fils et toi. Le maître des hardes veillera à subvenir au reste de ta nourriture. Donc je te pose la question : veux-tu nous accompagner et devenir notre guérisseuse ?

Incapable de prendre une décision, Tillu ne répondit pas immédiatement. Mais Kerleu jaillit de derrière son arbre.

— Oui, oh oui, Tillu ! Dis oui ! J'en ai assez de manger du lièvre et de rester toujours au même endroit. Partons avec eux !

Une expression de haine déforma le visage de Rolke pendant qu'il regardait Kerleu gambader dans la neige devant eux. Quant à Capiam, il laissa paraître son dégoût un bref instant, puis reprit son air impavide. Si Tillu les suivait, leurs sentiments envers Kerleu ne changeraient pas. Au contraire, ils iraient en s'accentuant. Pour Rolke, sa simple présence produirait le même effet qu'une croûte mal placée qu'on ne cesse de gratter et d'irriter. Elle ferait mieux de rester seule avec son fils, pour le protéger et continuer son éducation.

Mais la voix de la guérisseuse se faisait entendre en elle par-dessus son ardent désir de veiller sur le garçon. Son cœur s'était serré en entendant parler de l'enfant mort et de l'éleveuse qui boitait. Tant de gens sans guérisseur, ce n'était pas juste. Ses talents lui donnaient aussi des devoirs. D'ailleurs, si les choses tournaient à l'aigre, il lui restait toujours la ressource de s'en aller comme elle l'avait déjà fait dans des cas similaires. Sa résolution de la veille s'évaporait à vue d'œil.

— Je dois réfléchir, dit-elle. (Sa voix douce et claire se

faisait entendre distinctement par-dessus le raffut de Kerleu.) Il me faut un petit moment.

Rolke s'inclina sèchement et pencha la tête pour dissimuler le regard venimeux qu'il décochait à Kerleu. Visiblement, le succès de sa mission ne lui faisait guère plaisir. Le maître des hardes la regarda droit dans les yeux pendant quelques instants, cherchant à l'évaluer. Il avait une expression grave, comme s'il avait conscience de ses doutes. Puis il inclina lentement la tête. Soudain, son regard plongea derrière elle et ses yeux s'écarquillèrent. Tillu se retourna et découvrit avec consternation ce qui motivait sa surprise.

— Tu es là, Joboam ? demanda Capiam, incrédule.

— Comme tu vois.

Il déplia sa haute taille en sortant de la tente et s'étira longuement dans la lumière du matin. Il avait encore les cheveux emmêlés, et n'avait pas pris la peine d'enfiler sa tunique d'extérieur. Son apparition stupéfia Tillu. Il venait de lui ordonner de ne pas faire état de sa visite, et voilà qu'il se pavanait sous leurs yeux, comme s'il voulait faire étalage de sa présence !

— Mais pourquoi es-tu là ? demanda Rolke, à qui la curiosité avait fait oublier toute courtoisie.

— Je... commença Joboam, qui s'arrêta, feignant l'embarras.

— Rolke !

Il sursauta au rappel à l'ordre de son père, puis ouvrit grands les yeux au moment où il comprit. Il tourna la tête vers Tillu pour lui adresser un sourire injurieux et un regard graveleux, qui donnèrent à son visage d'adolescent des allures de vieillard libidineux.

— Je suis venu parler à la guérisseuse et lui présenter mes... arguments pour l'encourager à partir.

La voix de Joboam dégoulinait de suffisance. Capiam semblait mal à l'aise. Rolke, avide. Tillu se demandait quelle partie du message lui avait échappé. Même Kerleu avait cessé de cabrioler et fixait tour à tour les adultes, bouche bée. Tillu connaissait assez bien leur langage, mais les trois hommes avaient échangé des informations non verbales qu'elle n'avait pas saisies. Joboam resta quelques instants dans l'embrasure de la porte, puis disparut à l'intérieur. Capiam se dandina d'un air embarrassé.

— Guérisseuse, nous espérons que tu nous accompagneras. Je te promets que ne manqueras de rien, bien que je sois certain que Joboam fera le nécessaire pour que tu...

— Si tu veux bien m'attendre un moment, je crois que je vais rentrer avec toi, Capiam. Mon harke et mon pulkor sont derrière la tente. Ça ne prendra qu'un moment pour atteler.

Tout en parlant, Joboam boucla sa lourde ceinture pardessus sa tunique. Il adressa à Capiam un grand sourire de franche camaraderie, puis s'approcha de Tillu et lui sourit également.

En levant la tête, elle ne vit que ses dents. Il s'exprima d'une voix douce et affectueuse, qui s'entendit clairement.

— Désolé de partir si brusquement, mais j'ai beaucoup à faire. Surtout depuis que tu as décidé de faire partie de notre peuple. Mais tu sais que je serai bientôt de retour. Que dois-je te rapporter ?

Il était impossible de se tromper sur le ton mielleux et la manière dont il la dominait de toute sa taille. Elle ne comprendrait pas à quoi rimait ce jeu, mais elle pouvait aussi y jouer. Elle lui sourit.

— Je n'ai pas encore pris de décision, dit-elle à haute voix. Mais tu peux me rapporter un couteau de bronze. J'en aurai besoin si je deviens votre guérisseuse. Une lame mince serait préférable, mais je me contenterai d'une épaisse.

Elle vit un éclair de colère traverser le regard de Joboam quand il l'entendit désigner le prix exorbitant qu'elle entendait obtenir pour ne pas dévoiler son mensonge. Il se reprit rapidement. Un petit frisson d'inquiétude traversa Tillu quand elle comprit à quel point il était important, pour lui, de tromper Capiam.

— Un couteau, très bien, accepta-t-il gracieusement.

Il n'était pas idiot au point d'essayer de lui donner une caresse d'adieu. Mais son regard s'attarda d'une telle manière sur le visage de Tillu qu'elle eut l'impression désagréable qu'il l'avait touchée. Puis il se détourna d'un mouvement brusque et la neige crissa sous son pas décidé pendant qu'il rejoignait son renne entravé derrière la tente.

Le silence retomba, les séparant par une barrière presque tangible. Les événements avaient perdu tout intérêt pour Kerleu. Il avait refermé les mains sur l'une des branches basses d'un bouleau proche et s'était suspendu par les bras. Il avait gardé les pieds au sol et pliait les genoux quand le bois cédait sous son poids pour rebondir quand il reprenait sa place. Rolke l'observait, sa lèvre inférieure saillante exprimant tout son dégoût.

— Cette nuit, Joboam a eu une vision du loup. Il a crié « loup ! » et Tillu a sauté du lit pour prendre sa lance !

— Kerleu !

Si Tillu le réprimandait, ce n'était pas tant pour avoir colporté l'histoire, qu'à cause de la manière dont il la racontait. Ses yeux d'ambre ne quittaient pas Capiam, le défiant de commenter ses déclarations. Pendant un instant, elle crut voir Carp suspendu à l'arbre, pratiquant sa magie sur le peuple de Bénu avec ses indications sournoises et ses insinuations énigmatiques. Mais si l'histoire signifiait quoi que ce soit pour Capiam, il n'en laissa rien paraître. Il adressa à Kerleu ce sourire incertain auquel recouraient souvent les adultes quand ils ne savaient quelle attitude adopter face à son étrange comportement.

— Il fait bien de redouter le loup, ajouta Kerleu, ignorant le regard fulminant de Tillu. Parce que l'un d'eux va l'abattre un jour. Joboam se voit peut-être comme un ours, mais ce n'est pas ce que discernent mes yeux. Je dois devenir chaman, vous le saviez ?

Avant que qui que ce soit puisse répondre à cette dernière remarque, le craquement du pulkor de Joboam se fit entendre et il apparut avec son renne. Inconscient du changement d'atmosphère, il fit stopper l'animal et regarda tout le monde en souriant.

— Eh bien, on y va ?

— Quand le peuple des rennes va-t-il partir ? demanda soudain Tillu.

— Certains sont dans le haut pays avec leurs animaux. Quand le printemps sera mieux établi et que la glace aura libéré les mousses, ils redescendront des collines et nous partirons.

— Vers l'est ? voulut savoir Tillu, persuadée qu'ils iraient à la recherche d'autres collines et de forêts.

— Vers le nord, rectifia Capiam, surpris. Nous traversons la grande toundra jusqu'à Cataclysme en suivant le troupeau sauvage. Nous y rencontrerons les autres peuples des hardes pour l'été. (Il se tourna vers Joboam avec un sourire perplexe.) Il lui reste beaucoup à apprendre sur nos coutumes, commenta-t-il aimablement.

— Je me ferai un plaisir de les lui enseigner, assura Joboam.

Son air de propriétaire fit bouillir Tillu d'indignation, mais elle ravala ses commentaires. Mieux valait laisser la partie se dérouler jusqu'à ce qu'elle ait son couteau de bronze. Ensuite, ils trouveraient un arrangement selon ses propres termes. Cette idée lui fit monter un sourire sincère aux lèvres au moment où elle saluait leur départ. Joboam positionna son pulkor de front avec celui de Capiam et ils s'éloignèrent en bavardant pendant que Rolke fermait la marche. Tillu poussa un léger soupir lorsqu'ils furent hors de vue. Si seulement elle n'avait qu'à se soucier de les soigner ! Mais si elle partait avec eux, c'est le quotidien qui serait difficile pour elle. Et pour Kerleu. Elle regarda autour d'elle mais ne vit pas le garçon.

— Kerleu ! appela-t-elle, espérant qu'il n'avait pas suivi les hommes et leurs rennes. Kerleu !

Elle rentra brusquement dans la tente. Il sursauta d'un air coupable et s'éloigna de sa couche d'un bond en glissant furtivement quelque chose dans sa chemise. Elle connaissait l'existence de la bourse de chaman qu'il avait fabriquée avec un de ses sacs à herbes, marqué de signes tracés avec du charbon et du sang. Elle l'avait même vue une fois, où il la croyait endormie et était venu examiner ses trésors à la lueur du feu. Il y gardait sa pierre rouge et d'autres curiosités. Ce qu'il y ajoutait n'était pas son affaire. Elle n'y avait jamais fait allusion, de peur de l'encourager. En revanche, son comportement la concernait directement.

— Qu'est-ce qui t'a pris de parler de cette façon ? demanda-t-elle avec irritation.

Elle prit une tasse et la remplit d'un thé qu'elle avait mis à infuser plus tôt.

— Qu'est-ce qui t'a pris de ne rien dire ? rétorqua-t-il.

Tillu croisa son regard dur, et le thé lui parut soudain froid et amer.

XVII

— C'EST LE DERNIER SURSAUT de l'hiver, fit observer Lasse.

Heckram hocha la tête en silence. La neige tombait en draperies épaisses, apportant une paix qu'il n'avait pas envie de rompre. Pendant la journée, il avait senti son approche. D'épais nuages s'étaient accrochés à la crête toute proche de la montagne, tels de gigantesques flocons de laine grisâtre. La neige au sol avait fondu insensiblement, le pied s'enfonçait dans une matière glissante et collante. Si elle scintillait toujours, bien tassée sur les sentiers fréquentés, elle se nuançait de bleu sous le couvert des arbres. Les rennes trouvaient facilement leur pâture, grignotant la mousse tendre ou étendant leur cou poilu pour atteindre l'extrémité des rameaux de bouleaux et de saules, soudain devenus plus tendres. Même la disparition du soleil ne ramena pas le froid. La neige qui encombrait maintenant le ciel s'accrochait aux arbres, mais était condamnée à disparaître avant midi le lendemain.

Assis dos à dos, Lasse et Heckram s'étaient réfugiés sous un abri de fortune fait de branches entrecroisées, installées dans un chaos de rochers gris dressés et de schistes, témoignage du passage d'un ancien glacier. L'enchevêtrement végétal les gardait de la plupart des flocons, mais laissait passer la lumière diffuse de la lune et l'éclat placide de la nuit enneigée.

Pour la première fois depuis longtemps, Heckram se sentait en paix avec lui-même. Ici, au pâturage d'hiver, rien ne lui rappelait le chagrin et l'échec. Hormis la compagnie de Lasse, c'était comme tous les autres débuts de printemps dans les montagnes. Ils n'avaient pas pris la peine d'emporter de tente, se contentant de peaux cousues ensemble pour former un sac dans lequel ils se glissaient la nuit. Pour l'heure, Heckram était assis dessus, sur un coussin de branches de pin. L'atmosphère était trop douce et lui trop à son aise pour qu'il songe à dormir. Il se contenterait de somnoler dans cette position, le dos contre celui de Lasse, ne bougeant que pour aller jeter un coup d'œil sur le dos gris et brun de la quarantaine de bêtes éparpillées à flanc de colline.

Une brise presque tiède se faufilait à travers les arbres, tantôt pour déchirer le rideau de neige, tantôt pour épaissir sa trame de flocons tourbillonnants. Contempler cette nuit piquetée de points blancs était presque aussi reposant que dormir. Heckram n'était pas certain d'être complètement réveillé au moment où il entendit le murmure de Lasse.

— Qu'est-ce que c'est ?

Heckram s'éclaircit calmement la gorge.

— De quoi parles-tu ? répondit-il sur le même ton.

Il plissa les yeux, essayant de distinguer quelque chose. Rien. L'attitude paisible des animaux confirmait le verdict de ses sens, moins affûtés. Ils ne s'agitaient pas nerveusement, ne poussaient aucun mugissement rauque pour communiquer entre eux. Ce qui avait attiré l'attention de Lasse ne les avait pas dérangés.

— Là. Tu entends, chuchota précipitamment Lasse.

— Ce n'est que le vent, rétorqua Heckram avec agacement.

Par une nuit semblable, celui-ci pouvait prendre bien des voix. Il murmurait à travers les branches basses, déséquilibrait de petits paquets de neige qui allaient grossir de plus gros tas avec un bruit humide, entrechoquait doucement les branches et les rameaux. Ce concert nocturne devrait être aussi familier à Lasse qu'à lui-même.

Il essaya de se rendormir mais tendait l'oreille malgré lui, à l'affût du son qui avait attiré l'attention de son compagnon. Le vent soufflait en rafales, soulevant des tourbillons de neige, et pendant un instant, elle sembla s'amalgamer pour former le contour d'un loup accroupi près du tronc pâle d'un bouleau. Mais la silhouette évanescente s'évanouit, révélant une vieille souche frappée par la foudre, à l'aspect ambigu. Heckram soupira et relâcha ses épaules, évacuant la tension. Était-il un enfant pour se laisser effrayer par des formes et des ombres dans la nuit ? Derrière lui, Lasse était toujours tendu.

— Tu as vu quelque chose ?

— Presque. Enfin, j'ai cru voir quelque chose qui ressemblait au plus gros glouton qui ait jamais existé, mais blanc de la tête aux pieds. Ce n'est que la neige qui me joue des tours.

— Le clair de lune à travers les nuages sur la poudreuse peut provoquer ce genre de choses, convint Heckram.

Le silence retomba, aussi ouaté que l'atmosphère. Ses paupières recommencèrent à papilloter.

— Que vas-tu faire au retour ? demanda soudain Lasse.

Heckram ouvrit les yeux, fronçant les sourcils dans le noir.

— Eh bien, ce que nous faisons toujours au printemps, non ? Je rangerai mon équipement d'hiver sur les râteliers, chargerai mes affaires d'été sur un ou deux harkar et suivrai la harde. Et toi ?

— La même chose, j'imagine. (Heckram sentit le soupir de son ami plus qu'il ne l'entendit.) Je passerai les premiers jours à écouter ma grand-mère me raconter en détail tout ce qui s'est passé au talvsit depuis notre départ. Et les suivants à tenter de lui rendre compte des moments que j'ai passés ici, pendant qu'elle imaginera une douzaine de problèmes pour chaque renne dont j'avais la charge.

— Le silence est omniprésent, ici. Mais toutes les conversations que je peux avoir à la maison me donnent parfois un plus grand sentiment de solitude.

Lasse réfléchit un instant à ces paroles.

— Ça ne va pas te paraître étrange de rentrer dans ta hutte ? Tu n'y retrouveras que le vide.

— C'est vrai, répondit Heckram d'un ton bref. Mais ça ne durera qu'une nuit ou deux. Après, nous serons sur la toundra.

— Mais tu prendras ta tente, n'est-ce pas ? Celle que ta mère a fabriquée avec Ella.

— Sans doute.

Heckram avait évité ces questions pendant des jours, car elles lui faisaient mal, comme des écorchures fraîches. Maintenant la culpabilité l'assaillait plus cruellement que le chagrin. Elle risquait de s'éterniser, alors que sa peine finirait par se dissiper avec le temps. Quand il redescendrait, ce ne serait pas facile de croiser le regard de Missa. Avec Kuoljok, c'était encore pire. La mort de sa fille l'avait bouleversé. Quand il regardait Heckram, il ne semblait pas le voir. Quand il lui parlait, ses yeux le traversaient ou s'attachaient à un point situé au-delà de lui. Aucun des deux ne lui avait adressé le moindre reproche. Ils n'en avaient pas eu besoin ; les accusations de Joboam avaient été suffisantes. Heckram se rappelait que Missa les avait réfutées, et cela lui apportait un peu de réconfort. Mais personne ne pouvait le défendre contre ses propres réquisitoires.

Lasse gardait le silence mais n'avait pas relâché sa vigilance. Le sommeil, qui était venu si facilement quelques instants auparavant, fuyait Heckram. Ses tempes commençaient à battre douloureusement, sous l'effet des pensées qui tournaient dans son esprit tels des rennes enfermés dans un enclos de tri. Elles tourbillonnaient sans fin dans un bruit de tonnerre, sans trouver d'issue. Qui avait tué Ella, et pourquoi ? Joboam. Heckram voulait que Joboam soit le coupable. Une raison de le défier, et de décharger sur lui sa fureur et sa culpabilité.

Mais si ce n'était pas lui ? Parfois, dans la nuit, il lui semblait impossible que Joboam ait pu faire du mal à Ella. Quelques mois auparavant, il la courtisait encore. Aucun homme du peuple des rennes ne tuerait une femme qu'il désirait. Il pouvait la détourner de son compagnon en la séduisant avec des cadeaux et des mots doux. Cette attitude n'avait rien de déshonorant. Mais quelle raison aurait pu le pousser à détruire celle qu'il aimait ? Il était absurde d'imaginer Joboam en meurtrier d'Ella. Les soupçons d'Heckram ne se fondaient peut-être que sur la haine qu'il ressentait pour son rival, et la nécessité de trouver une raison de l'exprimer en actes. Conformément aux traditions, les autres membres du talvsit avaient mis cette mort de côté. Ella était morte ; personne n'avait rien vu, personne ne savait qui l'avait tuée. Nul ne ressentait le besoin pressant qui assiégeait Heckram, de trouver quelque chose ou quelqu'un sur qui rejeter la faute et à qui faire payer le meurtre. Un tel sentiment ne s'inscrivait pas dans leur manière d'être. Et Heckram aurait dû réagir pareil. Or il aspirait à la vengeance comme un loup a faim de viande au cœur de l'hiver. Ce désir lancinant de représailles faisait de lui un être à part, un étranger au sein de son propre peuple, et creusait de nouvelles rides au front de Ristin. Malgré tout, il ne pouvait se détourner de l'injustice que représentait la mort d'Ella.

Mais si Joboam n'était pas impliqué, alors qui était-ce ? Heckram n'avait aucune réponse. Ella avait-elle un ennemi dont il ignorait l'existence ? Était-ce un maraudeur isolé, un de ces hommes sauvages dont parlaient les vieilles femmes autour des feux lors des migrations ? Ils étaient censés venir la nuit enlever les jeunes filles pour en faire leurs compagnes. Heckram avait toujours pensé qu'il s'agissait de contes, d'un artifice des mères pour empêcher leur progéniture de s'éloigner pendant les chaudes nuits d'été.

Ses tempes battaient. Il leva la main, se toucha le visage et effleura les profondes rides de réflexion qui déformaient la peau entre ses sourcils. Mais il ne se rappelait plus comment les lisser. L'impitoyable tourbillon de pensées ne lui laissait pas de répit. Le responsable était peut-être un démon, comme l'avait suggéré Rolke. Heckram ne savait plus s'il croyait ou non à ces entités. Mais ce qui avait été infligé à Ella aurait pu ressembler à l'œuvre d'un de ces monstres.

Il ferma de nouveau les yeux. La paix l'avait déserté. Il n'y avait plus qu'un démon, qui gesticulait et se transformait en images changeantes d'Ella. Il revoyait sans cesse cette main brisée, tendue pour lui adresser cet effroyable salut. Lentement, il ramena ses genoux contre sa poitrine, courba la nuque et y posa le front. Il avait l'impression d'être dur et vide, comme un os dont on a sucé la moelle. Un rebut.

— Je suis désolé, dit doucement Lasse, sans bouger. Je ne voulais pas te rappeler tout ça.

— Ce n'est rien, prétendit Heckram d'une voix rauque et voilée.

Parfois, il regrettait d'avoir laissé Lasse le connaître aussi bien. Souffrir était déjà difficile, mais savoir que l'ami assis tout contre lui savait la profondeur de sa peine ne l'adoucissait pas. Au contraire ! D'une certaine manière, son chagrin n'en était que plus intense.

Ils se raidirent simultanément, tendant l'oreille pour écouter le sourd battement de tambour qui emplissait soudain la nuit, incapables de dire si le phénomène venait de commencer ou s'ils avaient pris conscience d'un son brutalement amplifié. Le rythme ne faisait qu'un avec la nuit, sans origine, éternel, sourd, mais tangible.

— Heckram...

— Chuuuut...

Aucun des deux ne bougea. L'instrument continua à produire d'infinies variations qui formaient un motif élaboré. Heckram imaginait les doigts, frappant, balayant, progressant à coups secs du bord au centre de la peau étroitement tendue pour mieux repartir à la périphérie. Une image s'imposa à son esprit, surgie d'une époque qu'il croyait oubliée.

C'était par une nuit d'automne, durant la longue marche de retour des pâturages d'été. Il était encore petit et devait lever la tête pour regarder sa mère. Et il avait mal aux jambes d'avoir avancé toute la journée. L'odeur de la mort imprégnait l'air, trop chaud pour la saison. Derrière eux, les cadavres des rennes victimes de la peste s'égrenaient dans la toundra telles des baies tombées d'un panier percé. Ils avaient l'estomac gonflé et leurs pattes saillaient en formant des angles obscènes avec leur corps. Le bourdonnement des mouches était audible dans le crépuscule.

Le talvsit était rassemblé sur plusieurs rangs autour de Nadunin le nadj. Ses cheveux striés de gris pendaient devant son visage. Il s'était agenouillé sur une peau de renne blanc, si près du feu que la sueur ruisselait sur son corps flétri. Autour de sa taille s'entortillait un pagne de cuir jaune. Sa chair, qui avait la couleur marron des vieux os pourrissant sur la rive d'un cours d'eau, était tendue sur les os. De là où il se trouvait, Heckram regardait ses côtes se soulever au rythme de sa respiration. Son kobdas, dont l'étrange sonorité emplissait la nuit, était posé devant lui. Il le frappait de sa baguette en forme de crosse, le faisant gémir tantôt fort, tantôt doucement. Des dieux avaient été peints sur la peau avec le jus rouge de l'écorce d'aulne. On y voyait aussi le Trollskott, l'emblème qui permettait d'envoyer le mal sur les troupeaux d'un ennemi.

Tous les membres du peuple des rennes avaient fait cercle autour de lui ; hommes, femmes et enfants, rassemblés pour voir si la magie leur apporterait quelque répit. Un ancien seite s'élevait non loin de l'emplacement du campement. Ils y passaient régulièrement lors de leur migration annuelle. La grande pierre grise marquée de noir plantée dans la terre surgissait de la toundra, visible de n'importe quelle direction. Au fil des ans, des traits de couleur et des lambeaux de tissu avaient été ajoutés par des gens de passage, soulignant encore son aspect mystique. Personne n'avait songé à baptiser l'endroit. C'était un lieu de pouvoir, une idole de pierre dressée par la terre mère elle-même, au-delà de la vénération des hommes. Plus tôt dans la journée, ils avaient regardé Nadunin en faire le tour, muni d'un bois coupé sur la tête d'une bête morte de la peste, qu'il frottait contre la surface rugueuse du seite. Il effectua huit fois son circuit, traînant après lui le trophée, qui claquait contre la pierre. Un cercle pour chaque saison de l'année. À la fin de la dernière boucle, il avait cassé l'extrémité d'une pointe et enterré le reste dans l'argile truffée de cailloux au pied du seite. Puis il avait rapporté l'éclat au camp. Il était resté assis devant le feu toute la journée, pratiquant sa sorcellerie, chantant un joik monotone pour insuffler sa magie, au fragment. De la pointe de son couteau, il en avait marqué la surface brune de symboles appartenant à son art. Personne ne l'avait dérangé ni ne lui avait demandé ce qui allait se passer. La magie lui appartenait ; les autres ne pouvaient que regarder.

Au soir, il commença à rassembler de la mousse sèche, de la bouse et du petit bois pour un feu, et tous se joignirent à lui sans un mot pour l'aider dans sa tâche. Bientôt, le tas fut plus haut qu'un homme, et ils l'observèrent encore pendant qu'il allumait le feu à l'ancienne manière, avec son arc. L'outil était fait d'une côte de renne et la corde fabriquée à partir d'un tendon. Heckram avait entendu des garçons plus âgés dire qu'il avait été façonné à partir du corps du nadj qui avait précédé Nadunin. Il n'en avait jamais douté. Quand la fumée s'était élevée du bûcher, d'abord en plumets gris, puis en tourbillonnant, ils s'étaient tous rapprochés. Le nadj s'était assis très près du feu. Il avait posé la pointe de bois de renne, transformée en indicateur magique de leur destin, sur la peau du tambour et commencé à frapper de sa baguette.

À chaque coup, le fétiche, qui virevoltait sur la surface, avait touché une partie d'un dieu : talon, joue. Seul le nadj pouvait déchiffrer la signification de ses mouvements. Le souffle coupé, les autres regardaient l'amulette glisser, danser, bondir. Le regard du nadj était lointain, absent, et ses lèvres bougeaient en silence pendant qu'il continuait à frapper. Le grigri voltigeait de plus en plus près du Trollskott. Il finit par tomber sur la silhouette rouge et noire, et s'y arrêta. Le roulement du tambour se fit plus fort, la baguette martelait sans merci la peau tendue, mais le talisman restait obstinément à l'endroit qu'il avait choisi.

On commença à percevoir le chant de Nadunin, d'abord comme un murmure, qui prit peu à peu de l'intensité jusqu'à résonner dans la nuit. L'essence des herbes sacrées qu'il avait ingérées en préparant le fétiche se faisait sentir dans la sueur qui ruisselait le long de ses côtes et au creux de sa colonne vertébrale. Son langage n'était pas celui que le peuple utilisait tous les jours, cependant le ton ne laissait aucun doute. Il suppliait, priait, insistait, mais le grigri restait résolument attaché au Trollskott. Puis avec un petit bruit plus assourdissant que le claquement de baguette sec qui l'avait précédé, la peau se déchira. Le cuir céda avec la facilité du ventre d'un lièvre sous une lame affûtée.

L'entaille courait de la tête du marteau jusqu'au bord de l'instrument, ouvrant au passage une bouche dans le Trollskott, où disparut le talisman. Tambour et nadj furent soudain réduits au silence.

Heckram ne se souvenait pas de ce qui s'était passé ensuite. Il avait sans doute été emmené par sa mère vers leur tente, où elle l'avait bordé sous ses couvertures, à l'abri de l'horrible présage du kodbas déchiré. Le peuple des rennes avait été avalé par son propre sortilège. Voilà ce qu'il avait entendu murmurer le lendemain. Au premier lac assez profond qui se trouva sur leur route, le nadj avait tranché la gorge d'une belle vaja bien grasse et lui avait ouvert le ventre pour le remplir de pierres, ce qui avait permis au corps de couler au fond de l'eau. Le sacrifice aurait dû aider. Mais trois jours plus tard, on retrouva Nadunin dans sa tente, recroquevillé près de l'arran, fixant les braises froides. L'épaisse fumée des herbes sacrées avait laissé une odeur lourde. Des fragments d'os, de plumes et de pierre sortis par Nadunin de sa bourse de chaman étaient disposés devant lui, mais personne ne pouvait déchiffrer le sens du message qu'il avait rapporté de son dernier voyage dans le monde des esprits. Il était mort.

— Un des nôtres a sans doute apporté un tambour. Il essayait peut-être de nous envoyer un signal, suggéra Lasse à voix basse.

— Personne ne nous a suivis jusqu'ici. Les autres sont dans les basses collines, plus près du ruisseau. Et nul ne se servirait d'un tambour pour nous appeler. Il sifflerait.

— Je sais, admit Lasse.

Heckram avait conscience de la tension qui crispait le dos pressé contre le sien. Il ne pouvait pas le reprocher au garçon. Ses propres muscles étaient durcis à l'extrême. Le tambour continuait à dérouler son rythme paresseux, le son traversait le vide de la nuit et les tourbillons de neige humide. La cadence était mesurée, et cette régularité même semblait dissimuler l'approche d'un changement inquiétant. Chaque battement serrait encore plus les muscles. Heckram força ses yeux à percer l'obscurité jusqu'à ce que des points lumineux dansent devant son visage. Sans résultat. Plus étrange encore, les rennes continuaient à paître paisiblement.

La neige redoubla. Des flocons pénétraient en tourbillonnant dans leur abri rudimentaire pour se coller à ses paupières. En fondant sur ses cils, ils créaient des distorsions prismatiques. Les choses qu'il distinguait à travers son champ de vision déformé n'appartenaient pas au monde réel. Les poils de sa nuque se dressèrent, tandis que tout son corps était la proie de la chair de poule, peur et hostilité mêlées. Il n'osait pas parler à Lasse, mais tirait un certain réconfort de la chaleur pressée contre son dos.

La peau du monde avait été retroussée et il contemplait le mystère de ses rouages internes. Des lueurs, des formes et des ombres assiégeaient le campement et l'observaient. Cette brève rafale blanche qui secouait un bouleau aurait pu être une chouette, si elle ne s'était pas éparpillée en flocons après l'avoir fixée. Du coin de l'œil, il saisit le pinceau immaculé d'une queue de renard des neiges, juste avant de le voir se dématérialiser en un paquet de neige tombant d'une branche.

Le battement monotone du tambour continuait, et le cœur d'Heckram épousait le même rythme. Il agitait spasmodiquement la tête, essayant de saisir les apparitions qui se succédaient. Chaque créature s'évanouissait au moment où il était sur le point de la reconnaître. Il entendit un hoquet derrière lui, pensa que c'était Lasse. L'instant d'après, la chaleureuse pression contre son dos disparut brusquement.

— Lasse !

Il se dressa d'un bond à travers les branchages qui formaient leur abri. L'extrémité d'un rameau lui écorcha profondément la joue et il sentit le sang chaud couler de la plaie. Il poussa un cri de douleur étouffé et posa la main sur la blessure tout en examinant frénétiquement les environs. Aucun signe de son ami. Enragé par la peur, il disloqua leur refuge en s'aidant des pieds et des mains. La neige commençait à recouvrir leurs peaux et leur équipement. Lasse avait disparu, et il était seul avec la neige silencieuse et le roulement assourdissant du tambour, qui, soudain, battait plus vite et plus fort. Heckram se dressa, rugit son impuissance en se tournant vers la neige et le percussionniste invisible.

Il se dégagea de l'abri effondré, provoquant la chute d'autres branches et des perches de soutien. Il en fouilla les abords, essayant de repérer les traces du garçon. Mais elles avaient déjà été effacées.

— Lasse ! hurla-t-il de toutes ses forces.

La neige rabattit le son vers le sol et l'étouffa, pendant que le battement régulier dominait son cri. Il n'obtint pas de réponse.

— Lasse !

Cette fois sa voix se brisa. Il crut distinguer un mouvement près de la souche foudroyée et avança dans cette direction. Rien. Là encore, quelque chose avait bougé dans l'ombre d'un pin. En une dizaine de pas, il fut assez près pour se rendre compte que l'emplacement était vide. Il appela Lasse de nouveau, plus doucement cette fois. La chose, quelle que soit sa nature, s'était furtivement enfoncée dans le noir.

Une terreur jusqu'alors inconnue l'envahit. Il savait que la chose l'attirait plus profondément dans les bois, mais aussi qu'il la suivrait parce qu'il ne retrouverait pas la sécurité en repartant à l'abri écroulé. Son arc était là-bas, enterré sous les rameaux et l'amoncellement de neige, tout comme son grand couteau. S'il avait pisté une bête de chair, il serait retourné les chercher. Mais le tambour avait transformé la nuit. Il ne se déplaçait plus dans un univers ordonné par la logique, dans lequel le chasseur prenait ses armes et poursuivait sa proie. La réalité de la forêt s'était modifiée. Il marchait dans le monde des esprits, où l'homme était rarement le prédateur. Il avançait à l'aveuglette dans un tunnel de neige tourbillonnante, à la suite de ce qui l'avait convoqué. L'instrument l'accompagnait.

La nuit était un lieu étroit, bordé par les éléments et les troncs. Il pourchassait quelque chose qu'il n'avait pas vu, mais percevait comme un pan d'obscurité plus profonde qui le précédait, masquant au passage les flocons et les bouleaux. Par instants, il discernait d'autres formes à la périphérie de sa vision, des silhouettes pâles qui altéraient brièvement le motif virevoltant de la neige, mais il refusait de se laisser distraire. Il n'appelait plus Lasse, ce n'était pas son ami devant lui. Où que celui-ci se trouve, il ne pouvait pas l'aider – et Lasse ne pouvait davantage lui apporter son assistance. C'était un voyage en solitaire.

Il finit par atteindre une clairière. Il ne distinguait pas ses limites, mais il émergea soudain des derniers arbres, et il n'y avait plus ni troncs ni enchevêtrements de branches garnies d'aiguilles pour lui bloquer la vue. Autour de lui, il n'y avait que l'éternel tourbillon blanc, et loin au-dessus, l'éclat argenté de la pleine lune, diffus derrière les nuages. Il repartit en trébuchant, les pieds et les jambes pris dans une gangue collante. Il n'avait pas froid, mais haletait sous l'effort. Le sel de la sueur lui irritait les yeux et brûlait la chair à vif de sa plaie à la joue. Il ramassa une poignée de neige pour la poser sur la blessure. Soudain, les flocons se multiplièrent, aveuglants à cause de leur clarté. Il ferma les yeux et leva le coude pour se protéger de leur contact glacé.

Quand il laissa retomber son bras, la neige et le tambour s'étaient arrêtés. Autour de lui, la nuit était noir et argent. La lune trônait dans le ciel sombre piqueté d'étoiles, qui s'étendait au-dessus de la clairière. La plaine sur laquelle il se tenait, illimitée, était aussi vaste que la toundra. Il s'interrogea brièvement sur les arbres qu'il venait de quitter, puis n'osa plus se retourner une fois qu'il eut pleinement embrassé la scène qui s'offrait à lui. En quelques instants, il les avait chassés de son esprit.

Droit devant lui, dominant l'espace infini, se dressait le seite. Il l'avait reconnu, même s'il ne l'avait jamais vu ainsi, sous l'épais manteau hivernal. Gris et blanc, le rocher le dominait de toute sa masse. Sa surface irrégulière évoquait une créature vivante, dont aucun détail ne permettait de déterminer la nature. La neige avait accroché sa blancheur sur les plans biscornus de son visage. Quelqu'un y avait peint des symboles rouges comme le sang. Il les avait déjà vus sur la peau du kobdas du nadj avant qu'il ne se fende, il savait leur signification redoutable. Il avança d'un pas, et son odorat fin lui apprit que les signes avaient effectivement été tracés avec du sang frais et chaud, qui avait imprégné de son odeur puissante l'air froid et limpide de la nuit.

Le loup s'assit au sommet du seite. Il était si énorme qu'Heckram ne comprit pas comment il avait pu le manquer jusqu'alors. Si gigantesque qu'il ne pouvait être un simple loup, mais seulement *le* loup. Un vent léger ébouriffait sa fourrure, et le bout argenté des jarres de sa tête scintillait au clair de lune. De puissantes épaules roulaient sous son pelage lustré. Ses petites oreilles dressées pivotèrent vers Heckram. Son museau était noir et ses narines frémirent en prenant l'odeur de l'homme. Le loup était calme et silencieux ; son regard posé sur Heckram changeait de couleur, tantôt rouge, tantôt vert ou jaune. Heckram soutint la confrontation, tranquillement.

Le loup se leva au-dessus d'Heckram. Lentement, il s'étira et sa poitrine descendit bas derrière ses pattes tendues, en un geste qui pouvait passer pour un salut. Puis il se redressa et sauta, plus haut et plus loin que n'importe quel loup mortel aurait pu le faire, pour atterrir souplement devant Heckram. Celui-ci ne bougea pas. Les règles qui prévalaient dans le monde réel ne s'appliquaient pas ici. Personne ne fuyait devant le loup, personne ne le défiait. Heckram regardait la gigantesque créature dans les yeux. Un souffle chaud et fétide lui balayait le visage. Immobile, il se soumit à l'évaluation des yeux jaunes. Une grosse patte grise quitta le sol. Le loup la tint devant le visage d'Heckram, lui laissant le temps d'examiner les griffes noires qui la terminaient. L'homme ne broncha pas. La patte lui toucha le visage. Il perçut la rugosité des coussinets, la force et le poids de la bête, le passage des griffes émoussées sur sa joue. Puis le loup se détourna et regagna d'un bond le haut du seite. Il baissa les yeux vers Heckram.

Quelque chose coulait sur son visage et gouttait de la pointe de son menton. D'un geste lent, il retira une de ses moufles et leva la main jusqu'à sa joue. La plaie picota quand il la toucha. Puis il ôta ses doigts et vit la tache sombre de son sang qui en maculait l'intérieur. Toujours en silence, il avança jusqu'au seite et appliqua sa paume contre la surface froide. Il sentit la pierre lui rendre sa pression, absorber le sang chaud pour le conduire au plus profond de sa structure. Quand enfin Heckram enleva sa main, l'empreinte était non pas rouge, mais blanche comme la neige. Il leva les yeux vers le loup et sourit. Celui-ci rencontra son regard et ouvrit la gueule, révélant sa langue et ses crocs dans un rire joyeux. C'était fait. L'entente était scellée.

La neige recommença à tomber, rideau abondant, presque solide, qui recouvrit le visage d'Heckram, pénétrant sa bouche et son nez, menaçant de le priver d'air. Il entendit de nouveau le tambour. Le vent le déséquilibrait et il avançait en vacillant, aveuglé par la tempête. Quand il se risqua à entrouvrir les yeux, le vent y projeta des flocons glacés. En levant le bras pour s'essuyer le visage, il sentit le contact de branches qui frottaient contre sa manche. Il regarda autour de lui, désorienté. Alentour, la nuit était silencieuse, les chutes de neige s'étaient arrêtées depuis longtemps. Mais où se trouvait-il ? Une grosse souche blanchie se dressait juste devant lui. C'était ce qui avait accroché sa manche. Puis il entendit derrière les bruits familiers du troupeau qui se déplaçait. Il se retourna.

Leurs bêtes étaient éparpillées plus bas sur la pente. La souche était celle qui l'avait déjà abusé plus tôt. L'abri sommaire construit avec Lasse se situait à une dizaine de pas de là. Intact. Il pouvait y distinguer la forme de son ami enfoui dans les peaux. Encore en pleine confusion, mais empli d'un singulier sentiment de gratitude, il se mit péniblement en marche.

Sa gorge se serra. Lasse était sauf, et lui-même était revenu vivant de son périple dans cet autre lieu. Comment le monde avait-il pu lui paraître aussi amer plus tôt dans la nuit, alors que c'était le seul endroit où l'on goûtait à la douceur de la vie ? L'euphorie l'envahit, faisant battre plus vite son cœur.

Il était déjà à une portée de bras de l'abri quand il remarqua l'homme assis près de l'entrée. Il se tenait parfaitement immobile, sa tête encapuchonnée reposant sur ses genoux ramenés contre sa poitrine. Son vêtement de renard blanc se confondait avec l'amas de neige dans lequel il était accroupi. Heckram s'arrêta net. Avec son rêve tout frais à l'esprit, il jugeait l'inertie de l'inconnu inquiétante. Que dissimulait vraiment le capuchon ?

— Qui es-tu ? demanda-t-il doucement en essayant de réprimer le tremblement de sa voix.

L'homme tourna le visage vers lui. Ses yeux voilés s'attachaient à ceux d'Heckram, le glaçant jusqu'à l'âme et encore plus loin. Puis il sourit, révélant les espaces noirs de sa denture, qui semblaient sans fond sous la lune.

— Je suis Carp, dit-il d'une voix douce. Un vieil homme dont le long voyage est presque arrivé à son terme. Fais-tu partie de la tribu de Capiam, du peuple des rennes ?

Heckram acquiesça brièvement. Si la mention de ce nom l'avait rassuré, il n'aimait toujours pas les circonstances qui entouraient cette étrange rencontre.

— Oui.

— Et tu te nommes… ?

— Heckram. Et mon compagnon est Lasse.

— Heckram, répéta le vieil homme, ravi. Ah, Heckram. N'aurais-tu pas un morceau de viande dans ton campement, qu'un vieillard puisse mâchonner ? Ou n'importe quoi d'autre. Je viens de loin pour retrouver votre peuple, je suis à la fois fatigué et affamé.

— Je vais voir ce que je peux trouver, bredouilla Heckram.

Il eut l'impression d'être nu en se baissant devant le visiteur pour ramper dans l'abri. Quelque chose dans le visage ridé et le regard opaque augmentait sa vulnérabilité à l'aspect le plus sombre de la nuit. Il n'avait aucune envie de rester seul avec le bonhomme. Il prit soin de heurter Lasse au passage pour le réveiller. Dans ses bagages, il trouva des lanières de viande séchée et un reste de fromage congelé. Lasse se plaignit en grognant alors qu'il passait au-dessus de lui pour regagner l'entrée.

— Je dormais, espèce de crétin, marmonna-t-il.

— Nous avons un invité.

— Je sais. Il est arrivé juste après que tu as décidé d'aller faire un tour dans les bois. Mais il m'a à peine adressé la parole ; il a dit qu'il t'attendait et que je devrais dormir un peu. Si ça ne l'ennuie pas, je ne vois pas pourquoi tu t'en soucierais. D'abord qu'est-ce que tu as fait tout ce temps ?

Heckram ne poursuivit pas la conversation. Ils en

parleraient tous les deux plus tard, en privé. Ou peut-être pas du tout. Bien sûr, il était curieux de connaître l'expérience que Lasse avait pu vivre cette nuit-là, mais éprouvait moins d'enthousiasme à l'idée de partager sa rencontre avec le loup, quel que soit l'interlocuteur. D'une manière inexplicable, ces moments étaient devenus personnels et précieux. La terreur pouvait créer une forme d'intimité. En remettant les provisions au visiteur, Heckram se demanda si Lasse gardait en lui un trésor identique.

Carp prit la nourriture, la renifla avec curiosité, et ses gestes rappelèrent Kerleu à Heckram. Puis il se mit à mâcher l'extrémité d'une des lanières de viande avec des bruits humides.

Après avoir regardé son hôte mastiquer pendant quelques instants, Heckram risqua une question.

— Pourquoi cherchais-tu le peuple de Capiam ? Tu ne ressembles pas à un marchand.

Carp sectionna un morceau à moitié mâché et l'avala.

— Je n'en suis pas un. Je suis chaman. Je cherche mon apprenti Kerleu. La tribu de Capiam me mènera à lui. (Il reprit la lanière de viande dans sa bouche et continua à parler en mâchouillant.) Tillu, sa mère, est une guérisseuse. Quand tu iras la voir pour arranger cette écorchure sur ton visage, tu pourras m'emmener.

Du bout des doigts, Heckram toucha délicatement sa joue lancinante. La plaie n'avait pas l'air bien profonde.

— Je n'aurai pas besoin d'aller me faire soigner, ça guérira tout seul.

— Tu crois ça ? Pas moi. (Le vieillard partit soudain d'un grand rire qui s'arrêta net, puis adressa un large sourire à Heckram.) Je ne serais pas surpris si cela s'infectait. Les griffes de loup peuvent laisser de vilaines cicatrices. Plus tôt nous irons voir la guérisseuse, mieux ça vaudra.

XVIII

LA CAVALCADE DES RENNES descendait lentement le flanc de la colline. Les articulations de leurs pieds cliquetaient tandis que leurs larges sabots fourchus répartissaient leur poids sur la croûte de neige gelée. Ils progressaient en balançant la tête, et leur queue constamment en mouvement traçait des motifs trop complexes pour se laisser déchiffrer. Quelque part, en avant du groupe, Jokke guidait l'animal de tête à travers les pins abattus. Ils regagnaient le talvsit, voyageant de nuit sous les étoiles blanches dans le ciel noir. Généralement, il était sensible à la beauté austère de ces moments-là. Mais cette fois, Heckram paraissait irrité, ses sens étaient comme émoussés.

Jokke était un pasteur plein d'expérience et il avait pris une allure tranquille qui leur permettrait d'arriver au calme au petit matin. Les vaja étaient grosses maintenant, leurs flancs saillaient tel un sac de bât déformé. Leur ventre gonflé se balançait doucement pendant qu'elles descendaient la piste en se dandinant maladroitement pour trouver le meilleur passage. Heckram les surveillait jalousement, se disant qu'elles portaient la descendance du troupeau dans leur abdomen arrondi.

Il avait une autre raison d'avancer lentement. Alors que

Lasse flanquait leur troupeau à skis dans l'obscurité devant lui, il marchait derrière la harde en guidant un harke qui transportait Carp sur son dos. Le vieil homme s'était attaché à Heckram, qui n'appréciait guère cela. Mais il avait saisi le sens général de ses phrases bizarrement accentuées et compris que le chaman était un nadj, un sorcier, un de ceux qui passaient sans cesse d'un monde à un autre – celui dont nul ne parlait avec insouciance. Heckram en savait assez sur ce sujet pour ne pas vouloir offenser Carp à la légère. Cependant, il ne voulait pas en apprendre plus sur lui ou recevoir ses confidences. Le simple fait de s'en trouver physiquement proche le rendait nerveux. Il était difficile d'ignorer l'interminable récit de ses exploits et impossible d'esquiver ses questions continuelles. Mais pendant qu'il conduisait patiemment le renne sur lequel oscillait Carp, qui s'accrochait tant bien que mal à la selle de bât, Heckram n'avait fait aucun effort pour se lier d'amitié avec ce dernier ou pour répondre à ses demandes. Délibérément, il gardait les yeux fixés sur la croupe de l'animal qui les précédait. Pour autant, le nadj ne semblait pas découragé.

Il bavardait tranquillement, peu touché par l'indignité de sa situation. Ses paroles rebondissaient sur les épaules courbées d'Heckram comme une pluie de petits cailloux.

— ...Et au cours de cette chasse, trois hommes sont venus à bout de l'ours qui avait pillé nos réserves de nourriture. Enu est tombé devant lui, mais c'était la décision des esprits, pas une chose que nous devions regretter. Enu avait offensé l'ours en laissant sa femme manger une part du cœur du premier mâle tué de la saison, sinon toute cette malchance ne nous aurait pas trouvés. Une fois que nous avons écorché la bête et pris la viande, j'ai installé le crâne dans le creux d'une souche de bouleau brûlée, puis j'y ai placé le cœur de l'animal et celui d'Enu, reliés par un pieu en pin. Ainsi, l'ours fut satisfait, et nos réserves n'ont plus été attaquées cette année-là. Quatre lunes plus tard, la femme d'Enu a mis au monde un enfant mâle, dont le crâne et le haut du dos étaient couverts de poils noirs, comme l'ours. En grandissant, le garçon est devenu un chasseur extraordinaire ! Il était parfois pris d'incroyables fureurs ! Dans le feu de la chasse, il lui arrivait de lâcher ses armes et de bondir sur la bête, toutes dents dehors, plus blanches que celle du loup. Il attrapait le renne par les bois et le forçait à baisser la tête, et alors...

Heckram marchait lourdement, laissant la voix du chaman se fondre dans le claquement des sabots et le crissement de la neige. Au matin, ils atteindraient le sita. Et puis... Des images d'une hutte de tourbe au foyer éteint, les yeux morts du vieux Kuoljok, le sourire appliqué de Ristin. Le coffre de voyage inachevé logé dans un coin comme un chien réprimandé. Dans la lumière grise de l'aube, il devrait faire face à tout cela.

Chaque pensée pesait plus lourd que la précédente et l'entraînait plus profondément dans un endroit engourdi par le froid. Il poursuivit le fil de ses réflexions. Après quelques jours de repos, la vraie migration de printemps commencerait. Tous les gens du talvsit, tous les animaux, quitteraient le pied des collines et la forêt pour parcourir la toundra. De douces herbes printanières surgiraient dès que la neige aurait libéré le sol, les vaja mettraient au monde leurs veaux dégingandés, la brise transporterait les odeurs des fleurs de la plaine parmi les tentes éparses. Les grands espaces sous le soleil qui ne se couchait jamais.

Heckram n'en tirerait aucun plaisir. Jusqu'à ce que l'histoire d'Ella soit éclaircie, la joie n'aurait plus sa place dans son esprit. C'était comme une tâche qui ne lui laisserait aucun repos jusqu'à ce qu'elle soit achevée. Sa vie serait en suspens jusqu'à ce que tout soit résolu. Jusqu'à ce que la mort d'Ella ait pris un sens. Il n'éprouverait pas le bonheur du printemps, la satisfaction de voir les animaux nouveaux-nés, ne jouirait pas de la verdure fraîche. C'était comme une terrible dette qu'il devait régler. Il gratta l'écorchure sur sa joue, pour penser à autre chose. Malgré les prédictions de Carp, la plaie guérissait bien.

— ...Mais c'est là toute la valeur d'un chaman. Nous sommes les intermédiaires, nous joignons les mondes comme les tendons lient des peaux pour en faire des vêtements. Sans chaman, les gens sont solitaires et à moitié aveugles. Leur vie n'a aucun sens, car ils n'en appréhendent qu'une partie. Des choses leur arrivent sans qu'ils puissent en comprendre les raisons ou sachent quoi faire pour les changer. Certains perdent l'esprit qui les guide, tombent malades et meurent en ignorant pourquoi. Des enfants sont nés, ont grandi et ont traversé leur existence en aveugles, parfois en offensant l'esprit qui devait les mener et les protéger. Leurs jours sont longs, tristes et pleins d'infortune. La vie ressemble à un fardeau, et ils deviennent vulnérables à quiconque leur veut du mal.

Heckram se surprit à acquiescer aux paroles du nadj. De longs jours, tristes et pleins d'infortune.

— N'as-tu pas envie de me demander ce que je pourrais faire pour quelqu'un dans cette situation ?

Les paroles de Carp semblèrent rester en suspens, se détachant en noir contre la nuit claire. Heckram se tourna lentement vers lui. Les yeux singuliers du vieil homme, presque blancs dans l'obscurité, le retenaient contre son gré. Incapable de répondre, il se contenta de les fixer sans bouger. Carp répondit à sa propre question.

— Quelqu'un dans cette situation pourrait être mis sur la voie et poussé à entreprendre un voyage vers son esprit animal. C'est une aventure dangereuse, dont seuls les plus forts reviennent. Nul n'a le droit d'accompagner celui qui suit cette route. Le long du chemin, il peut croiser différents esprits. S'il est sage, quand il rencontrera le sien, il le reconnaîtra et saura comment le lier à lui. Quand l'homme reviendra de son voyage, son esprit guide sera avec lui. S'il est très avisé, il l'écoutera et acceptera son aide. Le plus sage d'entre tous est celui qui recherche les conseils d'un chaman pour savoir ce que désire son esprit animal, et ce qu'il doit faire pour restaurer l'équilibre dans sa vie.

Heckram se rendit brutalement compte qu'il était resté assez longtemps pour que ses pieds commencent à s'engourdir. Les cliquetis et les crissements de la harde en marche ne s'entendaient plus. Il était seul dans l'obscurité avec cet étrange vieillard accroupi sur le dos du harke tel un prédateur sur le point de bondir. Une rafale ébouriffa leurs fourrures avant d'aller se perdre au milieu des arbres. Un silence surnaturel étouffa les bruits familiers de la forêt nocturne. Aucune branche ne soupirait dans le vent, pas un rameau ne bruissait au passage d'un lemming. Il régnait un calme total.

— Regarde ! Regarde qui est derrière !

Le chuchotement excité du chaman rompit le silence. Heckram se tourna vers la route qu'ils venaient de parcourir. Il n'y avait rien d'autre que la piste qui se perdait dans l'obscurité. L'oreille tendue, il retint son souffle, guettant le moindre frémissement dans l'ombre. Rien.

— Personne ne nous suit, vieil homme, marmonna-t-il à voix basse.

— Pas nous ! siffla Carp avec amusement. Pas nous. Toi !

Involontairement, Heckram se retourna encore et se figea. Sa prise se resserra sur le licol du harke. Une chose grosse et poilue venait de traverser la piste derrière eux et s'était perdue parmi les arbres de l'autre côté. Le souffle coupé, il remit le renne en mouvement. Les yeux noirs de l'animal roulaient dans leur orbite et il renâclait avec crainte. Quand Heckram tenta de respirer, l'air s'accumula dans sa gorge et il suffoqua. Il fit un faux pas, quitta la surface damée de la piste et s'enfonça jusqu'aux genoux dans la neige molle. Il se dégagea frénétiquement et tenta d'allonger le pas. Sur le dos du harke, Carp se balançait, secoué par un rire silencieux et paroxystique. Heckram esquissa un geste pour le frapper mais se retint. Seul un fou irait offenser un nadj. Son mouvement fit trébucher la bête paniquée, qui tira violemment sur le licol, menaçant de se cabrer en dépit du poids du chaman sur son dos. D'une secousse sur la longe, Heckram la maîtrisa et repartit à longues enjambées souples.

Une partie de lui savait ce qui se trouvait derrière. Une autre refusait la possibilité qu'un tel événement se produise. Un nouveau coup d'œil en arrière n'améliora pas la situation. Le traître clair de lune dévoila l'éclat d'un croc, le reflet argenté des longs jarres, l'éclair d'un regard luisant, sans jamais révéler la silhouette complète du poursuivant.

La sueur inondait le corps d'Heckram, dégoulinait le long de son dos et de ses flancs.

— Accroche-toi au bât, dit-il à Carp d'une voix rauque. Tiens-toi bien pour ne pas tomber si nous devons courir.

— On ne peut pas lui échapper, caqueta Carp dans un nuage de postillons, ballotté sur la selle.

— Peut-être, murmura Heckram, mais nous essaierons. Je n'ai pas l'intention d'attendre de me faire sauter dessus.

— Alors, cours ! Je suis certain que ça ne changera rien pour lui. Après tout, plus vite tu courras, plus tôt nous serons arrivés.

Heckram démarra brusquement. À côté de lui, le renne bondit en avant avec soulagement, trop heureux de mettre de la distance entre lui et ce qui suivait. Le nadj s'agrippait au bât, tressautant. Heckram laissait la meilleure partie de la piste au harke ; tous les dix pas environ, il crevait la croûte moins tassée du bord et devait patauger dans la neige molle pour remonter. Il n'osa regarder derrière lui qu'à deux reprises. Chaque fois, son poursuivant n'était pas loin. Les déplacements furtifs d'une forme grise, l'éclair d'un œil luisant le hantaient. Il leva les yeux devant lui, dans l'espoir de repérer les autres rennes et leurs pasteurs. Les loups n'attaquaient pas les groupes d'hommes ou d'animaux. La sécurité était dans le nombre. Ses pieds martelaient lourdement le sol. À tout moment, il s'attendait à voir la silhouette grise fuser devant lui, bloquer la route du harke et le rabattre vers la meute, qui suivait, sans aucun doute. Il courut jusqu'à sentir le renne chanceler et une douleur transpercer sa propre cage thoracique. La transpiration lui brûlait les yeux. Le nadj continuait à rebondir. La bête fit un écart, la neige céda sous ses sabots, et elle tomba à genoux.

Heckram se retourna en dégainant son couteau, prêt à l'affrontement. Il saisit un mouvement furtif, quelque chose s'évanouit parmi les ombres et les troncs de la forêt environnante. Le prédateur aurait dû profiter de son avantage, harceler ses proies exténuées. Rien. À bout de souffle, le harke manœuvra des épaules pour regagner la piste et s'immobilisa, tête basse. La terreur l'avait au moins autant affaibli que la dépense physique, car le vieux chaman ne pesait pas plus que sa charge habituelle. Mais il avait galopé comme seul un loup pouvait l'amener à le faire.

— C'était vrai ! s'exclama Heckram avec un regard de défi vers le vieil homme.

— Bien sûr ! répliqua Carp, qui ne souriait plus. C'est ce que je ne cesse de te répéter. Mais tu n'avais pas l'air de comprendre.

Il se pencha si près d'Heckram qu'il pouvait voir les petites bulles que produisait sa salive au coin des lèvres.

— Tu l'as insulté, chuchota Carp d'une voix dure. N'as-tu pas scellé une alliance avec du sang la nuit dernière ? Fais-lui donc confiance. Abandonne-lui ta vengeance, et vide-toi l'esprit pour être prêt à ce qu'il te demandera. (Il se redressa.) Partons, maintenant.

En dépit de la course effrénée qui avait précédé, Carp était tout à fait calme. Son regard ouaté pénétrait profondément celui d'Heckram, mais interdisait toute intrusion en retour. À la fois perplexe et agacé par son étrange invité, Heckram se retourna en secouant faiblement la tête.

Il regarda encore une fois en arrière. Rien. La neige blanche. En fait, l'aube était bien avancée. En examinant les environs, il reconnut la disposition familière des arbres et des collines. Le village n'était pas loin.

Comme pour lui donner raison, il entendit un cri joyeux qui venait du bas de la piste. Il se tourna dans cette direction et vit Ristin qui se hâtait vers eux en leur souhaitant la bienvenue.

— Je me suis inquiétée quand je ne t'ai pas vu avec les autres. Lasse m'a dit que tu étais juste derrière eux et qu'il ignorait ce qui avait pu te retarder. Il a proposé de repartir pour te chercher, mais il dormait debout et je lui ai dit de ne pas s'en faire.

Elle semblait presque s'excuser, mais dans son regard qui l'auscultait, il y avait un réel soulagement. Heckram lui accordait autant d'attention. Il ne savait pas si cela tenait à la dure lumière du matin, mais elle semblait avoir vieilli pendant son absence. Autour de la bouche et des yeux, les rides s'étaient accentuées. Néanmoins, son visage exprimait la joie de le revoir. Elle se tourna enfin vers Carp et son attitude devint plus formelle.

— Tu dois être Carp, dont Lasse nous a parlé. Bienvenue au talvsit du peuple des rennes de Capiam. (Elle lança un bref coup d'œil vers Heckram.) Quand Lasse m'a dit que tu nous amenais un invité, j'ai pris sur moi de préparer un feu chez toi et un repas pour vous deux.

— Il ne sera jamais dit que les nôtres se montreront inhospitaliers envers un étranger, dit Heckram à Carp.

Mais il se demandait pour qui sa mère avait réellement allumé ce feu. Avait-elle deviné combien il redoutait de rentrer dans une hutte au foyer froid, et à l'air alourdi par l'odeur de renfermé qui accompagne la solitude ?

Il la remercia d'un sourire, ne rencontrant que chaleur et compassion dans son regard. Puis elle fronça les sourcils.

— Qu'est-il arrivé à ta joue ? demanda-t-elle en tendant la main pour lui toucher le visage.

— Je me suis écorché à une branche. C'est moins grave qu'il n'y paraît, ajouta-t-il en se dégageant.

— Espérons. Mais je crois que tu devrais aller voir la guérisseuse dès que possible.

— Tu ne pourrais pas me faire un emplâtre ? demanda-t-il en fronçant les sourcils. On se débrouillait bien avant.

Ristin secoua la tête en examinant la plaie.

— C'est vrai, on se débrouillait pas mal, sauf pour ceux qui ont eu des cicatrices ou qui sont morts alors qu'ils n'auraient pas dû. Si tu étais blessé au bras, j'aurais peut-être essayé de te soigner, mais là, c'est trop près de l'œil. C'est l'affaire de quelqu'un d'expérimenté. Restaure-toi d'abord, dors un peu, puis va la voir. Il ne faut pas plaisanter avec ce genre d'infection.

Heckram se passa la main sur la joue. Elle était enflée et dure, et parcourue d'une douleur lancinante. Il lança un regard peu amène à Carp, qui s'abstint de tout commentaire.

Il ne fit pas non plus mine de descendre du harke. Avec un soupir, Heckram tira sur la longe de la bête harassée et ils reprirent la piste qui descendait au sita. Il écoutait le bavardage de sa mère d'une oreille distraite, laissant les mots glisser sur lui, répondant machinalement à ses questions, pendant que son cerveau fatigué remâchait d'autres mystères. Il la remercia d'avoir déchargé et rangé son équipement dans sa hutte. Oui, il savait que cette année ils devraient débourrer quelques harkar supplémentaires pour le bât ; non, il n'avait pas encore choisi parmi les bêtes. Non, il n'avait pas eu de problèmes avec les rennes dans les pâturages d'altitude ; oui, ça pourrait bien être un printemps précoce. Il hocha la tête, apprenant que deux des vaja de Bror avaient déjà vêlé. La saison n'était pas très avancée, mais les veaux nés maintenant auraient moins de mal à suivre la migration de la harde. Il espérait également que ses femelles mettraient bientôt bas. Il était préférable qu'un jeune puisse s'affermir les pattes avant les longues journées de marche.

Puis Ristin expliqua que Capiam avait fixé le départ dans dix jours. Dans l'habituel tourbillon d'activité qui accompagnait le printemps, tout le monde s'affairait à ranger l'équipement d'hiver, sortir et aérer les affaires d'été, réparer ou fabriquer lanières et harnais.

Heckram acquiesçait mécaniquement au flot de paroles pendant qu'ils entraient dans le talvsit. Il remarqua avec un humour détaché que nombreux étaient ceux qui se retournaient pour dévisager son compagnon. Le bizarre accoutrement de Carp le désignait comme un étranger, mais une fois qu'ils avaient remarqué ses yeux laiteux, la plupart des villageois détournaient bien vite le regard. Carp jouissait de cette entrée grandiose. Assis bien droit sur le harke, il saluait de la tête en passant, la bouche légèrement entrouverte en une grimace de plaisir. Heckram balançait entre l'agacement que lui inspirait le chaman et le plaisir qu'il prenait à toute cette agitation. Pristi les regarda passer, bouche bée ; puis il fit demi-tour et remonta le chemin à toutes jambes. Bien. Capiam saurait bientôt qu'il y avait un étranger au village dans la hutte d'Heckram. Viendrait-il aux nouvelles ou enverrait-il Joboam ? Le vieux maître des hardes se déplacerait-il pour accueillir un arrivant, même humble, et prendre des nouvelles des endroits lointains ? Il est vrai qu'à cette époque, les temps étaient meilleurs. Heckram était prêt à parier que Capiam déléguerait Joboam.

— Heckram ?

La note interrogative dans la voix de Ristin attira son attention et il s'arrêta en réalisant qu'il avait distraitement pris le chemin de la hutte de sa mère. La sienne se trouvait sur la gauche. La tragédie, un instant oubliée, recommença à peser sur son cœur.

— Laisse-moi m'occuper de ton harke, dit Ristin. Tu dois être fatigué. Je l'attacherai dans un bon pâturage. Prends soin de ton hôte et repose-toi un peu. Je reviendrai cet après-midi.

Heckram sentit soudain la main de Carp sur son épaule. Le vieillard s'appuya sur lui et se laissa lourdement glisser jusqu'au sol. Il sourit à Ristin et lui adressa un signe bienveillant de la main.

— Ne viens pas cet après-midi, lui déclara-t-il avec hauteur. Heckram doit m'emmener chez la guérisseuse Tillu.

Ristin se raidit au ton condescendant de Carp, mais elle se détourna avec grâce, se rappelant qu'il n'était pas des leurs. Autant tolérer son impolitesse et l'attribuer à l'ignorance. Elle regarda son fils droit dans les yeux.

— La viande de tes réserves commence à dégeler. Il vaudrait mieux la consommer au plus tôt. Tu pourrais l'utiliser pour payer Tillu. Cela dit, elle n'en aura peut-être pas besoin, continua-t-elle en effleurant la main d'Heckram. Tu risques de rencontrer Joboam chez elle. Capiam l'a envoyé voir ce dont elle pourrait avoir besoin. Alors, si tu vas par là...

Elle n'acheva pas sa phrase, mais le sens était clair : « Évite les ennuis. » Elle saisit la longe du renne.

Heckram fut assailli par une vague de questions.

— Joboam emmène la guérisseuse en migration avec nous ? marmonna-t-il, ébahi.

Mais Ristin était déjà hors de portée de voix.

Carp lui adressa son sourire ébréché et lui tira la manche.

— Manger, d'abord. Carp a très faim. Ensuite, dormir, et après nous irons trouver Tillu la guérisseuse. Oui, et Kerleu, mon apprenti. Tu es surpris que Tillu parte avec le peuple des rennes ? Avant la fin du jour, d'autres seront encore plus étonnés. Beaucoup plus étonnés !

Carp éclata de rire et l'entraîna vers sa hutte.

Heckram fut réveillé par des élancements douloureux dans la joue. La lumière diffuse de l'après-midi passait par le trou d'évacuation. Étendu sur les peaux que Ristin avait disposées près du foyer, Carp poussait des ronflements sonores. Sa mère avait tout préparé pour leur arrivée. De la soupe mijotait dans une marmite près de l'arran, du bois sec était empilé près de la porte, les fourrures des couches avaient été aérées et soigneusement étalées. Heckram s'imagina un bref instant ce qu'aurait pu être son retour en compagnie d'Ella. Pendant qu'il déchargeait le harke, elle aurait rassemblé des branchages et rallumé le feu. Il fixa quelques secondes le coffre inachevé dans le coin, puis détourna les yeux. Pourquoi n'arrivait-il pas à se dire tout simplement « c'est fini », et à abandonner ? Oublier et reprendre le cours de sa vie. Il essaya de se retourner pour se rendormir, mais le contact des peaux sur sa joue gonflée était presque insupportable. Il la toucha avec précaution. La nuit précédente, il avait cru que la plaie allait guérir d'elle-même. Aujourd'hui, cette vilaine infection exigeait des soins.

Il jeta un regard furieux au nadj et sursauta en voyant les yeux de celui-ci s'ouvrir brusquement tandis qu'il s'arrêtait net en plein milieu d'un ronflement. Il s'assit souplement, son regard blanc fixé sur Heckram. Il ne bâilla pas, ne se gratta pas.

— Maintenant, nous allons voir Tillu la guérisseuse. Vilaine infection, n'est-ce pas ? Ça fait très mal ? demanda-t-il avec un sourire aimable. Tillu est une guérisseuse, elle ne pourra renvoyer un homme avec le visage dans cet état.

Et il éclata de rire, comme si c'était une excellente farce. Heckram ne se joignit pas à lui.

Le chemin qui menait chez Tillu lui sembla plus long que dans son souvenir, et mieux tassé. De part et d'autre de la piste, le soleil de l'après-midi faisait fondre la neige molle dans les endroits exposés. En revanche, celle à l'ombre tenait bien, presque gelée. La piste elle-même était comme un muret de glace large et bas qui serpentait à travers les arbres. Heckram desserra le col de sa tunique pour évacuer un peu la chaleur de son corps. Il aurait souhaité faire cette course seul. Abandonner sa vengeance au loup ? Il avait besoin de réfléchir à cette idée. Il lui fallait savoir ce que celui-ci exigerait en échange.

Quand ils étaient partis à pied, il s'était attendu à ce que Carp se plaigne, mais il trottinait de bon gré. Heckram n'avait jamais vu des jambes aussi arquées ni un vieillard si alerte. Cela dit, le nadj était descendu de la montagne sur le dos d'un harke et n'avait pas dû soutenir une fuite éperdue, un loup sur les talons, à l'aube. D'un soupir, Heckram chassa le souvenir de l'étrange rencontre, le repoussant tout au fond de lui, avec les autres choses auxquelles il ne souhaitait pas penser. Il tentait vainement de poursuivre le cours sa vie, d'ignorer tous les événements qui le poussaient à l'action. S'il désirait bien une chose, c'était continuer à être lui-même ; chasser dans la forêt pour capturer des bêtes à ajouter à son troupeau, passer des soirées tranquilles à tresser un lasso, empenner une flèche ou sculpter une cuillère. Kerleu et ses cuillères. Comment se débrouillait-il, maintenant ? Puis il secoua la tête, s'étonnant de la constance avec laquelle il revenait à ses problèmes. Ne pouvait-il pas tout simplement les donner au loup ?

Il prit une profonde inspiration. Des senteurs de printemps l'assaillirent. Les mousses revenaient à la vie après leur léthargie hivernale. La sève circulait dans les arbres, dont les bourgeons commençaient seulement à poindre, mais leur odeur fraîche parfumait déjà l'air. Et pourquoi estimait-il que le sort de Kerleu faisait partie de ses problèmes ? Il ferait mieux d'oublier tout ça.

— Après cette crête, nous verrons la tente de Tillu, dit-il à Carp, par-dessus son épaule.

Il avait pris la tête, officiellement pour ouvrir la route, en réalité pour prévenir toute conversation. Il était ravi de se débarrasser du chaman, même s'il ressentait de la culpabilité à l'idée de laisser Tillu avec le bonhomme sur les bras. Quelle idée ridicule. Carp n'était certainement pas un souci pour elle, il était le mentor de son fils. Et il avait laissé entendre qu'il représentait peut-être plus pour elle. Heckram jeta un regard au vieillard aux jambes arquées et au regard laiteux. Il fronça les sourcils. De toute façon, ce n'était pas ses affaires.

Il s'arrêta au sommet de la colline pour permettre à Carp de le rejoindre. En silence, il désigna la tente à peine visible à travers les arbres. Heckram repéra un harke, puis deux, qui paissaient sur le côté, probablement entravés. L'une des bêtes était à Joboam, et il sentit son estomac se contracter. Mais en même temps, il se souvint de l'avertissement de Ristin et se composa une expression neutre. Pas d'ennuis. Pas de problème. Amener le vieil homme à Tillu, se faire soigner la joue et rentrer dormir. Dormir.

Il était si absorbé dans ses pensées, la vision qui l'attendait en arrivant dans la clairière était si inattendue, qu'il se figea, interloqué.

Roulé en boule, Kerleu gisait au milieu des plaques de neige fondue qui parsemaient la terre dénudée devant Joboam. Ses longues mains étroites étaient croisées sur sa tête, ses yeux étroitement fermés, et sa bouche tremblante laissait échapper la longue plainte d'un enfant très jeune et très effrayé. Pétrifié par la consternation, Heckram regarda Joboam, inconscient de leur présence, se pencher, saisir Kerleu par la tunique et le soulever. Il le fit décoller du sol. La chemise de cuir serrait le garçon à la gorge, étouffant ses cris.

— Quand je te dis de faire quelque chose, tu obéis, dit Joboam d'un ton particulièrement odieux. Immédiatement.

Les muscles de son bras se détendirent brusquement et Kerleu fut projeté à plusieurs mètres. Il atterrit avec un bruit sourd, sans émettre un son, suffoquant sous le choc. Joboam marcha sur lui, et Heckram comprit brusquement que l'épisode dont il venait d'être témoin était une répétition de ce qui s'était déjà produit et allait recommencer. Une bouffée de colère l'envahit.

— Joboam ! dit-il d'une voix sifflante, au moment où l'autre se penchait pour agripper Kerleu.

Joboam délaissa le gamin pour regarder Heckram approcher. Il se mit en posture de combat, comme un glouton hargneux, dont il partageait la férocité contre nature.

— Heckram ! gémit Kerleu dès qu'il eut retrouvé assez de souffle.

Doté de la résistance physique propre aux enfants et aux fous, il trouva assez d'énergie pour se relever et courir à la rencontre d'Heckram. S'accrochant à sa taille, il se blottit contre lui, haletant, muet de peur. Le choc déséquilibra l'homme des hardes, qui trébucha et s'arrêta brusquement, puis posa les mains sur les épaules tremblantes de Kerleu. Il essaya de se libérer de son étreinte, mais celui-ci s'accrochait à lui comme le lichen au rocher. Sous ses doigts, il sentait le corps du garçon agité par un tremblement incoercible. Il adressa un regard furieux à Joboam, les mots étant trop faibles pour décrire ce qu'il se promettait de lui faire subir.

Pendant un moment, l'autre ne sut quelle attitude adopter, s'attendant à voir Heckram repousser Kerleu pour venir l'agresser. Quand il comprit qu'il n'en serait rien, un sourire moqueur dévoila ses dents.

— Vous allez bien ensemble, railla-t-il. (Il remarqua l'état du visage fermé d'Heckram.) La coupure est une amélioration. J'aurais bien aimé te la faire moi-même. Si tu veux voir Tillu, elle est occupée pour l'instant. Tu devras revenir plus tard.

— J'aurais deviné tout seul qu'elle n'était pas là, dit Heckram d'une voix si grave que les mots étaient à peine intelligibles. Tu n'aurais jamais osé traiter le gamin ainsi en sa présence.

— Non ? répondit Joboam, dont le sourire n'avait pas vacillé. Les choses ont évolué pendant ton absence, tu sais. La guérisseuse commence à m'apprécier. Je veillerai à son confort quand elle nous rejoindra pour la migration de printemps. Et je suis persuadé que d'ici là, Kerleu aura appris de meilleures manières.

Celui-ci émit un petit hoquet de peur et enfouit plus profondément son visage dans la tunique d'Heckram, qui tenta de se dégager. Mais le garçon ne fit que s'accrocher plus fort.

— Tu te trompes, homme. À partir de maintenant, c'est moi qui vais lui donner des leçons. Viens, Kerleu. Regarde. Tu ne me souhaites pas la bienvenue ?

Pendant un long moment, Kerleu ne bougea pas. Puis il dégagea lentement sa tête et jeta un regard timide vers la source de la voix.

— Carp ! s'écria-t-il, heureux et soulagé.

Il abandonna Heckram et s'élança vers la silhouette rabougrie du nadj.

— J'ai lancé le chant de l'appel tous les jours ! Tous les jours ! lui reprocha-t-il joyeusement.

— Et tous les jours je t'ai entendu, parfois moins bien. J'ai dû faire une longue route. Et un vieillard parcourt certaines pistes moins vite et plus difficilement qu'un jeune garçon. Mais me voici. Je suis venu.

Ses mains touchaient Kerleu, caressaient la chevelure ébouriffée, passaient légèrement sur ses épaules et ses bras, comme pour s'assurer qu'il était bien réel. L'enfant gigotait sous ses doigts comme un chiot ravi. Heckram les regardait, essayant de déchiffrer les émotions qui l'agitaient. N'avait-il pas cru Carp quand il disait que Kerleu était son apprenti ? N'avait-il pas deviné que Kerleu serait heureux de le voir ? Alors, ce qu'il éprouvait ne pouvait en aucun cas être de la jalousie. Il ressentait comme un grand vide.

Quant à Joboam, il examinait le vieil homme auquel Kerleu avait réservé un accueil aussi singulier d'un œil à la fois perplexe et évaluateur, intrigué par la hardiesse dont il faisait preuve. Non seulement le nouveau venu ne semblait pas le craindre, mais il l'avait rabroué. Absurde. Personne ne le traitait ainsi. Personne n'osait l'ignorer. Comme s'il avait lu dans ses pensées, Carp détacha ses yeux de Kerleu et les braqua sur lui. Comme s'il venait d'être frappé, Joboam expulsa tout l'air de ses poumons d'un coup. Impossible de soutenir ce regard. Mais lorsqu'il quitta Carp des yeux, il rencontra ceux d'Heckram. Il ne souriait pas, n'affichait pas sa colère. Et son visage était toujours aussi impassible lorsqu'il avança vers Joboam.

— Carp !

Le mot qui traversa la clairière était plus un cri d'incrédulité que de bienvenue. Toutes les têtes se tournèrent vers Tillu. Elle se tenait à la lisière des bois, serrant une brassée de mousse blanche contre sa poitrine. Elle était livide et vacillait sur place. Le nadj avait levé la tête avec un grand sourire en l'entendant, pendant que Kerleu dansait autour de lui en poussant des cris de joie.

— Il est venu, mère, il est venu, j'en étais sûr ! Je t'avais bien dit qu'il viendrait ! Et cette fois, il m'apprendra tout, toute la magie, toutes les chansons !

Heckram s'était aussi immobilisé au cri de Tillu. Maintenant, le regard des deux hommes naviguait du chaman à la guérisseuse. Elle traversa la clairière, des lambeaux de sa récolte s'échappant de ses bras sans qu'elle y prête attention. Son visage était contracté. Comme si elle avait vu un fantôme, songea Heckram, qui sentit un sombre pressentiment l'envahir et un frisson remonter le long de son dos. Pour ce qu'il en savait, Carp pouvait très bien venir du monde des esprits. Le nadj agrippa Kerleu par les épaules, le plaça face à sa mère et le tint ainsi devant lui, tel un bouclier ou un otage. Il y avait du défi dans le sourire froid qu'il adressa à Tillu par-dessus la tête du garçon. Le contraste entre l'expression ravie de Kerleu et le sourire narquois du nadj choqua Heckram, et éveilla en lui une étrange culpabilité. Qui avait-il guidé jusqu'à la tente de la guérisseuse ?

— Tu ne m'as quand même pas déjà oublié, Tillu ? Tu savais bien que je viendrais rejoindre mon apprenti, n'est-ce pas ? demanda gracieusement Carp.

— Ton apprenti ? répéta Joboam. Tu es venu l'emmener ?

Heckram était intrigué par l'intérêt soudain que Joboam portait à Kerleu. Ça n'avait rien de rassurant.

— Il est à moi. Je dois le former. Mais je ne l'emmène pas. Non. Un chaman doit avoir un peuple à guider. J'ai choisi celui des rennes pour Kerleu.

— Chaman ? dit Joboam, goûtant la saveur du mot étranger.

— Nadj, le renseigna obligeamment Heckram, se réjouissant de voir la méfiance marquer les traits de son rival.

Mais celui-ci se reprit rapidement et son expression se durcit.

— Et que dit Capiam de tout ça ? demanda-t-il, revendiquant une autorité qui n'était pas la sienne.

— Rien, pour la bonne raison que personne ne lui en a parlé. Mais je suis certain que le maître des hardes sera accueillant. Je n'ai jamais rencontré un chef qui ne soit pas hospitalier avec moi.

Ça recommençait, cette manifestation de pouvoir et d'autorité. Ce nadj qui lui ressemblait tant faisait déjà grincer des dents à Joboam, et Heckram en tirait une certaine satisfaction.

— Kerleu, dit Tillu d'une voix brisée.

Le garçon posa la main sur une des mains ridées posées sur ses épaules. Il paraissait conscient de la détresse de sa mère.

— Je peux emmener Carp dans la tente pour lui donner du thé et un peu du poisson salé que nous a apporté Ibba ? Je suis certain qu'il a faim et doit être fatigué.

Son discours avait acquis une nouvelle fluidité, son visage reflétait la confiance. Comme si sa malencontreuse confrontation avec Joboam n'avait jamais existé.

— Non, non, intervint le nadj. Heckram m'a bien nourri et je me suis reposé. J'aimerais mieux aller faire un tour avec toi, nous avons à discuter en privé de sujets qui ne sont pas destinés aux oreilles des femmes. D'ailleurs, ta mère a du travail. Laissons-la pratiquer son art pendant que nous parlons du nôtre.

Carp mit le bras autour des épaules de Kerleu et sourit à Tillu en le faisant pivoter, lui démontrant à quel point il pouvait facilement lui enlever son enfant.

Joboam haussa les épaules.

— Ne sois pas stupide, femme. Laisse-le prendre le garçon. Je n'y vois aucun inconvénient. Mais il pourrait peut-être avoir des surprises quand il annoncera à Capiam qu'il veut en faire notre nadj.

Tillu adressa à Joboam un geste irrité pour le faire taire, sans prendre garde à la mousse qui se répandait.

— Voilà que tu dis à Tillu ce qu'elle doit faire pour son fils, et que tu es devenu le conseiller du maître des hardes en matière de nadj, lança Heckram. Je me demande si Tillu sait comment tu « éduques » Kerleu en son absence.

Joboam se tourna vers lui. Malgré son visage rouge de colère, il garda un ton calme.

— Et moi, je me demande ce qui se passerait si je

frappais cette joue. À mon avis, ta vilaine figure s'ouvrirait en deux.

— Auras-tu le courage d'essayer ? rétorqua Heckram en le regardant droit dans les yeux. Je suis là, Joboam. Rien ne te retient.

Tillu se tourna vers eux, folle de rage.

— Taisez-vous tous les deux ! Vous croyez que je n'ai rien d'autre à faire que de réparer vos stupides têtes quand vous les aurez fendues ? (Son regard quitta Heckram, pour foudroyer Joboam.) Toi, si tu me donnes du travail supplémentaire, je le ferai savoir à Capiam. Et aussi d'autres choses...

En entendant la menace, l'expression de Joboam se durcit. Elle avança d'un pas vers lui.

— Tu diras aussi au maître des hardes ce que je t'ai répété plusieurs fois. Je ne suis pas décidée à partir. Tu pourras même lui expliquer que tes visites quotidiennes me rappellent toutes les raisons que j'ai d'éviter les gens. Quant à toi, Heckram, tu ferais mieux d'entrer dans la tente si tu tiens à ce que je nettoie cette entaille. Mais si tu préfères rester ici et te battre, je ne soignerai aucun d'entre vous. Et je raconterai à Capiam que vous me gênez pendant que je fais mes provisions.

Elle fit demi-tour, serrant la brassée de mousse contre sa poitrine comme s'il s'agissait d'un enfant, et se dirigea vers sa tente sans se retourner. Son corps fut agité d'un unique frisson, comme si elle retenait un sanglot ou un accès de toux. Heckram se retourna vers Joboam et lui lança un regard dur.

— Laissons-la piaffer et renâcler pour l'instant, dit ce dernier. Elle apprendra bientôt le harnais.

Il la regardait s'éloigner avec un air de propriétaire. La colère d'Heckram augmenta d'un degré.

— Tu te poses toujours des questions sur mon visage ? demanda-t-il à voix basse.

Joboam se détourna en haussant les épaules.

— Tu peux attendre, mais pas les nouvelles, dit-il avec désinvolture. Puisque tu n'as pas informé Capiam que tu as ramené une source d'ennuis, au village, je m'en chargerai. Un nadj. Même un idiot sait le genre de problèmes que ça risque de créer. Et toi, tu le conduis ici. Cela dit, s'il s'en va avec le fils de la guérisseuse, ça peut résoudre un problème. Pour moi.

Joboam avait terminé sur une note spéculative. Sans rien ajouter, il partit en direction du talvsit.

— Joboam !

Il s'arrêta.

— Ne t'approche plus de Kerleu. Pas parce qu'il est l'apprenti du nadj, mais parce que je te le dis. Et encore une chose : si tu ne m'affrontes pas maintenant, tiens-toi prêt. Le jour viendra.

— C'est certain.

Joboam se remit en route, mais la voix d'Heckram l'arrêta de nouveau.

— Prends soin de bien transmettre à Capiam l'intégralité du message de la guérisseuse. Je m'arrêterai chez lui en rentrant pour m'assurer que tu n'as rien oublié.

Avant que Joboam ait pu répliquer, il fit demi-tour et s'en alla vers la tente de Tillu.

XIX

APRÈS LA FRAÎCHEUR ÉCLATANTE de l'après-midi printanier, l'intérieur de la tente paraissait sombre et étouffant. La température plus élevée avait ramolli le sol, qui céda légèrement sous la foulée d'Heckram. La moisissure, que le froid ne tenait plus à l'écart, commençait à imprégner tous les objets, dégageant une odeur de renfermé. Tillu devrait tout sortir au soleil. Les villageois aéraient toujours leurs biens avant de préparer leurs bagages pour la migration. Heckram s'interrogea sur les intentions de Tillu à ce propos, mais n'eut pas l'audace de la questionner. Il se tenait sur le seuil, avec la désagréable impression d'être un intrus. Elle n'avait rien dit, ni même salué son entrée d'un signe de tête. Accroupie, elle mélangeait des herbes dans un pot rempli d'eau près du foyer. Quelque chose dans son attitude lui était familier : le dos courbé tel un bouclier, le menton rentré dans la poitrine, comme si elle attendait le prochain coup. Il comprit brusquement qu'elle aussi tentait de continuer sa vie tout en se débattant avec une question insoluble.

Il regarda autour de lui en se creusant la tête pour trouver un commentaire neutre. Sa misère avait cédé la place à un confort rudimentaire. Les couches étaient nanties de peaux supplémentaires, de la viande et du poisson séchés pendaient des supports de la tente, près d'ustensiles d'os et de bois. Manifestement, ses échanges avec le talvsit prospéraient. Cette constatation le ramena à la dernière fois qu'il l'avait vue. Le lendemain de la mort d'Ella. Dans l'agitation du deuil, ils avaient échangé peu de mots. Les souvenirs qu'il partageait avec cette femme n'étaient pas de ceux qui rapprochent les gens. Soudain, il souhaita ne pas être venu. Elle l'ignorait, poursuivant sa tâche. Le mieux serait peut-être qu'il fasse simplement demi-tour et regagne sa hutte.

Comme si elle avait lu dans ses pensées, Tillu prit la parole.

— Laisse le rabat de la tente ouvert. La lumière sera meilleure, dit-elle en se retournant vers lui d'un air agacé. Assieds-toi sur le lit. Tu es trop grand pour que je puisse travailler sur cette joue si tu restes debout.

Sans un mot, il accrocha la lanière de la porte autour de son support. Un étroit triangle lumineux se répandit jusqu'à la couche. Il s'y assit, toujours silencieux. Il lui semblait plus simple de ne rien dire.

Aussi muette que lui, elle souleva le pot fumant et le posa aux pieds d'Heckram. Puis elle préleva une poignée de mousse blanche d'un panier placé près du feu et la tria rapidement, écartant les brindilles, une crotte de lièvre, le squelette d'une feuille. Il admirait ses gestes exercés. La vapeur qui s'élevait du pot avait le parfum agréable de la forêt au printemps, quand la chaleur montait de l'humus, apportant l'odeur de générations de pins et d'aulnes. Il se détendit, jusqu'à ce que Tillu s'agenouille brusquement devant lui, mettant ainsi leurs visages au même niveau. Elle plongea la mousse dans l'eau et la laissa s'imbiber pendant qu'elle étudiait la plaie.

Heckram trouvait la position passablement inconfortable. Où poser le regard ? Que faire de ses mains ? Il commença par croiser les bras sur la poitrine, puis se sentant stupide, les laissa tomber le long de son corps. La figure de Tillu était toute proche de la sienne. Sa bouche n'exprimait aucune émotion et quand il la regarda dans les yeux, elle ne s'en rendit pas compte, absorbée par l'examen de la blessure. Il sursauta légèrement quand elle lui prit le menton d'une main ferme et fraîche, pour l'orienter vers la clarté. Elle le maintint immobile et pencha la tête pour avoir un meilleur angle de vue. Il en profita pour la détailler, remarquant la finesse des cheveux et la manière dont quelques mèches échappées de ses tresses lui caressaient les joues. Son nez étroit était plus proéminent que l'exigeaient les canons de la beauté parmi le peuple des rennes. Il ressemblait au sien. Ses joues n'étaient pas larges et plates, mais posées sur de hautes pommettes. Ses yeux noirs brillaient dans son visage attentif. Elle lui évoquait une renarde, en embuscade à la sortie du terrier d'un campagnol.

— Que s'est-il passé ? demanda-t-elle soudain.

— Une branche m'a écorché la joue.

— Ah ? dit-elle en lui tournant de nouveau le visage. On dirait plutôt que ça a été fait par un animal. Si c'était plus grand, j'aurais dit qu'il s'agissait d'un ours.

— Je me suis levé brusquement dans l'abri que nous avions bâti avec Lasse, et je me suis accroché à une pointe.

— Dans ce cas, ça n'aurait pas dû s'infecter de cette manière, répliqua-t-elle en secouant la tête. En revanche, n'importe quelle égratignure faite par un prédateur a toutes les chances de s'enflammer. Comme ça.

— C'était une branche, répéta-t-il avec agacement.

— Hum. C'est très près de l'œil. Tu aurais dû venir plus tôt. Maintenant, tu vas avoir mal.

Et sans le prévenir plus avant, elle pêcha une poignée de mousse dans l'eau chaude et l'appliqua fermement à l'endroit abîmé. La chaleur accentua la pulsation douloureuse de la plaie. Heckram serra les dents, s'obligeant à l'immobilité, mais fut inondé de sueur.

— Je peux le tenir, proposa-t-il au bout de quelque temps.

— Je m'en occupe. Ça prendra un petit moment. Le temps que ça s'ouvre. Ne bouge pas.

C'était déroutant d'être assis aussi près d'une femme, face à face, et d'être touché par elle. Bien sûr, la douleur lancinante était toujours présente, mais l'odeur de la peau et des cheveux de Tillu agissait aussi activement que le cataplasme. Les doigts fins sur son visage, le souffle qui lui caressait la peau, la pointe des seins si proches de sa poitrine, ces yeux sérieux fixés sur lui sans croiser son propre regard, tout concourait à le troubler.

Il rougit brusquement et fixa le vide. Son excitation le surprenait et l'emplit de honte. Il croyait pouvoir mieux se contrôler. Pourvu qu'elle ne se soit aperçue de rien. Une goutte de sueur glissa le long d'une ride.

Pourquoi un homme irait-il mentir en prétendant ne pas avoir été griffé par un animal ? La plupart des chasseurs tiraient gloire de leurs affrontements avec les bêtes. Se faire estropier était, par exemple, motif de fierté. Autour de la bouche d'Heckram, les rides de tension s'accentuaient en blanchissant.

— Je sais que ce n'est pas très agréable, dit-elle d'une voix tranquille. Mais dans quelques instants, nous pourrons soulager la pression.

Elle souleva la mousse spongieuse pour inspecter la plaie, puis l'imbiba de nouveau d'eau chaude.

— Tiens. Garde ça contre ta joue pendant que je fabrique l'emplâtre pour purger l'infection. Ce n'est peut-être pas aussi grave que ça en a l'air.

Il posa la main sur le tampon de mousse au moment où elle enlevait la sienne. Leurs doigts se frôlèrent au passage.

Elle s'écarta, heureuse de mettre une distance entre eux. « Je devrais penser à Kerleu se dit-elle sévèrement. M'inquiéter des absurdités que Carp doit lui fourrer dans le crâne et réfléchir à la manière de me débarrasser de cet horrible vieillard ». Au lieu de cela, elle songeait à Heckram. Sa première intention était d'examiner sa blessure. Mais quand elle lui avait saisi le menton, elle avait pris conscience de sa peau râpeuse et mal rasée. Avec un pincement au cœur, elle s'était rappelé la caresse des moustaches de son père contre sa joue quand il la serrait contre lui. C'était un homme grand et fort, comme Heckram. Quand il la prenait sur son épaule, elle se sentait en parfaite sécurité. S'il avait été à la maison le jour où les pillards étaient venus… Mais il n'était pas là, et depuis, cette sensation de sécurité lui était devenue étrangère. Elle déglutit pour éliminer la tension dans sa gorge, chassa avec irritation l'évocation de ce passé perdu. Il valait mieux qu'elle se concentre sur son travail. Sur Heckram.

Comme un intrus abattant un mur fissuré, il lui avait fait prendre conscience de la présence de l'homme derrière le patient. Elle avait retrouvé son odeur, comme elle s'en souvenait, celle du renne, à laquelle se mêlait le musc plus subtil de sa virilité. Elle avait senti son regard qui cherchait le sien et avait résisté à la tentation de le rencontrer. C'était déjà suffisant qu'elle ne parvienne pas à ôter la main de son visage. La chaleur du corps d'Heckram avait franchi l'espace étroit qui les séparait, accélérant la course du sang dans ses veines. Elle réprima fermement un début d'excitation. Après tout, cela n'avait rien à voir avec cet homme en particulier. Cela correspondait simplement à une période où son corps se languissait d'un contact masculin, s'échauffait. Sa respiration s'accéléra à cette évocation. Encore une autre poignée de jours et le temps du sang viendrait pour elle. Toute cette idiotie ne serait qu'un souvenir. Était-elle une jeune fille pour se laisser guider par de pareilles impulsions ?

Accroupie devant son coffret à herbes, elle en sortit le nécessaire. Les feuilles d'oseille, qui avaient viré au marron, étaient presque trop sèches pour qu'elle les utilise. Elle les sélectionna quand même : ça ne pouvait pas faire de mal. De l'achillée mille-feuille. Du saule. De la verge-d'or ? Pourquoi pas, ça marchait bien pour les brûlures par le feu ou les liquides bouillants. Elle en ajouta un peu. Plus que n'importe qui, elle attendait avec impatience la végétation fraîche du printemps. Ces herbes-là avaient quasiment perdu leurs vertus. Elle commença à les broyer sur une planche de bois. Il faudrait ensuite les mélanger à du lichen, mettre le tout à cuire dans un peu d'eau, jusqu'à obtenir une pâte molle et…

— Tu m'en veux, n'est-ce-pas ?

— Quoi ? demanda-t-elle en se retournant.

— Tu m'en veux d'avoir aidé le nadj à vous trouver. Et d'avoir menacé Joboam.

Elle attendit un long moment avant de répondre. Puis

elle poussa un grand soupir, s'assit sur ses talons et posa le menton sur la main qui tenait le pilon.

— Je ne suis pas fâchée. Tu ne pouvais pas savoir que ce n'était pas ce que j'aurais choisi pour Kerleu. Et même si c'était le cas... Ça n'aurait rien changé. Je crois que tôt ou tard, il nous aurait rattrapés.

— Et Joboam ? insista-t-il.

Pourquoi était-ce si important pour lui ?

— Joboam est un problème, reconnut-elle avec réticence. Mais j'en ai déjà rencontré de semblables. Il y a toujours des hommes qui aiment contrôler les choses. Qui croient pouvoir régenter les plus faibles. Je ne cherchais pas à le protéger quand je me suis interposée entre vous. Ce que j'ai dit était vrai. Un guérisseur voit défiler tant de blessures inévitables, qu'il est las de soigner celles qui ont été infligées volontairement. Et bientôt il sera parti. Et toi aussi.

Après avoir marqué une hésitation, Heckram continua d'un ton peu assuré.

— Pourquoi le laisses-tu... traiter Kerleu de cette manière ?

— Pourquoi ? reprit-elle en laissant son amertume transparaître. Et comment pourrais-je changer les choses ? Il ne le frappe pas quand je suis là. Et je ne m'absente jamais quand Joboam est en visite. Mais parfois quand il arrive, mon garçon est seul, et alors... J'ai déjà dit à Kerleu de ne pas rester avec lui, de venir me rejoindre aussitôt qu'il le voit arriver, pour ne pas lui laisser la moindre chance de se mettre en colère.

— Et Kerleu oublie, dit-il avec une compréhension qui étonna Tillu.

— Et Kerleu oublie, répéta-t-elle. C'est difficile à faire comprendre à quelqu'un qui ne le connaît pas. Les pensées du moment présent chassent les instructions du précédent. Ce n'est pas qu'il soit stupide. Il réfléchit en permanence, mais à quelque chose d'autre. Il a ses idées sur ce qui est important et ce qui ne l'est pas. Il y a deux jours, j'ai vu une meurtrissure sur son bras et je lui ai demandé ce qui s'était passé. Cinq jours plus tôt, Joboam l'avait attrapé par là. Et pourquoi ne me l'avait-il pas dit ? Il avait oublié. Il avait trouvé des baies gelées et les avait mangées. Je lui avais demandé pourquoi il avait du rouge sur la bouche, il m'avait donc parlé des fruits. Et pour lui, c'était logique !

Sa voix trembla et elle se tourna abruptement vers Heckram. Il était assis tranquillement, tenant toujours la mousse dégoulinante contre son visage. En fait, il avait les yeux marron, pas noirs. Et il n'y avait nulle pitié dans son regard. Ce qu'elle y vit la surprit. Partageait-il vraiment le chagrin qu'elle ressentait pour son fils ?

— La manche de ta tunique est humide, dit-elle avec un calme qu'elle était loin de ressentir. Tu devrais l'enlever et la suspendre près du feu. Tu seras content qu'elle soit sèche quand il te faudra rentrer.

Elle prit conscience du poids du pilon dans sa main et se remit à l'utiliser avec une vigueur que ne réclamaient pas les herbes sèches. Pendant qu'Heckram se débarrassait de sa chemise, elle ajouta du lichen au mélange dans le fond d'un pot, ajouta de l'eau et mit l'emplâtre à chauffer. Quand elle se retourna, Heckram nu jusqu'à la taille, essorait sa manche. Il avait quelques poils sur le torse. Ils commençaient sous la gorge, s'élargissaient légèrement sur la poitrine et se réduisaient à une ligne après le nombril.

— Les hommes du même sang que mon grand-père sont poilus sur le visage et la poitrine, expliqua-t-il d'une voix voilée par un léger embarras.

Il l'avait surprise à le regarder. Elle leva les yeux, essayant de se composer une attitude décontractée.

— C'est la même chose chez les gens de mon peuple.

— Les femmes aussi ? demanda-t-il avec incrédulité.

Elle éclata de rire, puis devant sa mine penaude, tenta de s'arrêter. En vain. Il rougissait, honteux de son ignorance. Elle reprit son souffle, retrouva son sérieux pour le perdre au bout de quelques secondes. Mais ce n'était peut-être pas si grave après tout, car timidement, un peu tristement au départ, Heckram commençait à sourire.

— C'était stupide comme question, n'est-ce-pas ? admit-il en gloussant.

— Pas vraiment, répondit-elle, ayant enfin retrouvé un

peu son sérieux. Tu as probablement toujours vécu avec les tiens. Comment connaîtrais-tu les autres peuples ?

— Je n'ai pas été qu'avec le peuple des rennes. Quand j'étais très petit, je suis parti une fois en voyage avec mon père. À l'époque, il était riche, avant la peste. J'ai vu le village des marchands comme, comme... (Il s'arrêta un instant, cherchant ses mots.) Comme deux grandes huttes carrées, faites de beaucoup de petites.

— Des pièces, suggéra-t-elle.

Il s'arrêta encore, haussa les épaules et hocha la tête d'un air hésitant.

— Il y en avait deux, avec beaucoup de familles qui vivaient là, chacune dans une « pièce ». Et un large chemin entre les deux huttes. Les hommes avaient une longue barbe qui descendait sur leur poitrine. Et les cheveux des femmes avaient des couleurs de bois. Parmi les enfants, certains étaient mes cousins. Nous ne pouvions pas nous parler, mais nous avons joué.

— C'était loin d'ici ?

— Ça ne m'a pas paru très loin, à l'époque. Mais je voyageais dans le pulkor de mon père et les distances ne signifiaient pas grand-chose. Ça ne peut pas être très loin. Parfois, les marchands viennent de ce village pour faire du troc. Pas aussi souvent qu'ils en avaient l'habitude ; nous avions plus de choses à échanger, avant. Maintenant, ce sont les nôtres qui se rendent le plus souvent chez eux. Mais l'année où mon père m'avait emmené, il était très rare qu'on entreprenne un voyage pareil. Je me rappelle que tous les gens étaient surpris de nous voir, ils s'émerveillaient devant notre harke et notre pulkor. Je dois remettre ça sur mon visage ?

Il l'avait surprise à rêver, ses pensées s'était envolées sur le récit d'Heckram. Elle regarda la poignée de mousse qu'il tenait.

— Mouille-la de nouveau et remets-la sur ta joue.

Il émit un son à mi-chemin entre le grognement et le soupir, puis se rassit. Elle entendit le bruit de la mousse qu'il laissait tomber dans le pot et se pencha pour vérifier le contenu du récipient qui se trouvait devant elle. Après avoir touillé le mélange avec son pilon, elle décida qu'il avait assez ramolli et l'écarta du feu. Le lichen blanc était très utile comme liant. On pouvait l'utiliser pour épaissir un ragoût, faire un cataplasme, ou même le cuire tel du pain. Elle tâta la mixture du bout du doigt, tressaillit et décida de la laisser refroidir un peu plus. Puis elle alla rejoindre Heckram, à la fois réticente et impatiente.

Quand elle s'agenouilla devant lui, il écarta la mousse de son visage. Quelques brins s'accrochaient encore au bord de la plaie, qu'elle ôta délicatement. L'enflure avait presque disparu. L'entaille était rouge et chaude sur le pourtour, avec une croûte jaunâtre au milieu. Mais l'imprégnation l'avait ramollie et elle partirait facilement.

— C'est loin d'être aussi grave que ça en avait l'air, affirma Tillu en tirant légèrement la pointe de la croûte. (Elle sentit le tressaillement d'Heckram.) Nous allons poser le cataplasme.

— Que lui as-tu dit après ?

— À qui ? demanda-t-elle distraitement en touillant la mixture dans le pot, qu'elle trouvait trop liquide.

— À Joboam, quand il a maltraité Kerleu.

— Pas grand-chose. Ça n'a pas été très efficace. La première fois, que je l'ai accusé, il a nié. Ensuite, il a prétendu qu'il s'amusait simplement à lutter avec Kerleu et qu'il s'agissait d'un malentendu. Je lui ai demandé de ne plus lever la main sur mon fils. Puis il a dit quelque chose à propos de Capiam, qui lui aurait confié la mission de s'occuper de nous, et qu'il devait apprendre vos règles à Kerleu avant le départ. Alors, je lui ai répondu que si ça impliquait de l'éduquer en le battant, je ne partirais pas. Par la suite, il a laissé Kerleu tranquille. Jusqu'à aujourd'hui.

— En as-tu parlé à Capiam ?

Tillu secoua la tête silencieusement. Elle rapprocha le pot de cataplasme et y mélangea une poignée de mousse blanche. Le résultat donna une masse chaude et fibreuse, censée tenir toute seule lorsqu'elle l'appliquerait sur la plaie.

— Veux-tu que je parle à Capiam en ton nom ? proposa Heckram d'une voix douce.

— T'écoutera-t-il ?

Il hésita une fraction de seconde.

— Le maître des hardes est censé écouter tous les membres de son peuple. Mais Capiam a pris sa charge depuis peu. Il n'a pas non plus bénéficié de la longue expérience de son père. Relf, qui nous dirigeait pendant mon enfance, est mort sans descendance cinq ans après la peste. Le père de Capiam était l'un de ceux à qui il faisait le plus confiance, et il l'a remplacé. Certains n'avaient pas apprécié, car ils soutenaient Eike, le père de Joboam, un autre proche de Relf. Mais le père d'Eike était un marchand, comme mon grand-père. D'ailleurs, ils étaient amis. Nombreux étaient ceux qui disaient que le sang du peuple des rennes devait être fort dans les veines de leur maître. C'est ainsi que le père de Capiam fut choisi, malgré son grand âge. Il est mort il y a trois ans, et Capiam lui a succédé.

— Eike a-t-il éprouvé de l'amertume ? demanda Tillu d'un air songeur.

— Non. Eike était un grand homme, par la taille et par le cœur. Il est resté fidèle au père de Capiam jusqu'à sa propre mort. Mais je sais à quoi tu penses. Effectivement, Joboam en a conçu un grand dépit. Nous n'étions que des enfants à cette époque, mais je m'en souviens encore. Quand il n'y avait aucun adulte dans les parages, il disait souvent que le pouvoir devait revenir à un homme assez fort pour diriger. Puis, si quelqu'un n'était pas d'accord avec lui, il se battait et le maintenait à terre jusqu'à ce que l'autre reconnaisse son humiliation. Il déclarait aussi que les vrais hommes sont fiers d'avoir un maître des hardes fort. Il pensait à Eike, qui était aussi grand que lui.

— Toi aussi.

Heckram hocha la tête.

— Nous avons le même sang. Mais nous ne sommes pas considérés de la même façon. Joboam était fort, et sa famille riche, même pendant les temps durs. Les autres enfants avaient beau se mettre en colère contre lui, il était facile de lui pardonner. Pour ses amis, il y avait toujours des fromages et des gâteaux à la graisse dans sa tente.

— Et toi ? demanda-t-elle avec curiosité, tout en sachant qu'Heckram évoquait des souvenirs pénibles.

— J'étais plus ou moins l'idiot de service, dit-il avec un sourire triste. Certains pensent que ça n'a pas changé. J'étais maladroit, toujours trop grand pour mes vêtements. Et Joboam ne m'aimait pas. (Il s'interrompit, le temps d'un petit rire réprobateur.) Il pouvait bien me jeter à terre, je n'étais pas assez malin pour reconnaître sa victoire. Je continuais à me débattre jusqu'à ce qu'il me laisse ou qu'un adulte intervienne. Je n'étais jamais invité dans sa tente avec les autres. D'ailleurs, la plupart d'entre eux m'évitaient, car Joboam n'appréciait pas ceux qui me montraient de l'amitié. (Il secoua la tête d'un geste brusque.) Ce n'était pas une époque agréable. J'étais content de grandir et que les bagarres cessent.

— Si content que tu as presque recommencé aujourd'hui, fit observer Tillu d'un ton narquois. Mais je comprends mieux, maintenant. En tout cas, assez pour savoir que si tu parles à Capiam, ça ne changera pas grand-chose. Je dois réfléchir et prendre une décision. Le seul moyen de séparer Kerleu de Joboam sera peut-être que nous restions de notre côté. Allonge-toi pendant que j'applique l'emplâtre sinon, il risque de couler, il n'est pas aussi épais qu'il aurait dû. Ferme l'œil, aussi.

Heckram se laissa aller sur la couche. Les poils doux des fourrures caressaient son dos nu. L'odeur de Tillu imprégnait les couvertures, le rendant encore plus sensible à sa proximité. Elle s'agenouilla près du lit, préleva un peu de mélange du bout des doigts et se pencha pour l'appliquer doucement sur le visage d'Heckram. Il la sentait toute proche, attentive. Le cataplasme, lui coula en partie dans l'oreille, le chatouillant horriblement. Elle le replaça. Elle avait les mains chaudes, l'haleine douce. L'expression sérieuse et solennelle de son visage était touchante. Il pourrait tendre le bras et l'attirer sur lui, elle ne pesait probablement presque rien. Seul un mouvement involontaire de la tête trahit l'impulsion qui avait traversé Heckram.

— Ne bouge pas !

Tillu lui posa sa main libre sur le front, pour lui maintenir la tête. Cela ne fit qu'empirer les choses. La douleur lancinante de sa joue sous le cataplasme n'était pas assez forte pour juguler la pulsation qui faisait soudain frémir ses reins. Il essaya de désamorcer la tension en parlant.

— Ce serait dommage pour le peuple des rennes si tu ne nous accompagnais pas. Il y a longtemps que nous avons besoin d'un guérisseur...

Une grosse boulette de mixture glissa dans sa bouche, l'emplissant d'amertume. Il esquissa un mouvement pour se redresser, mais Tillu le maintint couché.

— Reste tranquille, protesta-t-elle avec agacement. Ne bouge pas, ou tout va tomber.

Il glissa le bout des doigts entre ses lèvres pour libérer sa gorge, avec pour seul résultat d'aggraver les choses. Cette fois, il faillit suffoquer. La main libre de Tillu était toujours fermement posée sur son front, pendant que l'autre appliquait une nouvelle dose d'emplâtre. Heckram parvint enfin à tourner légèrement la tête et à retirer l'infâme mélange de sa bouche. Embarrassé, il se retrouva avec cette masse plus ou moins liquide entre les doigts et leva les yeux vers Tillu. À ce moment-là elle éclata de rire.

La métamorphose était saisissante. Les années désertèrent son visage, ses joues révélèrent des fossettes, et son regard étincela. Quand elle dévoila ses dents blanches et régulières, la ressemblance avec Kerleu devint évidente. Sans son habituel petit froncement de sourcils, elle avait presque l'air d'une jeune fille. Heckram aimait son rire, grave et truculent. Leurs regards se croisèrent et il se surprit à sourire largement pendant que le cataplasme glissait de son visage.

— Il est trop liquide, s'excusa-t-elle.

Elle secoua les doigts au-dessus du pot pour y faire retomber la pâte. Son autre main était encore sur le front d'Heckram.

— Donne-moi ça, dit-elle en recueillant la boulette gluante qu'il tenait toujours avant de la jeter dans le feu.

Elle tendit la main par-dessus son corps pour attraper un vieux morceau de cuir qui se trouvait de l'autre côté du lit, mais ne put l'atteindre. S'étirant, elle perdit l'équilibre et se retrouva soudain étalée sur la poitrine d'Heckram. Il était secoué de rire. Tillu se sentit rougir. Elle saisit le chiffon d'un geste brusque, s'essuya rapidement les doigts, puis le lui tendit en se remettant sur ses talons. Il le prit avec un large sourire et se nettoya la main. La mixture coulait lentement le long de sa joue et dans son cou.

Il chercha à croiser son regard, elle ne souriait plus. Lèvres pincées, expression sévère, elle reprit le morceau de cuir et lui épongea la joue.

— Nous allons devoir tout recommencer, dit-elle d'un ton bourru.

Le sourire d'Heckram disparut et il l'observa plus attentivement. Son expression retenue et contrôlée l'intrigua. Était-ce à cause du cataplasme raté ?

— Tout le monde peut faire une erreur, dit-il d'une voix hésitante.

Elle s'arrêta, tenant la pièce de cuir maculée au-dessus du visage d'Heckram, mais elle refusait de croiser son regard. Il ne prit pas le temps de la réflexion. Il tendit la main, la débarrassa et acheva de se nettoyer. Elle n'avait toujours pas bougé. Il lâcha le cuir et lui toucha la main.

— Qu'est-ce qui ne va pas ?

Ce ton plein de sollicitude brisa les dernières résistances de Tillu. Elle le regarda dans les yeux, laissant paraître ouvertement son désir. Elle vit les yeux d'Heckram s'écarquiller et sa propre envie s'épanouir. Il leva très lentement la main pour la refermer autour de sa nuque et l'attirer vers lui. D'abord, il goûta l'odeur de sa peau, puis sa saveur. Sa bouche était tiède, un peu timide. Une sensation délicieusement saisissante. Quand un bras se referma autour d'elle pour l'attirer plus près, son corps n'opposa aucune résistance. Elle cessa de réfléchir et alla à la rencontre de sa bouche. Le temps s'arrêta. Des alarmes et des avertissements retentissaient frénétiquement dans son esprit. Elle les repoussa. Cet instant, cet homme, le contact de sa peau, lui étaient réservés, elle les volait au monde comme un cadeau. Placée au-dessus de lui, elle pouvait oublier leur différence de taille, sa force n'était pas une menace.

Elle se perdit en lui. La peau de son torse était tiède sous ses doigts, fermement tendue sur les muscles. Elle quitta sa bouche et effleura la poitrine plate de ses lèvres, regardant les poils se hérisser légèrement à son contact. Elle laissa ses doigts courir le long de la ligne centrale de son torse, sur son ventre jusqu'au nombril, puis entendit Heckram retenir son souffle lorsqu'elle posa la main à plat plus bas. Sa transe en fut brisée et elle leva la tête pour faire face à cet étranger qui se trouvait sur sa couche.

Elle ne pouvait définir ce qu'exprimait son regard – une tranquillité pleine de tension, presque de l'émerveillement. Sa respiration était superficielle, rapide. Mais il ne bougeait pas. Depuis que les pillards l'avaient enlevée, elle avait connu d'autres hommes et appris que tous les accouplements n'étaient pas synonyme de douleur. Mais il arrivait toujours un moment où ils revendiquaient la maîtrise des événements, où ils la saisissaient et la prenaient, où ils ne réagissaient qu'à leurs besoins. C'était un passage contre lequel elle s'était armée, lorsque la gentillesse était vaincue par la force. Elle s'écarta légèrement de lui, pour le tester. Mais il ne la ramena pas vers lui. Il se contenta de lever la main, et de promener ses doigts tentateurs sur sa joue et sa gorge.

Des voix. Un murmure qu'elle put déchiffrer, puis le timbre clair de Kerleu qui posait une question. Elle se raidit et s'écarta fermement. Pendant un bref instant, l'étreinte d'Heckram résista au mouvement. Puis il perçut les voix à son tour, et émit un son à mi-chemin entre le soupir et le grognement avant de la laisser aller. Elle se redressa, sensible à l'air frais qui s'insinuait entre eux.

— Tillu ? appela-t-il à voix basse.

Mais elle ne le regarda pas. Elle rajusta sa tunique, replaça le pot de cataplasme qui penchait, manquant de répandre son contenu. En repoussant ses cheveux, elle sentit les traces collantes de l'emplâtre qui était passé du visage d'Heckram au sien. Elle les enleva avec la manche de sa chemise, pendant que des larmes déraisonnables lui picotaient les yeux. Une soudaine faiblesse atteignit ses genoux et le creux de son estomac. Elle prit une profonde inspiration, et se força au calme. Elle lui jeta un bref regard et le découvrit appuyé sur un coude, la fixant avec anxiété. Elle se détourna.

— Tillu ? répéta-t-il.

Mais les crissements et les craquements de la neige fondue sous des pieds chaussés de bottes se faisaient entendre juste à l'extérieur de la tente. Elle secoua la tête en silence. Heckram se laissa retomber sur la couchette avec un soupir. Elle avait une idée très claire de ce qu'il ressentait.

— Heckram ? appela Carp de sa voix voilée. Cette entaille va mieux ?

Il se pencha pour entrer dans la tente, plissant les yeux dans la pénombre après la clarté de l'extérieur.

Heckram ne dit rien, laissant à Tillu le soin de répondre. Kerleu fit irruption et se précipita vers Heckram.

— Ça ne me semble pas si méchant !

— Effectivement, la blessure n'était pas jolie mais pas grave, le renseigna Tillu. C'était essentiellement enflé.

Heckram regardait l'enfant. Même s'il était passé d'un espoir enfiévré à une douloureuse déception, il n'était pas aveugle au changement intervenu chez Kerleu. Il y avait autant de différence qu'entre l'automne et le printemps. Les épaules étroites du garçon n'étaient plus courbées vers sa poitrine. Il y avait de l'assurance, voire un peu de suffisance dans son attitude quand il fixa Heckram droit dans les yeux. Mais son regard avait aussi une qualité translucide qui n'appartenait pas à ce monde. Comme si Heckram n'était pas tout à fait substantiel et que Kerleu voyait au-delà de lui. Son visage était évasif, rêveur. Un frisson parcourut Heckram, comme s'il voyait l'enfant aspiré et emporté par une rivière. Les contacts qu'il avait établis avec Kerleu avaient disparu, leur lien s'était rompu. Il conçut la certitude qu'il ne l'atteindrait plus jamais. Le gamin qu'il avait connu n'existait plus. Il avait disparu en un après-midi. Le sourire aiguisé de Carp blessait le cœur de Tillu. Sous son regard tout en triomphe et vengeance, elle flétrissait à vue d'œil, s'affaissant sur elle-même. Heckram se redressa lentement.

— Enfile ta chemise, lui indiqua calmement Carp. Il est temps d'y aller.

— Vous partez ? demanda Kerleu, désemparé. (En un instant, il était redevenu l'enfant vulnérable qu'Heckram connaissait.) Tu pars, Carp ? Où ? Pourquoi ?

Carp éclata d'un rire cassé.

— Pas très loin, Kerleu. Ne t'inquiète pas. J'habite chez Heckram. Il a une bonne hutte bien chaude, avec beaucoup de provisions et des peaux très douces. Je suis confortablement installé là-bas. Et je veux voir le maître des hardes Capiam, pour lui dire que dorénavant, je serai le chaman de son peuple. Mais je reviendrai demain pour poursuivre l'enseignement. Et bientôt, nous voyagerons tous ensemble.

— Non. (La fermeté du mot fut gâchée par la voix brisée de Tillu.) Non, répéta-t-elle en reprenant de l'assurance. Tu partiras peut-être avec le troupeau, mais pas moi, ni Kerleu.

— Oh ? rétorqua froidement le nadj. Est-ce ainsi, Kerleu ?

Le garçon se tourna vers Tillu. En voyant le dessin ferme de sa petite mâchoire et son regard distant, tous dans la tente comprirent qu'elle avait perdu.

— Je vais partir, Tillu. Je suis un homme maintenant, et j'ai pris ma décision. Je resterai ici encore quelques jours. Mais quand le peuple des rennes partira, je le suivrai, avec Carp.

Si les paroles de Kerleu semblaient directement inspirées par le nadj, la détermination était bien la sienne. Tillu le détailla.

Le moment dont elle avait toujours rêvé était enfin arrivé. Son fils avait une attitude adulte, prenait des décisions et s'exprimait avec assurance, bien droit. Et là, à côté d'elle, regardant son visage avec compassion, se trouvait un homme qui répondait à ses vœux, qui pourrait partager sa vie. Sa nouvelle existence, séparée de celle de Kerleu. Un goût amer lui remplit la bouche.

— Non, dit-elle encore à voix basse.

En réalité, il s'agissait plus d'un refus intime, d'une manière d'interdire à demain d'arriver. Mais son fils contemplait déjà l'aube d'un nouveau jour.

Un nœud très ancien se dénoua en elle. Elle ressentait une certaine faiblesse, l'impression qu'elle ne pouvait plus continuer à se battre pour garder Kerleu à l'écart du monde qu'il s'était choisi. Mais elle avait aussi la certitude que si elle luttait contre Carp, elle ne réussirait qu'à détruire son fils. L'assurance qui lui redressait les épaules était une chose trop neuve, trop précieuse, pour qu'elle la casse par des paroles blessantes. Mieux valait qu'il avance sans elle, même s'il devait connaître l'échec, plutôt qu'il reste blotti sous ses jupes à jamais, en sécurité mais dépourvu de substance.

— Tu pars, dit-elle en regardant intensément son fils dans les yeux. (Il acquiesça.) Et moi aussi.

Sa dernière phrase, prononcée d'une voix forte, l'avait surprise autant que les autres.

Les émotions se bousculaient en Tillu et Heckram préféra détourner les yeux. Il quitta la couchette basse avec maladresse, récupéra sa chemise, l'enfila en prenant soin de l'écarter de sa joue blessée. Ensuite, il revêtit sa tunique de peau, dont le poids était soudain devenu inconfortable dans l'air tiède ambiant. Comme il passait la tête par l'encolure avec précaution, il trouva Tillu debout juste devant lui. Elle le prit fermement par le menton et orienta la blessure vers la lumière. Elle fronça légèrement les sourcils en étudiant l'entaille enflammée.

— Ça a l'air d'aller mieux. Il est possible que ça guérisse seul. (Elle se tut un bref instant et esquissa un semblant de sourire.) Mais tu devrais revenir demain pour me montrer comment ça a évolué.

Il acquiesça lentement, mais elle se détourna en hâte, le laissant s'interroger pour savoir s'il avait compris ce qu'elle n'avait pas dit.

— Pressons, pressons, dit Carp avec irritation. Le chemin du retour est long, j'ai déjà faim, et il me faut aussi voir Capiam aujourd'hui. J'ai des choses importantes à lui dire.

— Moi aussi, convint Heckram.

Et il le suivit dans le crépuscule de ce début de printemps.

Kerleu

LA VISION

TILLU avait mis longtemps à s'endormir. Kerleu avait dû rester étendu sans bouger, distrait par ses changements de position, ses soupirs et ses marmonnements. Maintenant, elle était allongée sur le dos, le bras posé sur les yeux, comme pour se dissimuler ce qui devait de toute façon advenir. Femme stupide. Elle continuait à penser qu'elle changerait les choses, sans avoir compris qu'il était né pour la magie et que la magie avait été faite pour lui. Ils ne faisaient qu'un, liés à jamais. Elle rêvait de les séparer, mais c'était comme vouloir désunir la chaîne et la trame des tissages des femmes du peuple des rennes. Ce qui restait n'était plus du tissu. Pas plus que Kerleu ne pouvait être lui-même sans la magie. Un jour, elle verrait.

Elle était silencieuse. Il pouvait se concentrer. Il quitta son lit, puis son corps, et monta lentement le long de la mince spirale de fumée qui s'élevait du feu. Il monta encore une fois, toujours plus haut, alors qu'il aurait dû descendre. Mais il avait l'impression que quelqu'un l'attendait pour lui parler.

À l'extérieur de la tente usée, le vent se levait, lourd de tourbillons blancs, rappelant au peuple des rennes que l'emprise du printemps sur la terre était encore faible. Kerleu sentit le froid de l'air nocturne, vit la neige reprendre sa suzeraineté sur la forêt. Il fronça les sourcils ; voilà qui n'était pas bon pour les gens des hardes, pour son nouveau peuple. Puis il regarda plus loin, et perçut l'action de la main de Carp dans les soupirs du vent et l'accumulation des flocons blancs. Il y avait une bonne raison derrière cette tempête tardive. Tout irait bien. Maintenant, Carp était le chaman du peuple des rennes, son nadj. Il avait pris son sort entre ses mains magiques, ses yeux voilés le guideraient. Satisfait, Kerleu oublia ses craintes et grimpa plus haut.

Il se libéra soudainement de la tempête et resta debout, pieds nus, par-dessus le vent qui barattait les nuages. Une arche obscure se déployait au-dessus de sa tête ; il n'y avait ni étoiles ni lune. Seule la lumière de ses yeux lui permettait de voir et c'était bien suffisant. Il s'assit en tailleur sur les nuages pour attendre celui qui devait venir.

À distance, il entendit Tillu se lever et remettre du bois dans le feu. Une partie de son esprit s'étonnait qu'elle ne lui ait pas demandé de sortir du lit pour s'en occuper. La couche, les fourrures et son propre corps étaient plus éloignés que le ciel qui le surplombait.

Elle savait qu'il était parti et cela la désolait. Pauvre petite personne à l'esprit étroit, attachée à la terre, incapable de voir les véritables contours du monde ou la place qu'il y occupait. Finalement, elle lui faisait pitié. Son chagrin se déroulait comme une fine ligne de teinture à travers la trame de sa vie, ajoutant une nuance sombre. Tillu était un fil, tout comme Heckram, et même Carp.

— Je suis les mains du tisseur, songea-t-il.

Soudain, l'image se matérialisa. Il tenait le fil de leur existence, celle d'Heckram, de Tillu et de Carp, de Lasse, d'Ella et de Joboam. Ils passaient entre ses doigts comme les cordelettes de fibres et de racines que filaient les femmes des hardes. Il était celui qui les tressait, qui dessinait le motif de leurs jours. Ils ressortaient métamorphosés à son contact. Il était celui qui modèlerait leur avenir. Il tissa le pouvoir pour Carp, et pour Ella, la vengeance. Deux brins minces, rouge et marron, qui étaient Heckram et Tillu, reposaient mollement dans ses mains. Distraitement, il les assembla, marquant le contraste des couleurs. Son ouvrage lui parut plaisant à l'œil et il le laissa ainsi. Il prit la corde rêche et froide qui était Joboam. Le blanc ressortait contre la couleur de sa peau, le froid lui mordait l'épiderme et le lien l'écorchait comme s'il tentait d'échapper à son pouvoir. Il l'enroula autour de ses doigts avec l'intention de le briser net. Mais le brin était aussi solide que laid. Irrégulier comme une peau mal curée, il gâchait l'harmonie du motif des cordelettes. Jamais il ne saurait se fondre dans l'ensemble.

— Que tisses-tu, petit chaman ?

Kerleu leva la tête de son ouvrage. Les yeux du loup étaient posés sur lui, jaunes contre la brillante obscurité du monde. Kerleu prit soin de ne pas laisser son sourire monter jusqu'à ses lèvres. Il ne répondit pas au loup en paroles, mais se contenta de lui tendre le fil grossier de Joboam. Le loup fronça les sourcils, ses babines découvrirent ses crocs blancs.

— Qui t'a donné ce qui est à moi ? demanda-t-il dans un sourd grondement.

— J'ai pris ce que je pouvais modeler.

— Et cela aussi m'appartient. C'est au loup de prendre ce qu'il veut. Pas à toi, jeune chaman.

— Mais c'est moi qui l'ai, le défia Kerleu en agitant le fil.

Le loup le regarda et Kerleu se permit un large sourire. « Viens plus près, bête esprit, se murmura-t-il. Viens à ma portée. »

— Te souviens-tu de ce que je t'ai dit à notre dernière rencontre, petit chaman ? demanda le loup, dont le regard s'était étréci.

— Bien sûr, répondit Kerleu en hochant lentement la tête. « Si tu veux être le frère du loup, apprends à suivre les hardes. » Je vais bientôt partir avec le peuple des rennes. Je serai comme toi, loup. Je suivrai le troupeau et je prendrai ce que je veux.

Le loup se leva brusquement. Son haleine chaude sentait la viande. Manifestement, les paroles de Kerleu avaient été trop hardies. Mais il ne se détourna pas du souffle brûlant et soutint le regard étincelant des yeux jaunes. Le loup leva la queue, puis referma les mâchoires avec un claquement.

— Suis donc la harde. Et garde ce qui appartient au loup.

Il fit demi-tour et partit en trottant. Au bout de quelques pas, il regarda vers Kerleu par-dessus son épaule et sourit largement.

— Mais ne referme pas tes mains trop étroitement, petit chaman. Car tu n'es pas encore le frère du loup, et tu ne le seras peut-être jamais. Ce que tu tiens te sera réclamé un jour. Veille à le rendre, car j'ai scellé une alliance qui le concerne.

Kerleu examina le fil grossier.

— J'ai un couteau, dit-il à la nuit. Je pourrais le trancher net, à n'importe quel moment.

Puis il songea au loup bondissant d'étoile en étoile, remplissant le ciel nocturne d'un tonnerre de sabots terrifiés.

— J'attendrai que tu me demandes ce qui est à toi, promit-il. Mais ensuite, je te le réclamerai. Je deviendrai le frère du loup.

DANS LA MÊME COLLECTION

Pierre Pevel
Les enchantements d'Ambremer
L'Élixir d'oubli

Robert Holdstock
Celtika (Grand Prix de l'Imaginaire 2004)
Le graal de fer

Diana Wynne Jones
Le château des nuages
Le château de Hurle

Ashok K. Banker
Le prince d'Ayodiâ

Nancy McKenzie
Guenièvre – L'enfant reine
Guenièvre – La reine de Bretagne

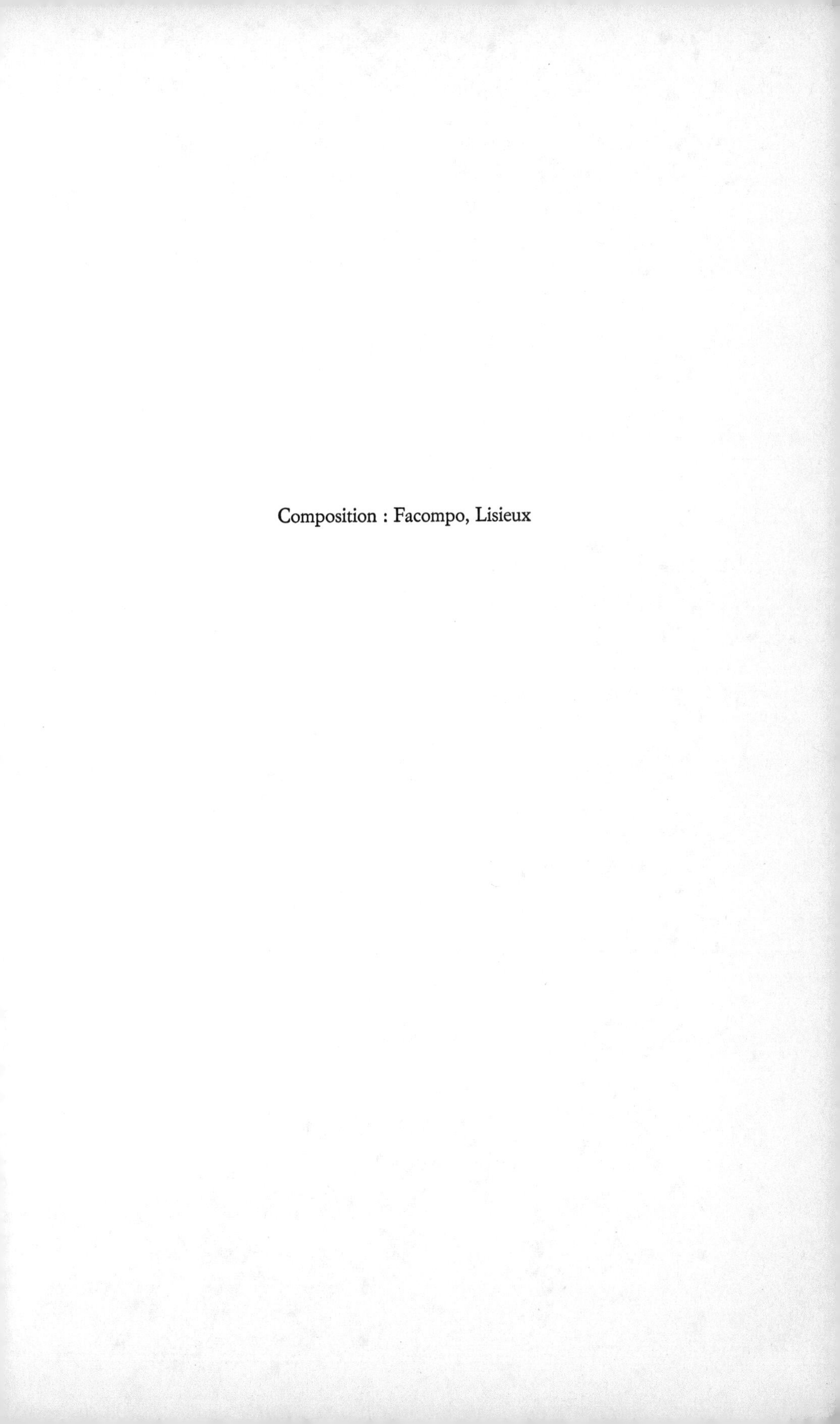

Composition : Facompo, Lisieux